Valparaiso Public Library
103 Jefferson Street
Valparaiso, IN 46383

LA OBSESIÓN DE

MADDY CLARE

La obsesión de Maddy Clare

Título original: *The Haunting of Maddy Clare*

© Simone St James, 2012

© de la traducción: Emilio Vadillo

© de esta edición: Libros de Seda, S.L.
Estación de Chamartín s/n, 1ª planta
28036 Madrid
www.librosdeseda.com
www.facebook.com/librosdesedaeditorial
@librosdeseda
info@librosdeseda.com

Diseño de cubierta: Mario Arturo
Maquetación: Rasgo Audaz
Imágenes de cubierta: ©Collaboration JS/Arcangel Images (pareja);
 ©Lee Avison/Arcangel Images (puente);
 ©Malyugin/Shutterstock (cara de fondo).
 En la contraportada: ©Sternstunden/Shutterstock (jardines de fondo)

Primera edición: enero de 2020

Depósito legal: M-37635-2019
ISBN: 978-84-17626-03-7

Impreso en España – Printed in Spain

SIMONE ST. JAMES

LA OBSESIÓN DE

MADDY CLARE

Libros de seda

CAPÍTULO I

Londres, 1922

E l día que conocí al señor Gellis había estado paseando bajo la lluvia.

Por la mañana, incapaz de enfrentarme a otro día sola en mi habitación, me metí de lleno en el bullicio de Piccadilly, con el cuello del fino abrigo que llevaba bien subido tapándome la garganta. El aire removía unas ligerísimas gotas algodonosas que no terminaban de caer al suelo, pero que me mojaban las mejillas y las pestañas. Las luces de la plaza relucían estridentes, en contraste con las nubes bajas y grises, y el ruido de las conversaciones de los turistas se imponía al adusto silencio de los hombres de negocios y a los murmullos de las pocas parejas de la localidad que había en la plaza.

Permanecí allí todo el tiempo que pude, observando el movimiento de los paraguas. Nadie se fijó en una chica pálida, con el pelo cortísimo bajo un sombrero pasado de moda y las manos metidas en los bolsillos. En un momento dado, la niebla húmeda se convirtió en lluvia de verdad y hasta yo tuve que encaminarme a casa, aunque sin las más mínimas ganas de hacerlo.

Aunque solo era mediodía, el cielo estaba oscuro y crepuscular cuando abrí la cancela y me apresuré a entrar en la pequeña y descuidada pensión. Subí los estrechos escalones hasta mi habitación, estremeciéndome debido a que la fría humedad me había calado las medias y me mojaba las piernas. Estaba rebuscando con los dedos helados para encontrar la llave, pensando casi desesperadamente en tomarme cuanto antes una taza de té caliente, cuando la casera me avisó desde abajo, informándome de que me llamaban por teléfono.

Me di la vuelta y volví a bajar las escaleras. Seguro que sería de la agencia de trabajo temporal, pues eran los únicos que sabían que me había mudado allí. Llevaba casi un año trabajando para ellos, y durante ese tiempo me habían mandado a diversos sitios para responder llamadas o transcribir escritos, siempre en oficinas lóbregas y de techos bajos. No obstante, en las últimas semanas no había surgido ningún trabajo, y ya apenas me quedaban fondos. La verdad es que había tenido suerte: si la lluvia hubiera empezado cinco minutos después, no hubiera podido atender la llamada.

El único teléfono de la casa estaba en un pequeño estante del pasillo del primer piso, con el auricular descolgado en la posición en que lo había dejado la casera. Al llegar pude oír el eco de una voz impaciente que llegaba del otro lado de la línea.

—¿Sarah Piper? —logré entender al fin, una vez que me coloqué el auricular en la oreja. Era una voz femenina, algo chillona—. Sarah Piper, ¿está usted ahí?

—Sí, aquí estoy —dije—. No cuelgue, por favor.

Tal como sospechaba, era de la agencia. La chica parecía aturullada e impaciente mientras me explicaba cuál era el trabajo que había surgido.

—Es un escritor —me dijo—. Está trabajando en un libro acerca de algo, no sé exactamente qué, y necesita ayuda. Quiere ver a alguien hoy mismo. Y que sea una mujer.

Suspiré al imaginarme a un hombre gordo y sudoroso al que le apetecía ver a unas cuantas chicas jóvenes entre las que escoger. Esto no era lo normal, pues siempre me llamaban para empezar a trabajar de inmediato en una oficina, no para hacer entrevistas personales.

—¿Es un cliente habitual?

—No. Es nuevo. Quiere entrevistar a alguien esta misma tarde.

Me mordí el labio al tiempo que sentía cierto malestar en el estómago. Las empleadas jóvenes eran presas fáciles para hombres con intenciones aviesas, pues había que pasar por el aro si no querías que te despidieran.

—¿En su oficina?

Bufó con impaciencia.

—En un café. Dejó muy claro que quería que fuera en un lugar público. ¿Irás?

—Pues no lo sé, la verdad —contesté.

—Mira... —espetó con cierta aspereza en el tono—. Puedo llamar a otras chicas. Decídete. ¿Vas a ir o no?

¿Quedar con un hombre en una cafetería, sola? Pero también era cierto que debía ya dos semanas del alquiler en esta pensión de mala muerte.

—Dímelo en serio, por favor —casi supliqué—. ¿No será que está buscando otro tipo de... servicios?

—¿Qué puedes perder yendo y juzgándolo tú misma? —replicó—. Si no te gusta lo que ves, le doy el número de otra y ya está.

Miré por la ventana. Ahora llovía mucho. Imaginé a la chica que estaba al otro lado de la línea, aburrida, chillona y sin ningún temor. Seguro que una joven como ella no se lo pensaría dos veces. Solo las chicas como yo dudábamos, nos costaba salir con nuestra única ropa presentable a encontrarnos con personas desconocidas en lugares desconocidos. Dudábamos respecto de todo.

Respiré hondo. Podía volver a mi habitación, pequeña y húmeda, sentarme junto a la ventana para ponerme a pensar y a beber una taza de té detrás de otra. O podía salir y caminar bajo la lluvia para encontrarme con un extraño.

—Allí estaré —dije por fin.

Me dio la dirección y colgó. Me quedé de pie solo un momento junto al estante del teléfono, oyendo distraídamente el repiqueteo del agua sobre los cristales y el sonido de una risa áspera procedente de una de las habitaciones cercanas. Y después volví a salir a la calle.

❀ ❀ ❀

—Supongo que prácticamente no le habrán explicado nada —dijo el joven que estaba al otro lado de la mesa al tiempo que se servía una taza de té—. Es porque yo apenas he dado detalles, los mínimos posibles.

No era como yo me lo había imaginado, en absoluto. Joven, más o menos de mi misma edad, unos veinticinco años. El pelo, rubio oscuro, no lo llevaba peinado hacia abajo y engominado, como era la moda, sino hacia atrás, algo descuidado y alborotado por el viento, como si se lo hubiera peinado por la mañana y se hubiera olvidado de él. Se podía apreciar una inteligencia rápida en el brillo de los ojos grises, el gesto atento y precavido y los movimientos, siempre elocuentes, de las manos. La cafetería en la que me había citado estaba en el Soho, y la atmósfera bohemia del establecimiento cuadraba perfectamente con su estilo personal: jersey de lana suave y de calidad, color verde oliva, encima de una camisa desabotonada en la zona baja del cuello. El lugar, adornado con cuadros poco convencionales y servido por camareras delgadas y silenciosas, le iba como anillo al dedo.

La que no pegaba nada allí era yo. No iba nunca al Soho. Se trataba de un barrio demasiado agreste y moderno para mí. Sin embargo, el café que estaba tomando era delicioso, y la sonrisa del señor Gellis me tenía fascinada, así que dejé de preocuparme, estiré los pies dentro de los zapatos, baratos por supuesto, y le devolví la sonrisa lo mejor que pude.

—Pues no mucho, tiene usted razón —contesté, afirmando con la cabeza para mostrar mi acuerdo—. Solo mencionaron que era usted escritor.

—Espero que no se haya hecho demasiadas ilusiones —dijo riendo—. No escribo libros escabrosos ni nada parecido. Solo publicaciones académicas bastante aburridas.

—No leo libros escabrosos.

—Pues entonces mejor, así no quedará defraudada —indicó, al tiempo que dejaba caer un terrón de azúcar en el café—. Una dama que no lee libros escabrosos... Se trata de un comienzo prometedor. Pedí que me mandaran a alguien inteligente.

Pestañeé sin poderlo evitar. ¿De verdad pensaban en la agencia que yo era inteligente? ¡Mira que lo dudaba! Más bien me habrían llamado porque estaba disponible en ese momento. No obstante, el cumplido me agradó. Me quité el gorro y me pasé la mano por el cortísimo pelo, que se me empezaba a rizar con la humedad.

—¿Necesita usted una secretaria? Puedo transcribir lo que me dicte, y deprisa.

Se echó hacia atrás en la silla.

—Sería algo parecido a eso —contestó, tamborileando los dedos sobre la mesa y mirando por la ventana, como si estuviera pensando. Miré su perfil, amable y de aspecto sincero, y empecé a sentir cierto placer al hacerlo. La verdad es que transmitía tranquilidad, y me alegré de haber acudido a la cita.

El señor Gellis volvió a tamborilear los dedos sobre la mesa y se volvió hacia mí. Parecía como si estuviera siempre bullendo de actividad, y que sus pensamientos no le permitieran estarse quieto.

—Tengo que confesarle que no estoy del todo seguro acerca de cómo enfocar esto. Lo que tengo que decirle puede sonar un tanto extraño.

Una parte de la alegría que estaba empezando a sentir se esfumó.

—¿Extraño?

—Tengo mis razones para haber quedado con usted en un lugar público —continuó—. Necesito específicamente que sea una mujer la que me ayude, y no quería que se sintiera incómoda cuando le planteara algo que... podría asustarla.

—¿Cómo dice? —Me había quedado completamente asombrada.

—¡Lo siento mucho! —se excusó, al tiempo que se sonrojaba intensamente—. Creo que mis palabras han dado lugar a un malentendido. Lo cierto es que no me relaciono mucho socialmente, ¿sabe?, y no me manejo bien a la hora de explicarme. —Suspiró—. Le paso unas notas que, seguramente, explicarán las cosas mejor que mis palabras.

Sacó un cuaderno de notas bastante voluminoso de una bolsa de cuero que había colocado colgando del respaldo de la silla y me lo pasó. El cuaderno estaba muy usado, y absolutamente lleno de anotaciones. Vi que había esquinas dobladas, notitas y páginas sueltas pegadas, etcétera.

Lo abrí por la primera página, en la que había un recorte de periódico informando acerca de una casa embrujada de Newcombe. En los márgenes del artículo también había notas escritas a mano y perfectamente legibles. Pasé a la segunda página, que también estaba llena de notas. La letra era cuidadosa, nítida, redonda y masculina.

Leí las notas durante un buen rato y después alcé la cabeza.

—Esto es...

—Sí.

—La descripción de un fantasma por parte de un testigo.

—Exacto.

Noté su mirada físicamente mientras abría páginas casi al azar. Era un cuaderno lleno de notas sobre apariciones de fantasmas, una detrás de otra.

—Entonces, ¿usted se dedica a investigar... fantasmas?

—Documento apariciones —confirmó, pasándose la mano por el pelo—. Bueno, tengo que preguntarle hasta qué punto conoce o sabe acerca de esto. Yo estoy tan acostumbrado a ello que ya ni me afecta. Pero así, dicho en voz alta, suena raro, ¿verdad?

—Metió la mano otra vez en la bolsa y me pasó otra cosa, un libro esta vez, bastante delgado. Lo agarré y leí el título.

El título era *Relación de casas embrujadas de la zona norte de Inglaterra,* y su autor Alistair Gellis. Miré al señor Gellis, que a su vez miraba hacia abajo con expresión modesta mientras removía el té con la cucharilla.

—Me ha dicho que escribía aburridas publicaciones académicas —espeté en tono acusatorio.

—Es lo que procuro, de verdad —contestó, encogiéndose de hombros—. Viajo a lugares supuestamente embrujados para intentar comprobar la veracidad de lo que se afirma acerca de ellos. Utilizo tecnología para documentar y verificar los hechos, o para refutarlos, según proceda. Después escribo mis conclusiones y las convierto en libros llenos de citas y de notas al pie. Intento que mis libros sean lo más escuetos y... sí, lo más aburridos posible. Sin florituras.

El asunto me sobrepasaba.

—¿Usted cree en esto? ¿De verdad? —La pregunta me salió sin pensar.

Frunció el ceño, y deseé haberme tragado las palabras. ¡Pues claro que creía en fantasmas! Si no, no escribiría sobre ellos.

—En realidad, no se trata de creer o no —dijo tranquilamente—. Solo creo lo que veo.

—Pero seguramente muchos de estos casos son fraudes, ¿no? Torció mínimamente la boca.

—Sí, hay fraudes. Muchos, en realidad. Los fraudes también aparecen en los libros. Pero algunos otros casos... —Se interrumpió un momento y volvió a encogerse de hombros—. ¿Qué puedo decir? Algunos no lo son, ni más ni menos.

Puse el libro encima de la mesa. No me cabía duda de que era el trabajo temporal más extraño de todos los tiempos que se hubiera encargado a una chica. Y no sabía qué hacer. El señor Gellis era joven, parecía tener buena formación intelectual y también ser algo excéntrico. Un tipo de persona que podía ser presa de los charlatanes, o al menos eso pensé. No se me escapó el detalle de que las prendas que vestía, pese a que no llamaban mucho la atención, y quizá precisamente debido a ello, eran probablemente las más caras de toda la cafetería. Seguramente sería un imán para los estafadores.

—Piensa usted que estoy loco. —Cuando alcé la vista, estaba sonriendo, entre divertido y algo triste—. Puede decirlo, cree que soy un chiflado. Es lo que opinan de mí la mayoría de las mujeres.

—¡No! —contesté de inmediato, en tono de protesta—. No, en serio.

—Entonces un mentiroso.

Me dejó conmocionada.

—¡Tampoco! Por supuesto que no.

—Entiendo. Lo único que ocurre es que, simplemente, no cree en fantasmas.

—Yo no... —negué con la cabeza—. No lo sé. Nunca he pensado en ello. No sé muy bien en lo que creo. —Respiré con cierta fuerza y pasé el dedo índice por el borde del libro que había dejado sobre la mesa, mientras intentaba dar forma a lo que quería decir—. La verdad es que no tengo una opinión formada acerca de los fantasmas. Supongo que en quien no creo es en la gente.

—Es usted una chica bastante poco corriente —dijo.

Lo miré sorprendida. El señor Gellis dio un sorbo a su té, sin dejar de mirarme por encima del borde de la taza. Hablé para intentar superar lo confundida que estaba.

—Por lo que respecta a... eh... el trabajo. Me imagino que necesita a alguien que organice sus notas, ¿no es así?

—Sí, sí. —Dejó la taza sobre la mesa y se inclinó un poco hacia delante—. Tengo un asistente. Recoge mis notas y lo tiene todo muy bien organizado. El cuaderno que le he enseñado es fruto de su trabajo.

Señaló el voluminoso cuaderno que estaba en la mesa, junto al libro, y yo me imaginé inmediatamente a un hombre con gafas poniendo en orden, con letra precisa y clara y de forma absolutamente meticulosa, el aluvión de notas escritas por el señor Gellis.

—Se llama Matthew Ryder —continuó el señor Gellis—. Pero se ha tenido que marchar a visitar a su hermana, que ha tenido un bebé. Normalmente no necesitaría sustituirle, pero me he dado cuenta de que esta semana sí que debo hacerlo.

Asentí. Tomar notas, organizarlas, etc. Eso era sencillo

—Pues creo que sí que puedo ayudarle —dije.

Levantó la mano derecha con el dedo índice bien extendido.

—Bueno, aún no he terminado. No diga que sí todavía. Me ha dicho que no tiene ninguna opinión acerca de la existencia de los fantasmas.

—Le puedo asegurar que nunca he visto un fantasma —reconocí.

Su sonrisa era como el sol que se abre paso entre las nubes.

—Pues entonces tiene suerte. Porque esta semana va usted a ver uno. Por encargo mío.

CAPÍTULO 2

En la mesa de al lado alguien se rio de repente y con fuerza, pero apenas me di cuenta, ya que me había quedado mirando al señor Gellis con la boca abierta.

—¿Quiere usted que vea un fantasma?

—Pues sí, o al menos eso espero —replicó, como si estuviéramos hablando de cuestiones triviales, del día a día—. Al menos si la pista que estoy siguiendo ahora es auténtica. Y llevo haciendo esto el tiempo suficiente como para pensar que sí que lo es.

Se me hizo un nudo en el estómago, frío y duro. Se acercó una camarera y el señor Gellis pidió otra taza de té. Cuando la chica se volvió hacia mí, negué con la cabeza algo avergonzada, pues no habíamos hablado acerca de quién pagaría las consumiciones, y no tenía dinero suficiente para otra taza de café, aunque la verdad era que me apetecía.

—No le entiendo —dije, una vez que se hubo marchado la camarera.

—Pues permítame que se lo explique. —El señor Gellis se frotó las manos y le brillaron los ojos de puro entusiasmo—. Supongo que no está al tanto de cuáles son los fantasmas más famosos de Inglaterra.

Obviamente, negué con la cabeza.

—No, claro que no. Como puede ver, aquí he documentado muchos de ellos. En Inglaterra hay montones de fantasmas, pero hay varias personas que investigan y escriben libros como el mío, y tendemos a cubrir los mismos ámbitos. Es inevitable. El verdadero reto es conseguir algo nuevo, una aparición absolutamente inédita y desconocida, sobre la que nadie haya escrito antes. Y, precisamente esta semana, la del viaje de mi asistente, he logrado encontrarlo. —Dio un largo trago a su té y se bebió casi la mitad de la taza. Me di cuenta de que estaba entusiasmado de verdad—. Hace unos días un vicario se puso en contacto conmigo. Había estado viviendo en un pueblecito llamado Waringstoke, donde una familia local le pidió que intentara realizar un exorcismo. Eso fue hace unos meses. El exorcismo resultó ser un fracaso rotundo. No solo falló a la hora de expulsar al supuesto fantasma, sino que, según el propio vicario, este hasta lo atacó físicamente. ¡Un ataque físico, señorita Piper! ¡Es algo absolutamente extraordinario!

Era la primera vez que pronunciaba mi apellido, y bajé la mirada, algo avergonzada por haberme dado cuenta.

—¿Qué clase de ataque físico? —pregunté.

—Pues sobre todo le arrojó objetos. Objetos pesados, quiero decir. Me dijo que notó la perturbación de forma casi inmediata, y la describió como un sentimiento de ira. Dijo que era la primera vez que notaba y veía eso en toda su vida, y que esperaba no tener que volver a experimentarlo nunca más.

—¿Y por qué se puso en contacto con usted?

—Bueno, yo ofrezco dinero a cambio de informaciones, por supuesto.

Volví a mirar hacia arriba. El señor Gellis hizo un gesto con la mano quitándole importancia al asunto, y me di cuenta de que era una de esas personas ricas por casa, y que le costaba tan poco y estaba tan acostumbrado a tener dinero que no le daba la menor importancia.

—Eso no viene al caso. La experiencia vivida le puso tan nervioso que se mudó a otro sitio y empezó de nuevo. Aún tiene pesadillas. He visto muchos mentirosos en mi vida, pero él no es uno de ellos. Inmediatamente escribí a la familia que vive en la casa y les pedí permiso para ir. Aceptaron, pero poniendo dos condiciones.

—¿Y cuáles son?

—Primera, que hagamos lo que podamos para ponernos en contacto con el espíritu, se trate de lo que se trate, y logremos que se vaya. No soy sacerdote, pero ya me han pedido hacer este tipo de cosas en alguna ocasión, y puedo comprometerme a intentarlo. Y la segunda... —Se inclinó hacia mí, y pude ver de cerca las negras pestañas que rodeaban sus ojos, y la piel de la barbilla, tan bien afeitada que relucía—. Al parecer, a toro pasado, la familia cree que fue un error llamar al vicario. Y es que les parece que al fantasma no le gustan los hombres. Así que solo permitirán que lo vea una mujer.

Me quedé mirándole otra vez con la boca entreabierta. Se terminó el té y miró por la ventana.

—Ha dejado de llover. Quizá podríamos dar un paseo, y así le explicaría el resto de la historia.

Sí que había dejado de llover, pero conforme avanzábamos por la calle Berwick el suelo seguía estando sucio y difícilmente transitable. Casi era la hora de la cena, y las caras de la mayoría de las personas con las que nos cruzábamos parecían ojerosas y apresuradas, como si la lluvia se hubiera llevado el color de sus rostros. El señor Gellis fue quien pagó la cuenta completa en la cafetería, dejando las monedas en el mostrador sin siquiera contarlas. Ahora llevaba las manos en los bolsillos del abrigo, y siguió con su relato.

—El fantasma de Waringstoke es una mujer —explicó—. Al parecer era una sirvienta joven que trabajaba para la familia. Se ahorcó en el granero cuando tenía diecinueve años.

—¡Qué triste!

—Sí. Según el vicario era una chica un tanto rara; al parecer la cabeza no le funcionaba del todo bien. Apenas salía de la casa. La señora Clare, que es la dueña, me contó que la chica tenía miedo de los hombres, y que se sentía muy incómoda en su presencia. No se le ocurrió pensar que al fantasma de la chica le fuera a pasar lo mismo. ¿Quién podría ser capaz de predecir tal cosa? En cualquier caso, no piensa permitir la presencia de ningún hombre más en el granero, que es donde se encuentra la aparición. Es absolutamente inflexible al respecto. Y si quiero documentarlo antes que nadie, tengo que aceptar esa condición.

—Esto es algo completamente nuevo para mí —dije—. Pero igual usted se enfrenta cada dos por tres a este tipo de situaciones.

—No, en absoluto. Es una auténtica locura. La señora Clare podría estar mintiendo, o podría ser ella, y no su antigua criada, la que estuviera mal de la cabeza. Pero el fantasma está en una propiedad privada, y tengo que estudiarlo. ¿Qué le voy a hacer? Solo puedo aceptar sus condiciones.

—Y ahí entro yo —dije, mordiéndome el labio.

—Supongo que es desalentador, sí.

—¿Y qué pasa si...? —Me sentí rara por el solo hecho de empezar a pronunciar la frase, cómo si la preocupación por el comportamiento de un fantasma fuera un asunto de la vida diaria—. ¿Qué pasa si me ataca a mí, lo mismo que atacó al vicario? ¿Y si corro peligro?

Frunció el ceño y se pasó la mano por el pelo.

—Pues... me temo que no tengo una respuesta adecuada para eso. ¿Tiene miedo de que le arroje cosas?

—Pues... no lo sé. La verdad es que suena absurdo tener miedo de que me tiren cosas. Pero... ¿y si intentara hacerme daño de verdad?

—No es probable que corra verdadero peligro. —Miraba hacia el suelo mientras caminaba, pensando, muy concentrado—. Todo apunta a que lo que sufrió el vicario fue más un estallido de mal humor que un verdadero ataque. Ya he visto otras veces espíritus que se comportan de esa manera. Se parecen más a una especie de explosiones de energía que a verdadera mala intención. —Se encogió de hombros al tiempo que seguía andando con tranquilidad y me miró—. No obstante, la verdad es que no estoy en condiciones de garantizar nada. Después de todo, son fenómenos paranormales. Si acepta trabajar conmigo, tendrá que estar preparada para correr el riesgo.

En esos momentos caminábamos por una plaza pequeña y recoleta, rodeada de árboles. Me di cuenta de que, al caminar, el señor Gellis sufría una cojera casi inapreciable en la pierna izquierda. Hacía solo cuatro años que había terminado la Gran Guerra, y el joven estaba en mitad de la veintena. Durante toda mi edad adulta había vivido en un mundo de hombres con alguna herida de guerra; solo los mayores y los niños estaban completamente libres de ellas en el Londres de la época. Parecía que el hecho de ser de familia rica, encantador y algo excéntrico no había librado al señor Gellis de acudir al frente, como casi todos los demás. Interioricé ese hecho, con lo que mi opinión acerca de él mejoró sustancialmente. No le pregunté nada, por supuesto, era algo que no se hacía. Pero cuando torció el gesto por el indudable dolor dejó de parecer un joven de vida fácil y desahogada, que se permitía ciertas excentricidades. Su aspecto varió por completo.

Dejé de andar, y él también. Me quedé de pie, quieta donde estaba durante un buen rato, con las manos en los bolsillos y sintiendo oleadas de frío que me atravesaban el cuerpo, desde la cabeza hasta la boca del estómago. Seguro que los dos habíamos tenido que lidiar con muchas muertes a lo largo de nuestra corta existencia. Y lo que me estaba pidiendo era que me relacionara con una chica de verdad, con un suicidio de verdad y, posiblemente, con un fantasma de verdad.

—No creo que pueda hacerlo —dije.

Se volvió y me miró a la cara.

—Señorita Piper, no tenga miedo —me dijo con mucha suavidad.

—Si no se trata de un fraude, si es real, lo que me está pidiendo es que vea a... algo que está muerto. —Hasta con mis propios oídos pude notar que la voz me temblaba.

Elevó la mirada, apartándola de la mía. Nos rodeaba un conjunto de casas pequeñas, pero, sin duda, muy caras, con pequeños senderos que partían de verjas primorosamente pintadas de negro. El bullicio de la ciudad llegaba hasta allí muy atenuado. Las nubes parecían no querer desparecer del todo, y se movían como una especie de techo oscuro que formara remolinos en el cielo. Las ramas de los árboles, muy mojadas, crujían agitadas por la brisa. En las cercanías un pájaro solitario trinó, solo una vez.

—He visto muchos fantasmas —dijo por fin el señor Gellis—. Resulta muy difícil de explicar. Nos dan miedo, y la mayor parte de ellos simplemente están... perdidos y, muy posiblemente, asustados.

Fijé una mirada perdida en las casas, sin verlas realmente. Mi padre y mi madre acudieron a mi mente. Me sentí mal, y además un tanto avergonzada por las ganas de llorar que me entraron. Parecía como si, de repente, fuera incapaz de controlar las emociones.

—Los muertos deben seguir así, muertos —dije, alejando el recuerdo de mis padres—. La muerte no es una diversión, ni un pasatiempo.

—Señorita Piper, míreme, por favor —dijo con voz cálida y más potente que hasta ese momento.

No tuve más remedio que reaccionar y mirarlo fijamente. Estaba de pie junto a mí, muy derecho, con las manos en los bolsillos y el pelo húmedo alborotado por la brisa. La chispa de humor en los ojos que había mostrado casi en todo momento en la cafetería había desaparecido por completo, y su gesto era serio, casi adusto.

—¿Acaso cree que no sé lo que es la muerte?

Pensé en su cojera y me sentí algo avergonzada.

—Estaré allí. No estará usted sola —continuó—. Trabajaremos en equipo. Sé que nos acabamos de conocer, pero es usted la persona adecuada para hacer esto. Sé que lo es. Y usted también lo sabe.

Faltó poco para que me echara a llorar. Ya no me acordaba de cuándo había sido la última vez que alguien me había hablado con respeto y con amabilidad. Había paseado por las calles de esa enorme ciudad sin que nadie se fijara en mí, ni tan siquiera me viera. Había ido saltando de trabajo en trabajo semanal, sin consolidarme en ninguno. No tenía amigos, ni parientes, ni hombres que quisieran tener relación conmigo. Quizá debería decir que no, negarme a algo que me parecía disparatado porque, además, parecía peligroso. Y, sin embargo, ahora que había conocido al señor Gellis y que había recibido su propuesta, y apreciado su insistencia, la idea de volver a mi cuarto de la pensión, de seguir con mi vida de hacía una hora, me resultaba insoportable. Quería estar donde él estuviera.

Pestañeé para evitar las lágrimas y respiré hondo. Tendría que correr el riesgo, tal como me había dicho. Sí, lo haría.

—¿Cuándo empiezo? —pregunté.

CAPÍTULO 3

Tres días más tarde salimos en automóvil hacia Waringstoke. En ese momento del variable junio inglés, el tiempo se había vuelto claro y fresco, aunque de vez en cuando llegaba una brisa cálida. Los cristales de los edificios y la carrocería de los vehículos a motor reflejaban la luz del sol en las calles londinenses. A mi pequeña habitación llegaba luz suficiente como para poner de manifiesto la suciedad de los cristales de las ventanas y la mohosa oscuridad que asomaba tras el papel de la zona de cocina.

Metí en una pequeña maleta la mayor parte de la ropa que tenía. Solo dejé en el armario las prendas más desgastadas, aquellas que no podían ser recosidas o zurcidas una vez más y cuyas manchas no se quitaban, por mucho que las lavara. Me puse mi mejor falda, que había cepillado a conciencia la noche anterior, y la blusa más nueva que tenía. Lo que no podía disimular era el estado en el que se encontraba el abrigo y, en todo caso, el señor Gellis ya lo había visto. No había remedio, pues era el único que tenía.

Mi nuevo jefe calculaba que estaríamos fuera una semana, y me dijo que no me llevara nada más que mis pertenencias, pero me pareció adecuado gastarme algo del escaso dinero que tenía en un cuaderno de notas presentable y una pluma nueva. Me ayudaría a sentirme una asistente como Dios manda si tenía los instrumentos adecuados para trabajar de verdad. Metí el cuaderno de notas y la pluma en la maleta y me sentí mejor, como una mujer que va a empezar un nuevo trabajo.

Antes de cerrar la puerta de mi habitación eché una mirada. Allí quedaba el pegajoso suelo embaldosado, el desvencijado sofá y, un poco más allá, la mínima cama, muy bien hecha, aunque con unas sábanas y una colcha casi hechas jirones. Había pasado muchas horas en ese lóbrego cuarto, sola, mirando por la ventana y fingiendo que leía un libro, o simplemente durmiendo. Tenía la tentación de sentir entusiasmo, como si fuera a regresar convertida en una persona diferente, nueva... Incluso ese entusiasmo me susurraba que a lo mejor ni siquiera volvía. Pero, por supuesto, eso era una estupidez. Estaría de vuelta al cabo de una semana. Y volvería a mirar el mundo desde la ventana, como hacía siempre.

El señor Gellis tenía un vehículo propio. Yo pensaba que viajaríamos en tren. Muy pocas veces había montado en un automóvil, y ni mucho menos en uno tan lujoso como ese. Casi ni me atrevía a tocar el cuero suave e impoluto del asiento del copiloto. Las ventanas no tenían ni una mancha, y podía ver cómo Londres iba desapareciendo ante mis ojos al tiempo que nos deslizábamos suavemente por la calle, aunque lo que parecía era lo contrario, que era la calle la que pasaba. Bajé la mirada y tropecé con la visión de los puños y los bajos deshilachados del abrigo. Junté las manos en el regazo y pensé que mi aspecto debía de ser zarrapastroso, casi el de una mendiga hambrienta.

Después de los saludos iniciales, el señor Gellis condujo en silencio. El sol le iluminaba el cabello, haciéndolo relucir. Durante un buen rato ni me miró siquiera, los ojos fijos en la carretera. Finalmente habló.

—No se preocupe por esto.

—¿Perdone? ¿A qué se refiere?

—Por el vehículo —aclaró—. Mi padre murió en el año dieciséis, y de repente, cuando volví a casa, me encontré con que poseía una gran cantidad de dinero. Fui el primer sorprendido.

Cuando volvió de la guerra, supuse. No supe qué decir, así que seguí mirando por la ventana.

—Mis libros se venden más o menos bien, pero, si lo necesitara de verdad, no podría vivir de ellos. —Parecía tener ganas de hablar, pese a que yo no intervenía—. Mi padre era banquero. A mí ese mundo nunca me llamó la atención, así que no tengo la menor idea de cómo pudo hacer tantísimo dinero. O sea, que tengo suerte. No estoy seguro de cómo me las habría apañado de haberme visto obligado a encontrar un trabajo. —Me dirigió un brevísima pero brillante sonrisa—. Lo único por lo que he tenido verdadero interés en mi vida es por los fantasmas.

—¿Y eso? —pregunté, volviéndome hacia él.

—¿Quiere decir que por qué los fantasmas?

—Me preguntaba por qué tiene tanto interés en un tema así de macabro.

No dejó de mirar la carretera, y durante un rato no pronunció palabra alguna. De hecho, empecé a pensar que no iba a responderme.

—Bueno, pues vamos con ello, a ver si consigo explicarlo —dijo finalmente—. Todo empezó con una experiencia propia. Este tipo de obsesiones suelen empezar de esa manera. —Levantó una mano del volante, se la pasó por el pelo en un gesto que ya detecté como habitual en él, y volvió a bajarla—. Tenía dieciséis años, y estaba en un internado. Fui a pasar las vacaciones de Navidad con un amigo, Frederick Wheeler. —Negó con la cabeza—. ¡El viejo Fred! Me pregunto qué habrá sido de él. En aquellos tiempos éramos buenos amigos, al menos todo lo que pueden serlo los adolescentes. Era un buen muchacho. Se peinara como se peinase, siempre le caía un mechón de pelo rubio por encima de un ojo, y eso le molestaba muchísimo. Nos gustaba tener el pelo largo, claro, porque pensábamos que así atraeríamos más a las chicas.

Me miró por un momento y debió de captar algo en mi expresión, ya que me dirigió una sonrisa cálida y franca.

—No se preocupe. La historia que le estoy contando no terminó mal, ni para Freddy ni para mí. Lo único malo fue que ninguna chica se interesó nunca por nosotros.

—Me imagino que ese destino es casi peor que la muerte para un adolescente —bromeé, sin contener la sonrisa como solía.

—¡Muy cierto! —Había vuelto a mirar hacia la carretera—. Llevaba ya unos días con él, recorriendo todos los rincones de la vieja casona en la que vivían Freddy y sus padres. No había demasiadas cosas que hacer, pero pasábamos el rato y hasta nos divertíamos. Patinábamos en el estanque, trepábamos al tejado, nos zampábamos todo lo que se nos ponía a mano..., en fin, ese tipo de cosas que hacen los chicos, ya sabe. Bueno, pues una noche algo me despertó. Nunca he sabido exactamente qué fue, pero había estado soñando con pisadas, sigilosas y furtivas, y pensé que, estando en la cama, pudiera ser que las hubiera oído de verdad. Pensé que Freddy podría estar despierto, así que me levanté y fui por el pasillo hasta su habitación.

Volvió a mirarme, quizá para comprobar si le estaba escuchando. ¡Como si yo hubiera podido estar pendiente en ese momento de otra cosa que no fuera lo que me contaba!

—La puerta de su habitación estaba entreabierta —prosiguió volviendo la vista hacia la carretera—. Me asomé, pensando que, después de todo, estaría dormido. Y lo estaba. Allí, en su cama... pero además había algo, algo que lo miraba con fijeza.

—¡No! —exclamé, sin poder evitar que se me entrecortara la respiración.

—Pues sí, claro que sí. Era una figura, me pareció que era de una persona, pero no estaba bien definida. Estaba allí de pie, sin moverse y con la cabeza algo ladeada. No cabe duda de que lo estaba mirando con fijeza.

—¿Y qué hizo usted?

—Me quedé bastante tiempo allí quieto, absolutamente helado. Créame si le digo que no podía ni respirar, de asombro y de miedo. La figura no se movía; no parecía que me hubiera visto, o puede que le diera igual. Solo le interesaba Freddy, al que no dejaba de mirar, con los brazos colgando a los lados del cuerpo. También pude verle las piernas, y parecía que era un varón, a no ser que fuera una mujer con pantalones.

»No sabía qué hacer. Fundamentalmente, lo que quería era salir corriendo despavorido, pero... ¿y si aquello, lo que fuera, quería hacerle daño a Freddy? ¿Debía despertarlo y gritarle que saliera corriendo? ¿O asustar a la figura para que se alejase? Pero la cobardía, pura y auténtica, me tenía paralizado. Y, mientras estaba allí de pie, un tiempo que pudieron ser solo segundos, pero que a mí no me lo parecieron, la figura se dio la vuelta y desapareció. No me miró en ningún momento, y no le vi la cara. Simplemente se dio la vuelta y... eso, desapareció. Al fin conseguí mover las piernas y, dando tumbos, regresé a mi habitación.

»Permanecí despierto todo el resto de la noche, mirando al techo, sudando y estremeciéndome cada vez que oía cualquier ruido. Me pareció que tardaba mucho en llegar el amanecer, años. En ese momento estaba medio convencido de que la figura habría regresado, de que Freddy estaba destinado a sufrir un destino horrible y de que nos lo íbamos a encontrar muerto en la cama. Pero bajó a desayunar tan tranquilo, fresco como una lechuga y diciendo que había dormido perfectamente.

—¿Le contó su experiencia?

—No pude. Estaba demasiado avergonzado, y convencido de que, si se lo contaba, me diría que estaba delirando. Nadie parecía afectado. Ese día empezó a nevar, pero no era una nevada tranquila, sino con ventisca y muy húmeda, y tuvimos que quedarnos en casa. Volvimos a recorrer todos los rincones y en uno de los pasillos vi un retrato. Era de un chico joven, con el pelo flexible y rubio como el de Freddy y gesto serio. Mi amigo me dijo que era de su hermano mayor, que había muerto a los diecisiete años al caerse desde el altillo del granero, en ese momento hacía tres años.

»Había algo en el retrato que me recordaba a la figura de la noche anterior, pero no sabía concretar el qué. Y, de repente, me di cuenta de dos cosas. La primera, que a quien había visto era al hermano muerto de Freddy, que no dejaba de mirarlo mientras dormía en su cama. Y la segunda, que quería saber más, y con todas mis fuerzas. De dónde había salido el fantasma, adónde se había ido, por qué estaba allí... Lo que fuese que pudiera averiguar. Todavía estaba aterrorizado, pero también sentía una enorme fascinación.

»Así fue como empezó todo. No comencé a dedicarme a esto desde aquel mismo momento, por supuesto. Terminé los estudios, pero también devoré todos los libros sobre fantasmas que pude encontrar. Después tuve que ir a Francia. —Se encogió de hombros de forma elocuente, al tiempo que torcía el gesto—. Supongo que cualquiera podría decir que ya tuve suficiente ración de muerte mientras estuve allí. Pero lo que hago es distinto. Resulta difícil de explicar. Por otra parte, no sabía qué hacer con mi vida tras volver a casa. Y esto es lo único que de verdad quiero hacer. —Me miró otra vez—. Bueno, ahora creo que ya lo sabe todo acerca de mí.

—Sí —confirmé.

—¿Y qué le parece?

Me mordí el labio.

Volvió a mirar hacia la carretera, pero ahora sonreía.

—Vamos, dígalo, no se preocupe.

—Es solo que... —me removí en el asiento— no puedo evitar preguntarme algo. Ha dicho usted que era la primera vez que veía el retrato, y sin embargo llevaba en la casa una semana. ¿No sería posible que sí que lo hubiera visto, pero que no se acordara? ¿Y si lo que pasó fue que estaba en su subconsciente la noche que entró en la habitación de Freddy?

—¡Ah, vaya! —Tamborileó los dedos sobre el volante—. No lo había visto, pero vamos a suponer que sí, que tiene usted razón y que el chico del retrato estaba en mi subconsciente. Pero, aun así, no sabía quién era, eso es seguro. ¿Por qué iba a verlo precisamente a él en la habitación de Freddy?

—Eso es fácil de explicar. Ha dicho que se parecía a Freddy. Lo lógico sería concluir que era un familiar suyo. Y si el retrato era moderno, eso es otra pista. Además, me ha dicho que en ningún momento vio la cara de la aparición.

—¿Así que fue mi subconsciente quien lo fabricó todo?

De repente caí en la cuenta de lo que estaba diciendo, y me llevé la mano a la boca. ¿Pero es que me había vuelto loca? Era mi primer trabajo en varias semanas, y el señor Gellis podía considerarse la amabilidad hecha persona. ¿Cómo podía haber soltado la lengua de esa forma para contradecir la experiencia que había vivido? Podía sentirse insultado, despedirme de inmediato y darse la vuelta con su vehículo en cuanto quisiera.

—Lo siento. Se lo digo de verdad. Soy una desconsiderada. No sé de lo que estoy hablando, por supuesto.

Para mi sorpresa, reaccionó riendo con ganas.

—¡No pasa nada! Lo está haciendo muy bien, señorita Piper. Es muy útil para mí que se pongan en duda las apariciones, que se busquen explicaciones lógicas, y más en un viaje de observación *in situ*. Estoy acostumbrado a que Matthew desempeñe ese papel.

Recordé que era el asistente al que estaba reemplazando, el hombre que tenía esa letra tan clara y legible.

—O sea que él es un escéptico, ¿no?

El señor Gellis volvió a reírse.

—Pues, sinceramente, no estoy muy seguro de lo que es Matthew, pero si consigo averiguarlo alguna vez, no dude de que se lo haré saber.

—En cualquier caso, prefiero no abrir la boca —dije, pues no sabía cómo tomarme lo último que me había dicho.

—Entiendo lo que ha querido decir antes, señorita Piper —insistió el señor Gellis—. Pero debo insistir: sé lo que vi. Simplemente lo sé. Si alguna vez contempla una aparición, una de verdad, entonces sabrá perfectamente a qué me refiero.

✱✱✱

A mediodía paramos en un *pub* de un pueblo, en el que el señor Gellis pidió unos sándwiches y sendas botellas de leche. Comimos rápido, pues según él teníamos que volver a la carretera enseguida para poder llegar a Waringstoke antes de que anocheciera.

Mientras comíamos estuve pensando en lo que me había dicho, es decir, que perseguir fantasmas era lo único que de verdad le gustaba hacer. Tenía libertad para hacer lo que quisiera. Si yo pudiera hacer lo que realmente quisiera, sin necesidad de preocuparme por el dinero, ¿a qué me dedicaría? No se me ocurrió nada.

—Parece pensativa —dijo cuando acabamos de comer—. ¿Se arrepiente de haber aceptado el acuerdo?

—No, no. Perdóneme —dije, sacudiendo las migas de la falda al tiempo que me levantaba. Era muy egoísta por mi parte el mostrarme deprimida—. No estoy muy acostumbrada a estar con alguien.

—Yo tampoco —indicó sonriendo. Lo cierto es que me pareció que estaba mucho más a gusto que yo, así que pensé que podía estar mintiendo; no obstante, también podía notar una cierta incomodidad en él, escondida bajo la superficie, y supe que estaba diciendo la verdad—. Sobre todo, a la compañía femenina. Los hombres tienden a olvidarse de las buenas maneras cuando están siempre rodeados solo de otros hombres.

—Pues se está usted comportando de maravilla —dije de corazón mientras caminábamos hacia el automóvil—. Soy yo la que tengo que recordar mis modales. Dígame una cosa, por favor: ¿el señor Ryder comparte su pasión por los fantasmas?

—Nadie comparte por completo mi pasión por los fantasmas, señorita Piper. —Me abrió la puerta para permitir que entrase en el automóvil y la cerró. Después dio la vuelta para entrar por la puerta del conductor—. Pero Matthew es un ayudante muy valioso para mí. No solo por las notas que toma. Además, suele encargarse de toda la logística en viajes como este. Yo soy un desastre con los mapas. Y también maneja el equipo técnico.

—¿El equipo técnico? —dije, incorporándome sorprendida.

—La cámara. La película. Procuramos documentar cada manifestación, aunque fotografiar fantasmas es casi imposible. ¿Lo sabía?

—Pues... supongo que me lo puedo imaginar.

—De todas formas, lo intentamos. Matthew maneja bien la cámara. Y también sabe usar el magnetofón.

—¿El magnetofón? —exclamé, mirándolo de hito en hito. Nunca había visto tal cosa, y no tenía la menor idea acerca de cómo se manejaba. Me sentí realmente alarmada. Lo más probable es que yo utilizase la cámara muy mal, así que el magnetofón no digamos.

—Es un artilugio enorme... que me costó un buen dinero. Tuve que encargarlo. La verdad es que no tengo la menor idea acerca de cómo funciona. Pero Matthew sí. Lo sacó y lo montó el mismísimo día que lo recibí. Creo que nunca lo he visto tan entusiasmado.

—Señor Gellis, la verdad es que yo no...

—Por favor, no se preocupe —me tranquilizó, separando del volante una de las manos y agitándola, para quitarle importancia al asunto—. No esperaba ni mucho menos que usted supiera cómo manejarlo. Matthew ya me ha enseñado lo suficiente como para ser capaz de hacerlo funcionar, al menos de forma rudimentaria y para este caso específico. Puedo enseñarle cómo se enciende y cómo se apaga... dado que va a ser usted, y no yo, quien intente grabar al fantasma de Falmouth House. En todo caso, el equipo no ha servido de mucho hasta ahora —confesó con un suspiro—. Por más que he intentado grabar a un fantasma de verdad, todavía no lo he logrado. Lo único que hemos grabado con ese chisme es ruido de interferencias y de electricidad estática, el sonido del viento y mi propia voz.

—Puede que esta vez sí que lo logre —dije.

Volvió a reírse.

—No permita que Matthew escuche tal cosa. No quería perderse este trabajo por nada del mundo... y si usted logra grabar el sonido de un fantasma durante su primera semana de trabajo, puede que la estrangule.

—¿Conoce al señor Ryder desde hace mucho?

—Me pregunta mucho sobre él —dijo, dirigiéndome una mirada algo cortante.

Sonreí y negué con la cabeza.

—Es que me lo imagino de muchas maneras, todas muy distintas, y no sé cuál elegir. ¿Es joven o mayor? ¿Grueso o delgado?

—Tiene mi edad... bueno, casi dos años menos. Ni delgado ni gordo, creo. Y sí, le interesan mucho los fantasmas. Pero creo que por razones distintas de las mías.

No me dio la oportunidad de pedirle que me explicara eso, pues se lanzó a contarme algunas experiencias que había vivido en sus búsquedas de fantasmas. Contaba muy bien las historias, con mucho talento para trasladar el sentido y para construir el relato, aportando detalles, pero manteniendo el suspense para que el oyente no perdiera el interés. Me retrepé en el asiento para escuchar, y pensé que debería preguntarle si tenía ejemplares de sus libros para que yo pudiera leerlos. Seguro que también era un buen escritor.

Las historias eran tremendamente tristes. Un niño muerto en un accidente de carruaje; un joven desaparecido en un cenagal, y cuyo cuerpo nunca se encontró; una mujer mayor que se había quedado en su casa, haciendo las mismas tareas que había llevado a cabo toda su vida, como si no se diera cuenta de que estaba muerta en realidad. Mientras las escuchaba, pensé que no solo eran historias de fantasmas, sino de tristeza y de desesperación inconmensurables. La gente que moría feliz no parecía dar lugar a fantasmas; o tal vez fueran fantasmas tranquilos, que se sentaban en sus rincones favoritos o paseaban por sus lugares preferidos, sin cruzarse con los vivos ni molestarlos. Era profundamente perturbador escuchar esas escalofriantes historias de dolor y desesperación mientras estaba sentada en el confortable asiento del automóvil, observando la magnificencia de la puesta de sol de un no menos magnífico día inglés de finales de la primavera.

—¿Nunca ha sentido miedo? —le pregunté en el momento en el que el sol se hundía en el horizonte y las sombras empezaban a envolvernos.

—No —contestó con gesto sincero—. Señorita Piper, los fantasmas asustan al principio. Al fin y al cabo, son nuestros muertos. Pero están desamparados, indefensos. Pueden tocar cosas físicas, dar portazos, romper platos, quitar y poner tapones una y otra vez. Una vez me topé con un fantasma que, por las noches, destapaba las camas de los que dormían... y como puede imaginarse, se trata de una experiencia absolutamente terrorífica para quien la vive. Pero están atrapados, y hacen las mismas cosas una y otra vez, porque no son capaces de sentir ni de comunicarse. ¿Tienen conciencia de lo que son? ¿Acaso el hermano de Freddy había escogido estar allí, o más bien era su espíritu, incapaz de superar una obsesión básica y de la que no podía escapar? ¿Son una especie de huellas que han dejado los que han abandonado esta vida, como una especie de sombra, un eco? La búsqueda de respuestas a estas preguntas es lo que ha dirigido los últimos cinco años de mi vida. Si hay algún fantasma que, de verdad, tiene conciencia de sí mismo, quiero encontrarlo.

—Y usted cree que puede encontrar algo así en Falmouth House —dije.

—Es lo que espero, señorita Piper —dijo, sonriendo—. Aunque, en realidad, es lo que espero todas las veces. Pero no llego a conclusiones hasta que no veo las pruebas. Y, hablando del rey de Roma... ya estamos llegando a Waringstoke.

✳✳✳

La escasa luz del crepúsculo apenas me permitió ver nada de Waringstoke cuando llegamos. Solo unas cuantas casas pequeñas, y una iglesia con su patio. La carretera por la que circulábamos era estrecha y con baches. No vi ningún otro automóvil, ni tampoco ninguna otra clase de vehículo. Las casas eran antiguas, situadas en los bordes de la carretera o en calles adyacentes. Eran pequeñas, de madera y piedra, bien conservadas y con cálidas luces amarillas iluminando las ventanas. Estábamos en una zona muy antigua de Inglaterra, aunque no demasiado rica. El contraste con Londres, lleno de edificios de metal y cristal, era tremendo. Más allá del pequeño pueblo pude distinguir a duras penas campos de cultivo, verdes colinas y bosques de denso arbolado.

El señor Gellis aparcó el automóvil con cuidado. Una vez más, se bajó, lo rodeó y me abrió la puerta. Salí, y no pude evitar soltar un ligero quejido al estirar las piernas, que crujieron entumecidas después del largo viaje. Me quedé de pie, invadida por el silencio que nos rodeaba, y él se quedó mirándome.

Estábamos en el patio de una pequeña posada; pude ver un cisne dibujado en el cartelito de la puerta, aunque me fue imposible distinguir y leer el nombre del establecimiento debido a la oscuridad reinante. La posada tenía dos pisos, aunque el de arriba parecía una especie de bulto que le hubiera salido al de abajo, con gabletes inclinados y ventanas con parteluz en cuyos cristales parpadeaba la ya muy escasa luz del crepúsculo. Noté grava bajo las finas suelas de los zapatos. El silencio era absoluto; solo se escuchaba el suave rumor de la brisa sobre las copas de los árboles y el lejano trino de un pájaro. Acostumbrada al ruido de Londres, y después al constante rumor de motor del automóvil que me había acompañado todo el día, me pitaban los oídos, y la oscuridad gris y plomiza que inundaba el paisaje y el silbido del viento me produjeron una sensación inquietante, como si el tiempo se hubiera acabado y toda la humanidad hubiera desaparecido.

Me volví. El señor Gellis me estaba mirando con su habitual gesto que unía el buen humor a la observación atenta e inteligente, un gesto al que ya empezaba a acostumbrarme.

—Una vista muy bonita, ¿verdad? —dijo.

El viento me alborotó el pelo, y me aparté de la frente unos cuantos mechones sueltos.

—Pues... no lo sé, la verdad. Nunca he estado en el campo.

—¡Vaya, una chica de ciudad! —dijo mientras abría el maletero del vehículo y sacaba el equipaje—. ¿Nunca ha ido a la orilla del mar, ni a casa de una prima durante las vacaciones?

Negué con la cabeza una vez más.

—Muy bien. Entonces creo que estar aquí le vendrá bien. —Cerró el maletero y le agradecí para mis adentros el tacto que mostraba al no hacer ningún comentario respecto a mi falta de familia y de amigos—. Aire fresco y puro, vida sana y todas esas cosas. ¿No es eso lo que se suele decir? El campo pondrá un poco de color en sus mejillas.

—¿El señor Gellis? —Se nos acercó un hombre que acababa de salir de la posada, que se cubría con una pelliza y una gorra gris.

—Sí —respondió Gellis—. Usted debe de ser el señor Ahearn.

El hombre asintió sin sonreír.

—Sí, caballero. Puede dejar las maletas aquí. Un mozo las subirá a sus habitaciones.

El vestíbulo era bastante amplio y tenía una entrada a la taberna, que estaba empezando a llenarse. Capté una imagen de vigas de madera en el techo, oí risas de hombres y el tintineo de unos vasos. Pero no tenía ningunas ganas de ir más allá ni de prestar atención, y tras recibir una señal con la cabeza del señor Gellis, seguí a una sirvienta y subí las escaleras hasta llegar a una pequeña habitación, en la que ya estaban mis maletas. Por fin podía descansar un poco y refrescarme.

Tampoco es que pudiera hacer mucho para mejorar mi aspecto. Tenía la blusa extraordinariamente arrugada, lo mismo que la falda. Las medias también necesitaban un lavado, pero aún no me apetecía irme a la cama. Me acerqué a la pequeña palangana para enjuagarme la cara. Después me miré en el espejo, que estaba bastante turbio, e hice lo que pude. Tenía una media melena recta hasta el nacimiento del cuello, que era la moda de aquella época; no obstante, al igual que la mayoría de las chicas, hubiera preferido hacerme rizos, como prácticamente todas las estrellas de cine. Pero no podía permitirme ese gasto, ni en la peluquería ni en los instrumentos y materiales para mantener tal peinado. Además, en el estado depresivo en el que me encontraba, no tenía ganas de pasarme una hora diaria arreglándome el pelo, por muy a la moda que quisiera estar.

Y por eso llevaba una melena simple, justo hasta debajo de los lóbulos de las orejas. Tenía el pelo de color chocolate oscuro, bastante anodino en mi opinión, y caía lacio y recto, a no ser que la brisa lo alborotara un poco y me tapara la frente y los ojos. Cuando pasaba eso, los mechones eran lo suficientemente largos como para poder sujetarlos detrás de las orejas. Siempre que el viento no fuera demasiado fuerte, claro.

Me lo mojé un poco, a ver si lograba que pareciera recién lavado. Tenía algún que otro producto cosmético, todos comprados con mucho esfuerzo y que apenas utilizaba, así que decidí no ponerme nada en esta ocasión. Con mi cara, tal como era, tendría que bastar.

Estaba cansada, así que evalué la posibilidad de quedarme en la pequeña habitación; pero al mirar a mi alrededor y ver el mobiliario, iluminado por una temblorosa lámpara eléctrica situada en un rincón, cambié de opinión inmediatamente. El cansancio se enfrentó con otro sentimiento, una especie de entusiasmo al que no estaba acostumbrada. Quería saber qué iba a pasar después. Necesitaba recibir instrucciones del señor Gellis, y que me explicara qué era lo que me encontraría por la mañana.

Estaba en la taberna. Al igual que yo, no se había quedado en la habitación; se estaba bebiendo una cerveza y tomaba notas en un cuaderno, con la cabeza de cabello dorado bastante inclinada mientras lo hacía.

Al verme me dirigió una sonrisa, tan relajada y agradable que logró hacer que me vibrase el corazón.

—¡Ah, aquí está! —dijo—. Fresca como una lechuga. Siéntese, por favor, y pida algo de cenar. Tenemos que revisar unos cuantos detalles para mañana.

Así lo hice. Tengo que reconocer que estaba hambrienta, pero el orgullo pudo más.

—No me parece adecuado que costee usted todas mis comidas. Por favor, no me impida que pague yo.

—¡Por supuesto que son cosa mía! —dijo, levantando una ceja—. Usted ha tenido que venir hasta aquí porque yo se lo he ordenado, como empleada mía. Está bajo mi responsabilidad. Por otro lado, ¿qué clase de caballero sería yo si dejara pagar la cena a una señorita?

—Soy una chica moderna, ya sabe —argüí, permitiéndome una media sonrisa. No podía creerme que estuviera flirteando conmigo, aunque fuera mínimamente. Y menos que yo entrara en el juego.

—Sí, ya me había dado cuenta —respondió sonriendo de nuevo—. Me da la impresión de que incluso demasiado moderna para un pueblo como Waringstoke. Prácticamente todo el salón se ha apercibido de su presencia. No me extrañaría que estuvieran esperando a que, en cualquier momento, se pusiera a fumar y a bailar encima de una mesa.

La verdad es que yo también había notado la atención de los hombres que estaban en la taberna: el posadero, el señor Ahearn, clavándonos miradas un tanto adustas mientras realizaba sus quehaceres; el camarero, torciendo ligeramente la cabeza mientras hablaba en susurros con su jefe; y, por supuesto, las miradas de los parroquianos, desde todos los rincones del salón, bastante menos discretas. Pero también noté nada más entrar que se mascaba la tensión, así que difícilmente podía atribuirla a mi presencia allí.

—No es a mí a quien miran, sino a usted.

Se inclinó un poco y me habló en voz baja.

—Debe acostumbrarse a esto. Se trata de una comunidad muy pequeña, y venimos del lejano Londres. Todo el mundo conoce a todo el mundo, y no solo a los de su generación, sino a los padres, e incluso a los abuelos. Me he dado cuenta de que los forasteros no suelen ser bien recibidos en los pueblos y las ciudades pequeñas a las que he ido debido a mi línea de investigaciones.

—Ya me he dado cuenta de que el posadero no nos ha recibido con mucho entusiasmo.

—Es muy perceptiva. Intenté preguntarle algunas cosas mientras usted estaba en su habitación. Y me he dado cuenta de que una estatua de Wellington que hay en el jardín de mi casa es más comunicativa que él.

Prácticamente susurrábamos, y yo estaba inclinada hacia él, y muy cerca. Con el rabillo del ojo pude ver a un hombre mayor, con un jersey azul oscuro, sentado en un taburete de la barra, con una jarra de cerveza en la mano, y que me miraba con expresión inequívoca de desaprobación. Cuando le clavé la mirada, no la retiró, sino que levantó aún más la cabeza para mirarme de frente. Y me di cuenta de la situación, y de cómo podía percibirse: el señor Gellis y yo, sentados el uno junto al otro en conversación íntima. Para cualquiera que nos viera, sin la menor duda pareceríamos amantes. Me ruboricé un poco y el hombre del jersey azul cambió su expresión por otra de triunfo mínimo y mezquino. Desvié la mirada.

El señor Gellis se echó hacia atrás en la silla e hizo una seña a alguien que estaba detrás de mí. Se aproximó el único camarero del establecimiento y mi jefe pidió la cena para ambos, sin apenas mirarme. Carne, patatas y verdura hervida. Cuando se fue el camarero, el señor Gellis me dirigió una mirada de disculpa.

—Me doy cuenta de que casi habíamos llegado al acuerdo de que es usted moderna —dijo—, pero me da la impresión de que aquí hasta convendría comportarse un poco a la antigua, ¿no le parece?

Lo que me dijo me sorprendió mucho de entrada, pero enseguida entendí lo que quería decir. El que hubiera pedido la cena para mí, sin siquiera preguntarme, no había sido otra cosa que una representación para todos los que nos observaban, y no tenía que ver con nosotros. De todas formas, llevaba demasiado tiempo viviendo sola y no estaba acostumbrada a que ningún hombre hiciera las cosas por mí.

—Lo entiendo, pero si su intención es convertir en un hábito esta forma de actuar, debo mostrar mi desacuerdo.

Volvió a sonreír.

—Chica lista. Y ahora, vamos a revisar nuestros planes para mañana.

Nos pasamos alrededor de una hora hablando de lo que iba a ocurrir al día siguiente. Entretanto llegó la cena, y aunque era la más abundante que había visto en mi vida, fui capaz de hacerle los honores casi por completo; debido a ello, el señor Gellis me tomó el pelo comentando que «el aire fresco y sano» del campo ya empezaba a hacer efecto en mí. Hasta me convenció de que tomara media pinta de cerveza.

Nuestros planes eran relativamente sencillos. El señor Gellis ya había enviado un mensaje a Falmouth House, y la respuesta había sido que le esperaban mañana por la mañana. Entrevistaríamos a la señora Clare y al ama de llaves, que era una persona mayor, acerca de Maddy, la sirvienta fallecida. Y después, si todo iba bien, tomaría la cámara y el equipo de grabación de sonido, me acercaría al granero supuestamente embrujado y esperaría a ver si Maddy se aparecía.

Como plan, era sencillo, sí. Pero me resultaba tan extraño, tan distinto e improbable como trabajo que me costaba hacerme a la idea. Volvió a inundarme el entusiasmo que había sentido por la mañana, al dejar la habitación de la pensión, mezclado, tengo que confesarlo, con una buena dosis de miedo. En algunos momentos me parecía como si eso de ver fantasmas no fuera más que un juego de salón, de los de miedo, pero en realidad un puro entretenimiento. Pero en otros veía claro que, en caso de producirse la aparición, iba a estar en presencia de alguien que había salido de su tumba.

Y, en el fondo de mi mente, la preocupación no me dejaba en paz. ¿Qué pasaría si, finalmente, no percibía nada? O, dicho de otro modo, ¿y si no había nada que ver? Me mandarían a casa y sanseacabó. ¿De verdad tenía la esperanza de ver algo, lo que fuera?

El señor Gellis y yo teníamos verdaderamente revolucionada a toda la taberna, allí sentados en nuestra mesa y sin dejar de hablar. Tendría que haberme sentido avergonzada, pues todo el mundo, a esas alturas, ya pensaría que éramos pareja. Pero la verdad es que no sentía vergüenza, en absoluto. Todo lo contrario, lo que estaba experimentando era un leve y superficial sentimiento de orgullo, por el hecho de que pensaran que un hombre tan atractivo y, sin la menor duda, rico como el señor Gellis me hubiera escogido como compañera. ¡Qué más daba que hubiera sido una absoluta casualidad, sobrevenida gracias a que estaba apuntada en una agencia de trabajo temporal! ¡Qué más daba si no me consideraba otra cosa que una empleada eventual! En la taberna, nadie lo sabía, al menos de momento. Y, de cualquier manera, ¿acaso no pasaban cosas raras un día sí y otro también? ¿Por qué iba a considerarse como algo completamente imposible, dado que teníamos que trabajar codo con codo? Yo no estaba comprometida, y el señor Gellis no llevaba anillo, y no había dicho que estuviera casado. Pero mi imaginación se estaba desbocando, así que traté de controlarla y dejé de pensar en semejantes tonterías.

No obstante, más tarde, cuando subía las escaleras hacia mi habitación, absolutamente exhausta, tuve que reconocer que, por primera vez en muchos años, quizá desde que murieron mis padres, me olvidé del sentido común y dejé que las fantasías infantiles y estúpidas tomaran las riendas de mis pensamientos. Parecía que le gustaba y, después de todo, íbamos a estar juntos y solos bastante tiempo. Cuando miro hacia atrás y me acuerdo de aquello, me parece increíble que tales ideas, frívolas y absurdas, calaran en mi mente. No era una chica normal, pero al fin y al cabo era una chica y, por última vez, me dejé llevar y le di vueltas a las típicas historias románticas y con final feliz, sin ser consciente en absoluto del infierno en el que estaba a punto de adentrarme.

CAPÍTULO 4

El día siguiente amaneció húmedo y gris. El sol había desaparecido. Desde la ventana de mi habitación pude ver que había una delgada capa de niebla pegada al suelo, húmeda y silenciosa. Me pareció un ambiente muy apropiado para buscar fantasmas.

A pesar del tiempo húmedo, la habitación de la posada, aunque pequeña, era confortable, cálida y estaba bien aislada, y las medias ya se habían secado por completo. Me vestí deprisa y bajé al vestíbulo. No vi al señor Gellis. El posadero, el señor Ahearn, se acercó a mí con una taza de té en la mano.

—Buenos días —dijo, inclinando la cabeza con brusquedad—. Su compañero ya ha bajado. Está fuera, ahí enfrente.

—Gracias. —dije. Habría preferido café, pero no quería ningún tipo de problema. Me bebí el té tan deprisa como pude, atravesé el vestíbulo y me detuve un momento para ponerme el abrigo, que llevaba colgando del brazo. También me encasqueté mi gorro favorito, el marrón oscuro de fieltro, bajándomelo hasta cubrirme las orejas.

Tras pasar el umbral de la entrada principal pude ver al señor Gellis, de pie en medio del patio, y a su lado, en el suelo, la gran maleta en la que iba el equipo de grabación. Llevaba el abrigo color verde oliva y tenía las manos en los bolsillos, igual que el día de la entrevista, cuando nos conocimos. Y estaba hablando con una mujer.

Era alta y con mucho estilo, y también delgada y de largas piernas, lo que en aquellos tiempos hacía furor. Llevaba pelliza, que se notaba que era de calidad y un gorrito ceñido muy a la moda; sujetaba por la correa un perro muy pequeño, que estaba tranquilamente sentado junto a los tobillos de su dueña. Le ofreció un cigarrillo al señor Gellis y se inclinó hacia delante para encendérselo; tenía una expresión de buen humor en la mirada. Después encendió otro cigarrillo para ella, mirando fijamente al señor Gellis.

Se me revolvió el estómago, pero sabía que el posadero me estaba mirando, así que no podía quedarme allí quieta todo el rato. Me puse los guantes y salí al patio del establecimiento.

Cuando me aproximaba, el señor Gellis se volvió. Se había puesto una gorra para protegerse de la lluvia que, bajo la visera, subrayaba la potencia de la mandíbula y la fuerza e intensidad de la mirada, plasmada en los ojos grises, rodeados de pestañas largas y oscuras.

—¡Ah, señorita Piper!

—Buenos días —dije.

Se produjo una pausa breve e incómoda. El señor Gellis se volvió hacia la mujer y, por primera vez desde que lo conocía, me pareció que no estaba relajado.

Pestañeé, pero no me moví. Sentí calor en las mejillas pese a la humedad y el ambiente fresco, y confié en que la visera del gorro ocultara de alguna manera la más que segura expresión de desaliento del gesto. La mujer me miró con calma y me di cuenta de su atractivo: piel clara y tersa, labios llenos y bien delineados y ojos de párpados gruesos, que emitían una sensualidad comparable a la de Greta Garbo, de esa que era capaz de atraer a los hombres como la miel a las moscas. El pelo que asomaba bajo el gorro era ondulado y oscuro, lo cual hacía resaltar y favorecía mucho su complexión pálida. Exhalaba una enorme confianza en sí misma, con los hombros relajados y una mano metida en el bolsillo de la pelliza, aunque no del todo, por lo que se podía apreciar la suavidad y blancura de la piel que asomaba por la muñeca. Me dedicó una mínima sonrisa.

—Ya veo —dijo, aunque dirigiéndose al señor Gellis, y no a mí—. No sabía que los buscadores de fantasmas tenían ayudantes.

¿Se estaba burlando de él? ¿De los dos? El tono neutro no daba pistas al respecto. El señor Gellis la miró por un momento, pero enseguida apartó la mirada.

—En este caso, sí. Señorita Piper, le presento a la señora Barry. Vive en el pueblo.

—¿Cómo está? —me saludó en voz baja.

Con toda seguridad había interrumpido algo, podía sentirlo. El señor Gellis observó la llovizna con el cuerpo en tensión y el cigarrillo sujeto entre los dedos índice y corazón de la mano derecha. No sabía que fumara, pues ni durante el viaje del día anterior, ni por la noche en la taberna, había encendido un solo cigarrillo. Tuve la certeza de que no sabía nada de nada. Miré a la señora Barry y pensé en las fantasías absurdas de la noche anterior, dándome cuenta de que, en un mundo en el que había mujeres como esa, las chicas como yo no existíamos, ni más ni menos. Lo cierto era que siempre lo había sabido, pero, ¿por qué se me había olvidado? No volvería a comportarme de una forma tan estúpida.

Finalmente pude hablar.

—No... no tenía noticia de que conociera a nadie aquí.

El señor Gellis ni siquiera volvió la cabeza, así que fue la propia señora Barry la que aclaró la cuestión.

—Es una absoluta casualidad —explicó, tirando con suavidad de la correa, pues el perro se había puesto en movimiento—. Nos conocimos hace muchos años. Antes de la guerra. —Se volvió hacia Alistair—. El Año Nuevo del catorce, ¿no?

El tono era ligero, pero me di cuenta de cómo lo miraba, recorriendo despacio con los ojos los hombros y el perfil, y supe que no necesitaba para nada que nadie se lo confirmara.

—Sí —dijo él de todas formas, echándole una mirada brevísima—. Esa Nochevieja, en efecto.

—Y nunca hemos vuelto a vernos hasta esta mañana, en la que iba paseando por aquí con mi perro. Imagínese qué sorpresa. —Se volvió hacia mí, dio una profunda calada al cigarrillo y sonrió mínimamente, pero solo con la boca—. La vida está llena de coincidencias extrañas, ¿no es así?

Pude ver en el gesto del señor Gellis una desgarradora infelicidad, pero la ocultó casi de inmediato y se volvió hacia nosotras.

—Tenemos que irnos —indicó perentoriamente.

—Les deseo suerte a ambos —dijo la señora Barry, con tono neutro, como si estuviera hablando con el cartero—. Me ha encantado volver a verte, Alistair.

Gellis asintió y echó a andar entre la neblina, como si se estuviera adentrando en el mar. Yo me apresuré a seguirlo. La señora White desapareció casi inmediatamente detrás de nosotros.

Me sentía fatal, e intenté ocultarlo, aunque con bastante torpeza.

—Me había dicho que los lugareños no suelen ser amigables —dije con voz chirriante.

Se mantuvo callado un buen rato mientras caminábamos, al tiempo que la humedad me calaba las medias en la zona de las espinillas. Finalmente tiró el cigarrillo y me miró sorprendido, como si se hubiera olvidado de que estaba allí.

—Perdone. ¿Qué es lo que me ha dicho?

Miré para otro lado.

—Nada —contesté—. Nada en absoluto.

✹ ✹ ✹

Enseguida, Falmouth House surgió entre la niebla delante de nosotros. Estaba en una pequeña hondonada, como si la sujetara la palma de una mano, y rodeada de grandes robles y álamos que apenas podían distinguirse en ese momento.

La construcción era típica del siglo xix, de tablillas blancas frente a las que contrastaban las contraventanas, pintadas de negro brillante. Conforme nos acercábamos, me di cuenta de que la humedad del ambiente hacía que el agua se condensara y corriera sobre las contraventanas lacadas, haciendo el efecto de que estuvieran llorando.

Me sorprendió el profundo silencio del campo, la ausencia de sonidos debidos a la actividad humana; era como si mi mente estuviera esperando escuchar el clamor de los automóviles y de las voces, y el rumor intenso del movimiento continuo de las personas. Aquí solo se escuchaba el apagado sonido de la lluvia y los trinos de algunos pájaros. El aire tenía un olor dulzón, imposible en la ciudad. Sonó en la lejanía el graznido de un cuervo, oscuro y gutural.

Subimos unos escalones desiguales hasta llegar al porche, el señor Gellis soltó la maleta que contenía el equipo de sonido y me miró brevemente.

—Deje que hable yo. Tengo experiencia en situaciones como estas.

—Por supuesto —dije.

Llamó a la puerta y esperamos. Miré hacia arriba, a la casa que se elevaba por encima de nosotros. No era demasiado alta, tan solo de dos plantas, y tampoco ostentosa, en absoluto. Se trataba de una casa modesta, un poco deteriorada, de madera encalada. La típica vivienda a la que aspiraría un granjero que había empezado a prosperar.

Desde donde estábamos no se podía ver el granero.

Se abrió la puerta y nos recibió una mujer. Tendría unos sesenta años, y el pelo rizado y recio bien sujeto hacia atrás. La nariz y las mejillas mostraban ronchones rojos, como si les afectara algún tipo de irritación. Nos sonrió con gesto decidido.

—Usted debe de ser el señor Gellis, caballero.

—Sí, así es.

—Soy la señora Macready, el ama de llaves —se presentó—. Pasen, por favor.

Nos acompañó hasta un pequeño cuarto de estar que daba a la fachada principal. El señor Gellis me presentó y volvió a dejar la maleta en el suelo. La señora Macready nos indicó que enseguida vendría la señora Clare, la dueña de la casa, y nos dejó solos.

Una vez más, nos quedamos esperando, aunque en este caso en el pequeño cuarto de estar, al abrigo de la lluvia. De todas maneras, la chimenea no estaba encendida, lo que no aliviaba la fría humedad del ambiente. Fijé la vista en un cuadro, evidentemente barato, colocado encima de la repisa de la chimenea, que representaba un paisaje bucólico, para evitar la mirada del señor Gellis. Nos mantuvimos en silencio hasta que llegó la señora Clare.

Era mayor que la señora Macready. Bastante por encima de los sesenta, y puede que hasta ya hubiera cumplido los setenta años. Era muy pequeña, pero no solo baja, sino extremadamente delgada, como si hubiera estado enferma, o todavía lo estuviera. Tenía los ojos azules, grandes y muy vivos pese a su avanzada edad, y ligeramente hundidos. Llevaba un modesto vestido de lana que hacía juego con el color de los ojos y contrastaba bien con el del pelo, absolutamente blanco. Entrelazó las manos delante del cuerpo.

—Buenos días, señor Gellis.

El señor Gellis me presentó de nuevo, y la señora Clare se volvió para mirarme de frente.

—Ah —dijo en voz baja—. Entonces es usted la chica.

Asentí. Sabía a lo que se refería, naturalmente. Le había dicho al señor Gellis que no podía ir a Falmouth House si no le acompañaba una mujer, así que sin duda era objeto de su interés.

—¿Es usted una asistente? —preguntó la señora Clare.

—Sí —contestó el señor Gellis antes de que pudiera contestar nada, y recordé que prefería que yo hablara lo menos posible. Así que, por mi parte, me limité a asentir con la cabeza.

La señora Gellis me miró durante un momento más, después volvió la vista hacia el señor Gellis y, finalmente, me miró de nuevo.

—¿Tiene experiencia en este tipo de... trabajo? —me preguntó.

—No demasiada —se adelantó de nuevo el señor Gellis—, pero la he puesto muy al tanto de los detalles del caso.

Una vez más, la señora Clare nos miró alternativamente a los dos, pero esta vez me pareció notar una ligera expresión de disgusto. Me pareció que se ponía un poco rígida.

—Bueno, sentémonos —dijo—. No tenemos mucho tiempo.

Seguí a la señora Clare y me senté en un sillón estrecho e incómodo. El señor Gellis prefirió una silla del rincón. Se quitó la gorra y se inclinó hacia delante, colocando los antebrazos sobre las rodillas.

—¿Por qué dice que no tenemos mucho tiempo?

La señora Clare se sentó en el otro extremo del sofá y suspiró levemente.

—Estamos en Falmouth House y usted es un hombre, señor Gellis. Creo que ya le he explicado por qué eso es un problema.

—Pensaba que las apariciones solo se producían en el granero.

—Maddy no es una «aparición». —Pareció que, para la señora Clare, la palabra resultaba casi insultante—. Es un espíritu, como he podido comprobar en muchas ocasiones. Y sí, está en el granero, pero también es consciente de lo que ocurre en la casa. La presencia de un hombre hará que se enfade. Será mejor que demos fin a este encuentro y vuelva usted a la posada antes de que descubra que ha estado usted aquí.

—¿Qué hace cuando se... enfada?

La señora Clare dirigió la mirada hacia los árboles que se veían tras la ventana.

—Puede hacer cosas muy desagradables. De muchos tipos, digamos. Se... perturba. —Volvió a mirarnos—. En todo caso, ahora no quiero hablar de eso. Tenemos que discutir otra cosa.

—Muy bien —dijo el señor Gellis. Su voz era tranquila, pero me dio la impresión de que no le parecía bien dejar ese asunto—. ¿Y de qué quiere usted que hablemos?

La señora Clare lo miró de frente.

—Después de que se pusiera usted en contacto conmigo he realizado algunas averiguaciones, señor Gellis. He leído sus libros. A partir de ellos, me da la impresión de que es usted un hombre inteligente y comprensivo, más que un aventurero que busca emociones fuertes. Esa es una de las razones por las que he accedido a que nos veamos. Espero discreción. No quiero que Maddy se convierta en objetivo de la curiosidad pública, ni en una atracción turística. No es nada de eso. Lo odiaría y, aunque le parezca extraño escuchar esto, ella no se lo merece. No puede ni imaginarse la vida tan difícil que llevó. Y quiero que tenga algo de paz.

—Quiere protegerla, por lo que veo —dijo el señor Gellis, sin poder evitar un tono de genuina sorpresa.

La señora Clare sonrió mínimamente.

—Puede que le resulte extraño, pero lo que pasa, señor Gellis, es que, a pesar de toda su experiencia, usted no ha presenciado una situación como la nuestra. Nunca ha visto, en toda su vida, un espíritu como el de Maddy. Cuando estaba viva, se presentó en nuestra casa como un animal extraviado. Sí, apareció en nuestra puerta una noche lluviosa, herida e incapaz siquiera de hablar. Habían abusado de ella más allá de lo que una persona puede llegar a imaginar o comprender. Mi marido y yo la acogimos, y durante siete años intenté sanar su cuerpo y su mente. —La señora Clare se miró las manos, que tenía unidas en el regazo—. Hice todo lo que pude, lo mismo que la señora Macready. Pero no lo logramos. Puede que, simplemente, resultara imposible. Nunca lo sabré. Y, desde que murió, Maddy... ha ido a peor.

El señor Gellis había sacado un pequeño cuaderno del bolsillo y tomaba notas.

—Ha mencionado usted a su marido, señora Clare. ¿Podría hablar también con él?

—Murió en 1915, un año después de que Maddy llegara. Y nuestro único hijo también murió, mucho antes. Solo quedamos la señora Macready y yo.

—Entiendo. —El señor Gellis apuntó algo—. ¿Y cuál es la otra razón?

—¿Perdone?

Levantó la vista para mirarla de frente.

—Ha dicho que me ha permitido venir por dos razones. Una es la idea que se ha hecho de mí por medio de mis libros. ¿Cuál es la otra?

La señora Clare volvió la vista hacia mí, y después volvió a dirigirse al señor Gellis.

Los ojos, más allá de poseer cierto brillo de frágil dignidad, se notaban cansados y tristes.

—El otro motivo es que he llegado a la conclusión de que necesitamos ayuda. Y me temo que de una forma bastante desesperada. Ya no puedo soportar esto por más tiempo. Mi salud se ha deteriorado. No sé de qué manera podrán hacerlo, si lograr que se desvanezca, o convencerla, o incluso si tal cosa es o no posible. Pero tiene que irse. Quiero que esta joven haga algo en ese sentido.

Sentí el rubor en las mejillas cuando todos se volvieron a mirarme. Yo no dije una palabra.

—La señorita Piper no tiene experiencia en este tipo de cosas —dijo el señor Gellis frunciendo el ceño.

—No creo que sea necesario ningún tipo de aprendizaje. —El tono de la señora Clare se volvió altivo—. Solamente hay que pedirle, u ordenarle, que se vaya. Y hacer todas las visitas que sean necesarias hasta lograrlo.

—Puede que no sea posible, usted misma lo ha dicho —protestó él.

—Pues entonces, caballero, me temo que no hay otra opción. A no ser que cuando ustedes se vayan Maddy no se haya ido también, no contará con mi permiso para publicar la experiencia, ni nada de lo que averigüe.

La expresión del señor Gellis, generalmente tan amigable y abierta, era ahora de desconcierto, e incluso hasta de enfado.

—¡Esto es inaudito! No estoy en condiciones de garantizar nada. No tengo ningún poder sobre lo sobrenatural.

La petición sí que tenía sentido para mí; si la señora Clare quería discreción, mantener el asunto en el ámbito de lo privado y, pese a ello, había invitado a alguien que siempre escribía y publicaba sus investigaciones, lo único que, por lógica, podía deducirse era que o Maddy ya no estuviera en el momento en el que el libro se publicara, o no habría tal libro. Pero permanecí en silencio, no me correspondía intervenir.

—Por otra parte, caballero, usted no podrá ponerse en contacto con Maddy en ningún momento. Solo su asistente. —La señora Clare se volvió hacia mí—. Yo le he rogado varias veces que se fuera, por supuesto. Y lo mismo la señora Macready. Pero no nos hace caso. No estoy muy segura de si percibe siquiera que estamos aquí, y por eso llamamos al vicario, y ya sabemos lo desastrosa que resultó su visita. Lo siento muchísimo por ella, pero ya he hecho todo lo que he podido. Tiene que irse. ¿No lo entienden?

Apreté las rodillas y me decidí a decir algo.

—Lo entiendo —susurré.

El señor Gellis nos miró a las dos antes de volver a hablar.

—Todavía tengo muchas preguntas que hacerle sobre esta... aparición. Necesito detalles. Cada cuánto tiempo aparece, qué hace. Puede que haya un patrón. Y también necesito saber cómo era cuando estaba viva.

—Hablaremos de todo eso, señor Gellis. Pero lo primero es que su ayudante vea a Maddy. —La señora Clare cerró los ojos brevemente, como si estuviera agotada, pero enseguida los volvió a abrir—. Todo será más fácil en cuanto la vea. Usted debe regresar a la posada y dejar aquí a su ayudante. La enviaré de vuelta cuando haya terminado.

El señor Gellis se puso de pie. Estaba claro que no le gustaba quedarse al margen.

—Me gustaría entrevistarme tanto con usted como con la señora Macready. Han de ser entrevistas separadas, y probablemente largas. Antes de irme, necesito que me prometa que van a acceder a realizarlas.

Frunció los labios, que se convirtieron en una delgada línea, pero asintió.

—Muy bien. Mañana. Informaré a la señora Macready. Y ahora, por favor... debe marcharse antes de que se dé cuenta de que está usted aquí.

El señor Gellis me miró interrogativamente, y yo asentí. La verdad es que estaba aterrorizada, tanto que no podía ni levantarme del desvencijado sillón, pero no permitiría que se diera cuenta. Estaba tan preparada como lo iba a estar siempre.

—Bueno, pues envíemela cuando... termine —dijo, y se marchó de la habitación.

CAPÍTULO 5

La noche anterior, el señor Gellis me había enseñado a utilizar el magnetofón. Me aseguró que él se encargaría de los ajustes técnicos, incluyendo el bobinado de los cables en los dos grandes carretes y su colocación en los lugares adecuados. Había abierto la maleta y me había mostrado qué era lo que había que hacer, con sus ágiles manos señalando los puntos de conexión, así como el botón de encendido, que debía cambiar de la posición *Off* a la *On*. La máquina tenía una pila eléctrica de alimentación que duraba alrededor de veinte minutos, nada más, y es que dicha pila tenía que ser pequeña para que el aparato pudiera transportarse. Mis instrucciones eran que colocara la grabadora en el centro del granero, la encendiera y procurara atraer al fantasma lo más cerca posible de la máquina durante ese periodo de veinte minutos.

También me había dado instrucciones para la cámara. Había visto cámaras antes, claro, aunque nunca había tenido ninguna. El señor Gellis también me explicó pacientemente cómo funcionaba. Él mismo se tomaba con cierto escepticismo la posibilidad de fotografiar al fantasma; nunca lo había conseguido, debido sobre todo a las limitaciones de la tecnología. La cámara requería mucha luz para sacar fotos, y las casas en las que había investigado eran bastante oscuras. Los *flashes,* necesarios para hacer una fotografía apropiada, ahuyentaban inevitablemente a los fantasmas; por otra parte, y en su opinión, la brillante luminosidad del flash eliminaría la tenue imagen que se podría captar de un espíritu fantasmal. La frustración que le produjo una y otra vez esa imposibilidad de captar imágenes fue lo que le condujo a hacerse con el equipo de grabación, aunque tuvo que ser a un precio prohibitivo. Le entusiasmaba la posibilidad de captar la presencia de fantasmas por medio de los sonidos que emitieran.

Recogí toda esta tecnología y me puse de pie. Llevaba la cámara con una correa colgando del cuello y la máquina grabadora en su maleta. Estaba temblando de miedo, pero no me arredré. Al fin y al cabo, me habían contratado para esta tarea específica, y mi única perspectiva válida era seguir adelante.

La señora Clare se puso de pie y me miró. La señora Macready entró también en la habitación, y se colocó junto a la dueña de la casa. Ahora que el señor Gellis se había marchado, nadie parecía tener prisa ya. Y, ahora que estaba preparada para ir al granero, mi valor se vino abajo por completo.

La señora Clare me miró de arriba abajo, de forma fría y evaluativa. Me dio la impresión que llegó a una conclusión que no fue del todo de desaprobación.

—Querida, espero que sea más inteligente de lo que le hace parecer su jefe. Parece absolutamente aterrorizada.

No dije nada.

—Seguramente estará allí —dijo la señora Macready—. A veces no hace ruido, pero estos últimos días sí que lo ha hecho. Ayer la oí. He quitado la llave de la puerta.

—¿La oyó? —dije—. ¿Y no entró?

El ama de llaves parecía muy apenada y descorazonada.

—No puedo soportarlo —dijo simplemente.

—No la juzgue con mucha dureza —dijo la señora Clare, y me llevó un momento darme cuenta de que hablaba de la fantasmal Maddy, no de la señora Macready—. Intentará asustarla, engañarla, jugar con usted. Disfruta haciendo esas cosas. No significa nada. Si la hubiera conocido viva, sabría lo absolutamente inofensiva que es.

—La defiende mucho, y sin embargo quiere librarse de ella —dije.

Por los ojos de la señora Clare cruzó una expresión de pena muy semejante a la del ama de llaves.

—Venga a verme después de estar en el granero —dijo—. Tal vez en ese momento ya entienda el porqué.

❄ ❄ ❄

El granero estaba a escasa distancia de la casa, por la parte de atrás, siguiendo un sendero muy pisado e irregular. La niebla no se había disipado; se me enrollaba alrededor de los tobillos y de las pantorrillas conforme andaba, y me alegré de haberme puesto de nuevo el abrigo, pues la humedad intensificaba el frío. No se oía otro sonido que el de mis pasos y el de la fina lluvia entre las ramas de los árboles. Me habría aliviado mucho escuchar el canto de algún pájaro, aunque fuera lejano, pero no hubo suerte.

El edificio era lo suficientemente grande como para albergar unos cuantos caballos, que se notaba que faltaban desde hacía tiempo, así como el forraje y demás elementos necesarios para ocuparse de ellos. La construcción era buena, de modo que, a primera vista, resultaba acogedor y estaba cuidadosamente pintado. Por detrás había una fila de copas de árboles altos, como una especie de collar engarzado en un hilo de seda. Lo cierto es que lo que había esperado encontrarme era un edificio descuidado y antiguo, incluso casi en ruinas. Es decir, lo que uno podría esperar de un edificio presuntamente embrujado.

Me detuve delante de la gran puerta de dos hojas de madera y agucé los oídos, pero todo estaba silencioso. Levanté el pesado pasador para correr el pestillo, abrí la puerta y entré.

Fue como si me adentrara en un edificio completamente diferente. Miré alrededor, asombrada. Al contrario de lo que se veía fuera, era como si un huracán lo hubiera arrasado todo. Las casetas de los caballos estaban destrozadas, arrancadas de cuajo y tiradas aquí y allá. Los restos de las puertas colgaban de los goznes. Alguna fuerza muy poderosa lo había destruido casi todo, había hecho explotar las balas de paja y había derribado la media pared que separaba la zona de almacenamiento del granero en sí mismo. Los aperos, las sillas, los arreos, todo, estaban tirados por el suelo, y parte del cuero, grueso y pesado, estaba hecho jirones. Apenas entraba luz por las ventanas, que no iluminaba bien tanta destrucción. Solamente producía sombras y zonas de siniestra oscuridad. El silencio que reinaba era tan absoluto que hasta creía que podía oír la sangre corriéndome por las venas y resonando en los oídos.

Miré hacia atrás de repente pues, con el rabillo del ojo, me pareció notar un tenue movimiento. No pude ver nada. Cerré la puerta, con lo cual la oscuridad se acentuó, y di un paso hacia delante, y después otro. No noté ningún movimiento, ni escuché sonido alguno. Solo se podía sentir el tufo húmedo de los viejos caballos, mezclado con un extraño y desagradable olor metálico. No tuve valor para pensar cuál podría ser el origen de ese extraño tufo.

«El poder de la sugestión», pensé para mis adentros intentando hacer acopio de valor, mientras pensaba en el señor Gellis y el retrato del que me habló. «Te han dicho que este sitio está embrujado, y por eso tienes que creértelo».

Me temblaban las rodillas, pero seguí avanzando hasta donde calculé que estaba el centro del granero. Mis pasos apenas sonaban, ya que el suelo era de tierra blanda. Coloqué la maleta en el suelo y la abrí con manos temblorosas para preparar la grabadora. «El poder de la sugestión», me repetí sin hablar. Pero no me permití ahondar en la idea de que, si no había ningún fantasma que grabar, el señor Gellis me enviaría de vuelta a Londres y la aventura se habría terminado.

Coloqué el interruptor en la posición de encendido, con un ruido que rompió el profundo silencio.

Algo se movió detrás de mí.

Me volví. Solo pude ver la oscuridad, y también la puerta del granero, que ahora parecía a kilómetros de distancia. Me pregunté cuánto tiempo tardaría en llegar a ella corriendo.

Hubo otro movimiento, que esta vez pude ver por el rabillo del ojo derecho; me volví de nuevo y, una vez más, no vi nada. El gorro que me había puesto era de los que se llevaban en aquella época, con una zona de visera pegada a la cara como una campana. Sentí una punzada de pánico, porque no tenía buena visión periférica. Me lo quité inmediatamente y lo coloqué en el suelo, cerca de la grabadora.

Me quité los mechones de pelo que me habían caído sobre la cara y volví a mirar alrededor. En el granero hacía calor. No sabía si eso era algo antinatural, ni tampoco si procedía de mi propio estado de ánimo, de mi miedo. Agarré la cámara con dedos trémulos y puse la yema del pulgar sobre el disparador.

¿Se había movido algo? ¿De dónde venía ese sonido chirriante que escuchaba, suave pero continuo, y que se imponía claramente en mis oídos, por encima del pulso de las sienes? ¿Por qué estaba empezando a sentir un sudor frío? ¿Por qué no podía respirar? Me invadió la tensión y di unos pasos más hacia delante, hacia las ruinas del establo. No soportaba estarme quieta.

—¿Hay alguien ahí? —La voz me salió ronca, y en el silencio sonó como una especie de estallido—. ¿Hay alguien ahí?

Volví a escuchar el ruido chirriante. Esta vez sí que pude ver su origen. Era una de las puertas de las casillas, que colgaba de los goznes medio destrozados del marco. Cuando miré hacia allí, la puerta empezó a moverse, de forma deliberada, hacia delante, hacia atrás, hacia delante otra vez. No corría ni la más mínima gota de viento que pudiera dar lugar a eso.

Así que ahí estaba, por fin, el fantasma de Falmouth House. Di unos pasos más, algo tambaleantes, hacia la puerta que se movía.

Levanté la cámara y saqué una fotografía, incapaz de pensar en qué podría captar la lente, dado el estado de tensión y de pánico en el que me encontraba. La puerta seguía moviéndose, hacia delante, hacia atrás, hacia delante, hacia atrás otra vez.

El ruido rítmico de la puerta empezó a producir en mí una especie de fascinación que al mismo tiempo me asustaba. Abrí mucho los ojos, incapaz de alejar la mirada de ella. Seguía aterrorizada, y sin embargo extrañamente tranquila, quizá como un conejito que mirase a los ojos del animal que lo va a cazar. El corazón latía alocado en el pecho. No obstante, me acerqué más, me moví para enfocar desde otro ángulo, pasé la película. Alcé la cámara y disparé otra fotografía. Una puerta que se mueve sin que nadie la empuje. Al fin y al cabo, ¿no es eso lo que uno podría esperar encontrarse en una casa embrujada? No era algo tan extraño, así que lo documentaría. Si las fotos no mostraban nada, no me cabía duda de que el ruido de la puerta sí que quedaría grabado en el magnetofón. El señor Gellis podría...

Se produjo otro ruido, detrás de mí y hacia la derecha. La puerta se detuvo, y me quedé helada. El ruido procedía de la zona de la ventana, y me resultaba extrañamente familiar. No pude volver la cabeza; me quedé paralizada, mirando la puerta que, de repente, se había quedado quieta.

¡Pam-pam! ¡Pam-pam! Era un sonido familiar, pero mi cerebro no era capaz de procesarlo, de recordar dónde lo había escuchado. Fue creciendo en intensidad. No podía respirar. Al respirar hondo para recuperar el resuello, me di cuenta de que el olor metálico se había vuelto más intenso. Y empecé a temblar de puro miedo cuando, finalmente, reconocí el sonido.

Talones, descalzos, golpeando la pared. Algo estaba sentado en el alféizar de la ventana, y golpeaba la pared de madera con los talones.

Estaba detrás de mí, a menos de dos metros.

Podía volverme. Ahora podía volverme. Podía verlo. Lo único que tenía que hacer era volverme.

Pero no me podía mover. Notaba un tremendo nudo en la garganta y sollocé. Los talones empezaron a golpear con más fuerza, haciendo más ruido, como si me convocaran, llamando mi atención, invitándome a volverme y mirar. Sollocé de nuevo. ¿Qué vería, sentado sobre la ventana? ¿Sería algo humano?

¡Pam-pam! ¡Pam-pam! No podía hacerlo. Yo quería volverme. «Ella» también quería que me volviera. Pero no podía. De nuevo sollocé, me quedé donde estaba y cerré los ojos.

El ruido de los talones continuó. El calor se hizo más intenso. No eran imaginaciones mías, ni mucho menos, ni tampoco el olor metálico. Apreté aún más los párpados, no quería abrir los ojos. ¿Por qué? En realidad, no lo sabía; simplemente estaba segura de que no debía volverme a mirar, costara lo que costase. Volverme y mirar sería un error. Me lo gritaban todos los nervios del cuerpo.

Los golpes con los talones cesaron de repente. De la ventana llegó un ruido bajo, el eco de un gruñido de enfado, además de un balbuceo amortiguado. Podía tratarse de una voz, pero en ningún caso emitida por un ser humano. El balbuceo sonó durante unos segundos que se hicieron eternos, después se convirtió en un siseo y, finalmente, volvió el silencio.

Abrí los ojos.

Las paredes del granero estaban latiendo. No encuentro otra manera de describir lo que ocurría. Se combaban con fuerza hacia dentro, después hacia fuera, y todo empezaba de nuevo. Me quedé mirando, paralizada por el miedo, hasta que me di cuenta de que el calor ya me hacía daño en la piel y se volvía insoportable. Sintiendo que la cosa ya se había ido de la ventana, me volví.

El granero estaba en llamas.

Las llamas lamían las paredes y subían hasta el techo. Las destrozadas balas de paja ardían. Cuando fui capaz de mirar, las llamas avanzaban hacia el frente del granero. En cuestión de segundos llegarían hasta la única puerta de acceso... y de escape.

Grité, no sé exactamente qué, pero de mi garganta surgió una exclamación, y por fin logré ponerme en movimiento. Trastabillé hacia la puerta, dándome cuenta mientras corría de que el magnetofón iba a ser pasto de las llamas.

Me detuve, sopesando qué hacer. Ahora el fuego ya había alcanzado el marco de la puerta, aunque todavía se podía pasar por ella; puede que dispusiera de unos segundos preciosos. Así que me volví y corrí hacia la grabadora. ¿Vendría alguien? ¿Se vería el fuego desde la casa? Llegué al magnetofón, que se había detenido. ¿Cuánto tiempo llevaba en el granero? Lo coloqué en la maleta a toda prisa y agarré la pesada asa con la mano sudorosa. Escuché un ruido procedente de la parte de arriba, y vi que el fuego ya afectaba al tejado, y que una de las vigas en llamas caía directamente sobre mí.

Eché a correr inmediatamente y tropecé. Me resbalé con ambas piernas y caí de lado con fuerza sobre el suelo, golpeándome la cadera izquierda. La cámara se balanceó sobre el pecho, y la maleta también cayó al suelo, a mi lado. Grité otra vez, me encogí y me protegí la cabeza con los brazos, en un vano intento de evitar el golpe de la viga. Así esperé lo inevitable.

Seguí esperando.

Y no pasó nada.

Puede que, quizá gracias a un extraño golpe de suerte, la viga no me hubiera caído encima. Quité los brazos de la cabeza y me preparé para volver a salir corriendo hacia la puerta.

Miré a mi alrededor. Ya no había fuego. Estaba de nuevo en el húmedo y silencioso granero, solo, con la humedad deslizándose por los cristales de las ventanas. Las llamas, las vigas incendiadas, todo había desaparecido.

Miré hacia arriba. El tejado estaba como cuando entré, con los travesaños intactos. Reconozco que, de una forma un tanto estúpida, mi cerebro, aún muy asustado, empezó a ir más despacio y a pensar. Fuera como fuese, y pese a que lo había visto, sin ningún género de dudas, no se había producido ningún incendio.

Me senté jadeando, y estuve a punto de ponerme a sollozar por el miedo que aún no había dejado de sentir. Me dolía la cadera. Me levanté despacio y agarré la maleta otra vez. Miré a mi alrededor buscando el gorro.

Las palabras de la señora Clare acudieron de nuevo a mi mente. «Intentará asustarla, engañarla, jugar con usted. Disfruta haciendo esas cosas. No significa nada». ¡Dios del cielo! ¿Cómo era posible que hubiera pasado eso?

Renuncié al gorro y avancé hacia la puerta. Ya no hacía calor, ni tampoco olía a nada. De alguna forma, se había ido, aunque no podía saber adónde. Con el rabillo del ojo pude ver un trozo de tela que me resultó familiar y me acerqué renqueando a recogerlo. Eran los restos de mi gorro, que estaba literalmente hecho girones.

Lo miré un buen rato, sintiendo unas últimas oleadas de miedo. Después me volví y corrí hacia la puerta.

CAPÍTULO 6

Apenas recuerdo mi regreso a la posada. Tengo una vaga conciencia de mí misma dando tumbos entre la densa niebla, sin apenas darme cuenta de la dirección en la que caminaba, con la ropa llena de sudor, lo cual la volvía tan fría que hasta me hacía daño.

Creo que el señor Gellis me encontró. Recuerdo su voz, la mano sujetándome el codo. Agarró la maleta con la grabadora y me sentí mucho más ligera, como si su peso me hubiera retenido anclada al suelo y ahora pudiera flotar como un globo de helio sobre el miedo que seguía sintiendo. El mundo parecía lejos, muy lejos.

Mi siguiente recuerdo es verme sentada en una silla de la posada, con la frente hacia delante, sujeta por ambas manos, mientras el señor Gellis me hablaba con suavidad.

—Se pondrá bien —estaba diciendo—. Vamos, ánimo. No es más que una niña.

Levanté la vista y miré alrededor. Estábamos en una pequeña habitación, solo amueblada con una mesa y cuatro sillas de respaldo alto y recto. La ventana, decorada con una pesada cortina de terciopelo recogida hacia atrás, dejaba ver la luz del día, todavía gris y deprimente.

—¿Estamos en una habitación privada? —pregunté con voz algodonosa.

—Sí. La he reservado para toda la semana —dijo el señor Gellis. Estaba colocando la maleta sobre la mesa y abriéndola con cuidado—. He pensado que sería lo mejor, aunque me ha costado lo mío convencer al señor Ahearn.

Me enderecé en la silla. Todavía estaba aturdida, pero el mundo a mi alrededor empezaba a volverse un poco más real. Nunca me había hecho tan feliz ver el entramado de los gruesos cristales de una ventana, o los círculos sobre la mesa, ya secos, que eran las huellas de vasos que alguna vez descansaron sobre ella. Eran síntomas de una bendita realidad, cuerda y prosaica.

—Me doy cuenta de que, con toda seguridad, ha visto algo —dijo el señor Gellis. Había dejado de juguetear con la grabadora y ahora estaba de pie delante de mí, mirándome atentamente—. Parece bastante trastornada.

En esos momentos era incapaz de hablar. Me limité a asentir.

Le brillaron los ojos.

—Tiene que contármelo todo. Cada detalle. Necesito el cuaderno de notas... ¡sí, aquí está! Y la pluma. Tengo que recopilar sus impresiones mientras aún las tiene frescas en la memoria. Es la mejor manera. He pedido té. ¿Va a querer una taza?

—Sí, creo que sí.

El señor Gellis se sentó en una silla, con el cuaderno de notas y la pluma. Se inclinó y empezó a escribir, probablemente una introducción propia. Antes de que pudiéramos empezar, un camarero llegó con una tetera y dos tazas en una bandeja. Lo dejó todo encima de la mesa y se marchó.

El señor Gellis ni siquiera lo miró, sino que continuó escribiendo. El ruido de la pluma se oía perfectamente en el silencio de la habitación. Me quedé mirándolo, a la espera de que terminara.

En un momento dado señaló la tetera.

—Si es tan amable —dijo, y siguió escribiendo.

Seguí sentada, sintiéndome un tanto estúpida mientras esperaba. Después me levanté. Me temblaban las piernas, tanto que apenas me sostenían, y me acerqué despacio a la mesa en la que estaba el té. Me palpitaba la cadera y me dolía el hombro. Seguramente me había dado un golpe cuando escapaba aterrorizada. Pero me dije a mí misma que el señor Gellis no sabía nada de eso. Por supuesto que esperaba de mí que sirviera el té. Era su asistente, y estaba allí con todos los costes sufragados por él, así que lo menos que podía hacer era...

La puerta se abrió con un gran estruendo, y un hombre entró frenéticamente en la salita. Parecía un ladrón: rápido, con aspecto peligroso, la barbilla oscurecida por la barba incipiente y vestido de cualquier manera. Se cubría con una gorra color gris carbón que le llegaba hasta las cejas. Creo que ni me vio, y fue directo a interpelar al señor Gellis.

—¡Alistair! —exclamó con voz cavernosa—. ¿Me lo he perdido? ¡Por el amor de Dios! ¿Había algo? Lo había, ¿verdad? ¡Qué se vaya al maldito infierno!

El señor Gellis había levantado la cabeza del cuaderno. Su gesto no mostraba ningún temor, sino más bien una diversión apenas visible, aunque desde luego, difícil de disimular. Inclinó la cabeza en dirección a mí, para que aquel alocado individuo reparara en mi presencia.

El hombre se volvió y me escrutó con sus ojos oscuros. Me di cuenta de que había retrocedido hasta la ventana y que apenas podía evitar temblar. Su aparición había afectado aún más a mis destrozados nervios. Se había derramado algo de té en la bandeja.

El loco pareció comprenderlo todo al instante. De hecho, se quitó la gorra de la cabeza. A pesar de ese gesto de educación, su expresión era fría y contenida, y me pareció que el enfado aún no había desaparecido del todo.

—¡Ah, hola! —dijo por todo saludo.

Yo incliné la cabeza mínimamente.

El señor Gellis mantenía el gesto divertido.

—Señorita Piper —dijo—, le presento al hombre al que ha estado usted sustituyendo. Mi asistente, Matthew Ryder.

✼ ✼ ✼

Lo miré conmocionada. Había imaginado al señor Matthew Ryder como otro intelectual excéntrico, parecido al señor Gellis. Con lentes, tal vez algo tímido...; en fin, el tipo de hombre capaz de entender y manejar equipos de grabación complicados y de organizar perfectamente las notas de su jefe. El aspecto del hombre que estaba delante de mí no tenía nada que ver con ese cuadro.

Puede que no fuera ni un loco ni un ladrón, como pensé nada más verlo entrar de aquella forma tan violenta, pero lo cierto es que, por su aspecto, podría ser cualquiera de las dos cosas. Su mirada, rápida y oscura, no se perdía nada, y bajo ella, aunque cerca de la superficie, parecía esconderse algún tipo de emoción peligrosa. No se estaba quieto ni un momento. Su acento, junto a aquella voz grave, casi cavernosa, desvelaba un origen social de clase baja. En todo caso, parecía ser plenamente consciente de ello, y trataba al señor Gellis de forma brusca, maleducada e insolente, como si lo retara a ofenderse. El señor Gellis, lejos de entrar al trapo, mantuvo una actitud de tolerancia condescendiente y divertida. Desde el primer momento me di cuenta de que esa extraña relación venía de mucho tiempo atrás.

—¿Qué estás haciendo aquí? —le decía el señor Gellis en ese momento—. Me has interrumpido de una forma tremenda. Íbamos a empezar. Además, se suponía que no estarías disponible hasta el fin de semana.

El señor Ryder se encogió de hombros.

—Charlotte ya ha tenido el bebé, y a mí me parece que todo ha ido bien, aunque ¿qué puedo saber yo al respecto? Así que me he ido inmediatamente. He conducido toda la noche para llegar. No me quería perder ni un minuto de lo que pudiera ocurrir, fuera lo que fuese. ¿Cómo ha ido?

—He enviado a la señorita Piper esta misma mañana, pero todavía no la he entrevistado, gracias a ti... Tendrías que haber pasado unos días fuera.

—¡De ninguna manera! Si me hubieras hablado de esto antes nunca me habría ido. ¿Se ha presentado? —Se volvió hacia mí. Le ardía la mirada—. ¿Lo ha visto?

Algo de su insolente y agresiva actitud me hizo reaccionar con enfado. Estaba harta de que se hablara de mí como si fuera un objeto más de la habitación. Así que le mantuve la mirada, supongo que de forma agresiva.

—Me vio a mí —dije.

El señor Gellis saltó como un resorte, y el señor Ryder dio un paso hacia delante. Ahora su atención, ávida, estaba totalmente centrada en mí, alimentada por una obsesiva curiosidad que nunca había visto antes en nadie. De repente sentí el desequilibrio: una mujer sola en la habitación, superada por dos hombres jóvenes y fuertes, y ambos mirándome fascinados. Les sostuve la mirada a ambos.

—¿Qué quiere decir con eso? —preguntó el señor Ryder de inmediato—. ¿Lo vio usted o no?

—A ella... Quería que la mirara, o al menos eso creo. Pero no pude hacerlo. —Recordé los talones golpeando la pared de madera, el sonido balbuceante, y de repente volví a sentirme débil. Me llevé la mano, todavía muy fría, a la frente y me apoyé en la ventana—. Señor Gellis, usted me dijo que esa chica, Maddy, se colgó, ¿no?

—Sí —contestó.

Ese sonido balbuceante, como una especie de borboteo, como si fuera incapaz de hablar. De nuevo me imaginé lo que habría visto de haber mirado, y me volví hacia ellos.

—¡Oh, Dios! —exclamé en voz baja.

—Señorita Piper, debe sentarse. —La voz del señor Gellis era suave y tranquila—. El señor Ryder nos ha interrumpido abruptamente, se arrepiente de ello y pide disculpas. —Yo lo dudaba muchísimo, pero el señor Gellis continuó—. Ahora debemos documentar su testimonio, mientras todavía está fresco en su mente. Es el momento de decirnos lo que ha visto.

—Lo que he visto es algo imposible —dije.

—Nos ganamos la vida viendo fantasmas, señorita Piper —dijo con voz todavía forzadamente tranquila, pero ya con un punto de impaciencia—. Hemos visto docenas, y nada de lo que nos cuente nos va a parecer extraño, o imposible. Cualquier cosa es posible, sea la que sea. Y ahora, se lo pido por favor, siéntese y alívienos de la tortura que nos produce la curiosidad.

Me alejé de la ventana y crucé la habitación. No pude evitar renquear; el señor Gellis había vuelto a centrarse en su cuaderno de notas y no se fijó, pero sí que pude ver cómo el señor Ryder me miraba con agudeza. Me pareció que me estaba evaluando, intentando formarse una idea sobre mí en su cerebro, y que esta no resultaba suficiente o completa. Tuve una sensación extraña en el estómago al mirarlo, así que dejé de hacerlo.

Me senté. El señor Gellis acercó su silla a la mía. El señor Ryder, todavía inquieto e incapaz de tranquilizarse, se movió, saliéndose de mi campo visual, y supongo que se quedaría de pie, más o menos inmóvil, en algún punto de la habitación, quizá frente a la ventana, donde yo había estado antes. Miré al señor Gellis, que tenía los ojos oscuros fijos en mí, y con una sonrisa falsamente dulce en la boca. Se la devolví débilmente.

—Bueno, ahora empiece —dijo. Y así lo hice.

El relato llevó bastante tiempo. Pese a lo que había dicho el señor Gellis respecto a su experiencia, al escuchar mis propias palabras según salían de mi boca, todo me parecía una absoluta locura. En realidad, parecía una mujer delirante que contase una pesadilla, o más bien una alucinación que había sufrido estando despierta. Controlé ese pensamiento y continué, forzándome a relatar exactamente, palabra por palabra, hecho por hecho, lo que había experimentado, por mucho que pareciera una locura.

Miraba al suelo mientras hablaba, para no ver las expresiones de los dos hombres que me estaban escuchando.

En medio del relato, oí un sonido suave, y apareció delante de mí una taza de té. Alcé la cabeza. Había sido el señor Ryder, cuyo gesto era perfectamente neutro. Murmuré las gracias entre dientes y acepté la taza. Mientras él retiraba la mano pude ver una cicatriz de color rosa oscuro en el dorso de la misma, que ascendía por la muñeca hasta el antebrazo, donde la manga la ocultaba. Era la cicatriz de una quemadura, y grande. Así que el señor Ryder, como Gellis, era probablemente un veterano de la última guerra. No podía estar segura, naturalmente, porque podía ser que se hubiera hecho la cicatriz de algún otro modo; sin embargo, hacía mucho que no conocía a ningún hombre joven que no hubiera ido a la guerra.

—Continúe, por favor —apremió el señor Gellis, y me di cuenta de que me había interrumpido bruscamente al ver la cicatriz. Miré de nuevo a los dos hombres. El señor Gellis estaba sentado en su silla, relajado, con una pierna cruzada sobre la otra, con el cuaderno apoyado sobre el muslo, mirándome con educado interés, aunque ese gesto no se correspondía con el obsesivo brillo de sus ojos. El señor Ryder seguía de pie, aunque había dado un paso atrás después de servirme el té y ahora se apoyaba en la mesa, cargando el peso sobre una pierna y con los brazos cruzados sobre el pecho. También me miraba fijamente, sin apartar los ojos ni siquiera pestañear. Pensé que los dos habrían estado en muchas batallas, y probablemente habrían visto morir a muchos hombres, de muertes violentas que sin duda superarían cualquier conciencia de la moral y de los valores personales, sin poder atender a los allegados que querían a los caídos, a sus méritos como personas, a sus creencias, a todo lo que para ellos hubiera tenido valor en vida. Eran hombres que habrían visto pasar muy cerca, terriblemente cerca, su propia muerte. En cierto modo, con estos hombres, parecía más cómodo hablar de fantasmas que de la muerte en sí misma.

Bebí un sorbo y continué. Cuando por fin terminé el relato, el señor Gellis dejó el cuaderno y la pluma sobre la mesa y se inclinó hacia delante, apoyando los codos sobre las rodillas y las manos en las sienes. Miró al suelo durante un buen rato.

Miré al señor Ryder, pero se había dado la vuelta.

—¿Estoy loca? —pregunté.

—No —respondió de inmediato el señor Gellis, sin levantar la cabeza.

—¿Han experimentado ustedes alguna vez algo parecido? —volví a preguntar.

Soltó una risa entre dientes, que sonó bastante amarga.

—No —repitió.

—¡Una alucinación! —El señor Ryder miraba sin ver por la ventana. Se notaba que pensaba a toda velocidad, era como si hablara solo para sí mismo—. ¡Es capaz de producir alucinaciones! Nunca había escuchado nada parecido. ¡Es increíble! —Hablaba en voz baja, pero con gran énfasis—. Alistair, tenemos que entrar en ese granero.

El señor Gellis negó con la cabeza, que aún se sujetaba con las palmas.

—No hay manera de que lo hagamos. Ya le he dado muchas vueltas. La señora Clare no lo permitirá. El granero está muy bien cerrado. Y ellas nunca salen de casa.

Yo estaba un tanto sorprendida. ¿El señor Gellis se había planteado entrar subrepticiamente y sin permiso en el granero? ¿Para poder establecer contacto con un fantasma?

—Entonces por la noche —insistió el señor Ryder.

Alistair volvió a negar con la cabeza, todavía entre las manos.

El señor Ryder frunció el ceño, mostrando a regañadientes su acuerdo, aunque parecía que solo por el momento.

—Puede que las fotografías muestren algo. Y también voy a comprobar la grabación.

—Los siento —les dije a ambos.

El señor Gellis alzó la cabeza, y ambos me miraron.

—Sé que han contratado a una mujer porque al fantasma no le gustan los hombres —me expliqué—. Pero parece que la he... molestado de alguna manera. La señora Clare quería evitar eso, así que puede que no nos deje volver, a ninguno, ni siquiera a mí. No sé qué es lo que hizo, ni cómo, pero las cosas fueron así. Me da la impresión de que, si hubiese ido primero uno de ustedes dos, hubiera pasado algo parecido.

El señor Gellis frunció el ceño, pero el señor Ryder dejó de mirar por la ventana y se volvió hacia mí.

—Señorita Piper, la mañana ha sido muy larga e intensa. Pediremos algo de comer y comprobaré la grabación. Igual quiere descansar un rato...

—Pues... no lo sé —contesté—. No sé si podría. Pero lo que sin duda quiero hacer es refrescarme un poco. —Pensar en echarme agua fresca sobre la cara me parecía como ir al paraíso.

—Tómese el tiempo que quiera —dijo el señor Ryder asintiendo.

Cuando me marché y empecé a subir despacio las escaleras, detrás de mí se produjo el silencio más absoluto. Ninguno de los dos dijo ni una palabra.

Fui al cuarto de baño, que estaba en el segundo piso, y me lavé la cara. Me sentó muy bien, tal como me había imaginado. Siguiendo un impulso, me quité la blusa y me lavé con agua caliente, tanto como mi piel pudo aguantar. Quería lavarme para quitarme de encima parte de la tensión, el sudor seco... y supongo que también el miedo. Después miré la blusa y me di cuenta de que estaba arrugada y sucia tras el paso por el granero. A la falda le pasaba lo mismo.

Me puse de nuevo la blusa y me dirigí a mi habitación. Me cambié y me puse un vestido camisero suave y con estampado de flores. Era una de mis prendas favoritas, pasada de moda, claro, pero muy cómoda y fácil de llevar. El ponérmela fue como volver a verme con una vieja amiga. Solo una mujer puede entender realmente lo que se siente al llevar su ropa favorita.

Algo reconfortada, le eché un vistazo a la cama. Sí, probablemente me dormiría si me echaba, pero, inopinadamente, me sentí hambrienta. El señor Ryder había hablado de pedir algo de comer. Así que me olvidé de la cama, salí de la habitación y me dirigí a la escalera.

Me detuve un momento en el rellano, reuniendo fuerzas y valor para bajar. Los dos hombres que estaban abajo, en el salón privado, me hacían sentir como un pajarillo en una guarida de leones; el señor Gellis, pese a sus formas suaves y educadas, era un hombre obsesionado, y mi instinto me decía que el señor Ryder era, simple y directamente, un individuo peligroso. Entre ellos había una relación muy fuerte, cuya naturaleza real no podía entender. Me iba a costar un rato recuperar el valor y, sin saber por qué, miré por la ventana.

Había un hombre mirándome fijamente.

Yo estaba en el segundo piso, así que no me encontraba demasiado cerca del exterior, pero sí lo suficiente. Estaba de pie, entre los árboles, justo cuando empezaban a ser más delgados, en la zona en la que el espeso bosque empezaba a dar paso al claro de la posada. Llevaba un abrigo largo y un gorro de lana para protegerse de la humedad, por lo que no podía distinguir bien sus rasgos, pues además estaba entre las sombras. Pero lo que pude discernir claramente fue que me miraba. Tenía la vista fija en la ventana, y no la movía.

Se me cortó la respiración. Supongo que todavía tenía los nervios de punta, porque en ese momento creí estar viendo otro fantasma. ¿Es que Waringstoke estaba plagado de fantasmas? Pero, en ese momento, encendió un cigarrillo y lo dejó colgando de los labios, y distinguí la brasa roja conforme aspiraba el humo. Después de apurarlo en solo tres o cuatro caladas, tiró la colilla al suelo y la pisó con el tacón, con un gesto que me recordó mucho a mi padre, de una forma tan intensa que casi pude oler el aroma del tabaco de liar que él solía consumir.

Me aparté de la ventana temblando y bajé las escaleras. ¿Quién podría estar interesado en vigilar la posada? ¿Cuánto tiempo llevaba ese hombre ahí, entre los árboles, y qué esperaba ver? Aún me estaba haciendo esas preguntas cuando llegué al final de las escaleras y oí las voces de Gellis y de Ryder hablando de mí. La puerta del salón privado se había quedado a medio cerrar, y pude entender perfectamente lo que estaban diciendo.

—Es casi delictivo, Alistair. —El que habló fue el señor Ryder. Cuando ya la habías escuchado una vez, su voz ronca resultaba inconfundible—. No hace falta que te lo diga.

—No sé de qué estás hablando. —El señor Gellis parecía tenso.

—Conmigo no actúes como si llevaras un palo metido por el trasero. Te conozco desde hace mucho. —Se escuchó un sonido metálico, e imaginé que el señor Ryder había manipulado de algún modo la grabadora—. ¿Dónde la has encontrado?

—La envió una agencia de trabajo temporal —respondió su interlocutor.

—¡Por Dios! ¿Una chica de una agencia, eso es todo? ¿Una secretaria?

—Como te podrás imaginar, no hay agencias especializadas en encontrar personas con experiencia en lo paranormal. Resulta difícil saber dónde buscar. ¿Y a quién habrías contratado tú? ¿A una descarada con la obsesión de convertirse en estrella de cine y que hablase peor que un marinero? ¿Una chica que no fuera capaz de decir dos palabras seguidas ni siquiera para salvar la vida?

—Esta chica en concreto... —La voz del señor Ryder sonó tensa— creo que tiene muy pocas defensas, quizá menos que cualquier otra que haya conocido. Tiene la cáscara muy blanda, Alistair, y tú lo sabes perfectamente. ¡Y vas y la mandas sola a ese granero, con esa cosa dentro!

—¡Maldita sea, Matthew! Necesitaba a alguien con sensibilidad. Ya has escuchado el informe que nos ha dado. ¡Es extraordinario! Lo que tenemos entre manos, que es extraordinario, solo puede salir bien de esta manera. Ella es perfecta, ideal. Lo supe en cuanto la vi.

—Ideal... ¡y una mierda! Mándala a casa.

—¿Tienes miedo de que te quite el puesto? No debes tenerlo, ya lo sabes. Hemos pasado muchas cosas juntos. Nunca te haría eso.

—No quiero darte pena, Alistair, ni me apetece escuchar esos discursos mojigatos que tanto te gusta echar. He dicho que la mandes de vuelta a casa.

—No. No mientras la señora Clare no nos deje acceder a ese granero.

—La vas a matar —murmuró el señor Ryder en voz baja.

—Me parece que eso es un poco exagerado —dijo el señor Gellis—. Nunca te había visto actuar en plan paladín, como Lanzarote del Lago, Matthew.

—¡Cállate! —Se produjo un breve silencio—. He oído algo.

Se me paró el corazón. Yo había permanecido absolutamente inmóvil al final de las escaleras. ¿Cómo era posible que me hubiera detectado? Rápidamente, analicé mis posibilidades. Salir huyendo sería inútil y ridículo. Así que decidí seguir andando, haciendo el ruido normal, como si acabara de bajar las escaleras y no hubiera escuchado esa parte de la conversación.

Entré en la sala.

—Siento mucho haber...

Ninguno de los dos me prestó la menor atención, ni siquiera me oyeron. Estaban casi pegados a la grabadora, y el señor Ryder tenía una especie de pequeño altavoz pegado a la oreja. El señor Gellis le miraba, absolutamente concentrado.

«He oído algo», esa frase, no se refería a mí para nada. Me ruboricé.

«Mándala a casa».

Miré al señor Ryder. Estaba de perfil, enfrascado en el altavoz, con la boca entreabierta y sin prestar atención a nada más. A la tenue luz de la habitación, y pudiendo fijarme bien ahora que no me estaba mirando con ese gesto aterrador, me di cuenta de que tenía las pestañas negras y espesas.

El señor Gellis se volvió, me vio y, en silencio, me indicó que me apartara. Dejé de mirar al señor Ryder y le obedecí.

El señor Ryder hundió los hombros, resopló mínimamente y se quitó el altavoz del oído. Movió las teclas del magnetofón para rebobinar la cinta y le pasó el altavoz a Gellis sin decir palabra.

Era el turno de escuchar del señor Gellis, mientras Ryder pasaba la cinta. Él también dejó el altavoz y se apartó, como si estuviera enfadado.

El señor Ryder lo volvió a agarrar y me lo pasó. Volvió a rebobinar. Me sentí extraña, a un tiempo rechazada y aceptada como un igual; de momento, era como si fuera uno de ellos. Me apreté el altavoz contra el oído y el señor Ryder reprodujo la cinta.

Sonaba amortiguada. Durante un buen rato se escuchó un siseo, y después una voz que reconocí como la mía, diciendo «¿Hay alguien ahí?» dos veces casi seguidas. Recordé que, en efecto, había dicho eso según avanzaba hacia las casetas de los caballos, disparando la cámara. Me empezaron a temblar las manos.

De nuevo un silencio largo; después algunos sonidos, como si vinieran de muy lejos; y entonces, increíblemente, el sonido de algo arrastrándose y un ruido crujiente y claro, como si se hubiera producido justo al lado del micrófono de la grabadora. Recordaba perfectamente que, en ese momento, yo me encontraba en una zona cerca de los establos, y empezaba ya a sentir calor; tal vez estaba intentando ver a Maddy, o puede que lo contrario, no mirarla. Y ese ruido que había escuchado se había producido muy cerca de la grabadora.

Un nuevo sonido de algo que se arrastraba, sin ritmo, muy desigual; un ruido seco, un estallido que me hizo daño en el oído; después golpes, continuos, una y otra vez, y ruido de electricidad estática. Y después el silencio.

Separé el altavoz. Tenía lágrimas en los ojos. De repente me sentía cansada, agotada, y muy triste, tremendamente triste.

El fantasma había encontrado nuestra máquina y, no sé de qué manera, la había estropeado.

CAPÍTULO 7

Durante el resto del día no hubo prácticamente ninguna novedad, o al menos eso es lo que recuerdo en estos momentos. Lo que quiero decir es que no hicimos ninguna otra visita de naturaleza sobrenatural, ni aparecieron más extraños mirando hacia mi ventana. No obstante, sí que se produjo un incidente que aún no he contado. No parecía digno de mención ni tener ninguna importancia, pero, con el tiempo, se ha convertido en uno de los aspectos más difíciles de contar.

El señor Ryder trabajó denodadamente para intentar arreglar la grabadora, diciendo muchísimas obscenidades mientras lo hacía. Desgraciadamente, no tuvo éxito. El señor Gellis se fue a su habitación para pasar a máquina las notas que había tomado. Comimos y, un poco después, me retiré a mi habitación y me quedé dormida.

No soñé con fantasmas; sin embargo, extrañamente, sí que soñé con la señora Barry, aquella mujer tan moderna a la que esa misma mañana había visto paseando a su perro. En mi sueño, la vi de pie, en el límite del bosque en donde había visto al desconocido que miraba fijamente hacia mi ventana con un cigarrillo entre los dedos. No sabía por qué, pero tenía claro que el cigarrillo era tremendamente peligroso, y que no debía llevárselo a los labios. En el momento en que lo hizo, intenté gritar.

Me levanté atontada y confundida. Noté que había poca luz en la habitación y, tras enjugarme el sudor de la frente, me di cuenta de que era casi de noche. Notaba el cuerpo pesado y me dolía la cabeza. Me levanté de la cama a duras penas.

Salí al pasillo y me dirigí al cuarto de baño. La posada era muy pequeña y, en ese momento, nosotros éramos los únicos hospedados; habitualmente era muy tranquila, y ese día aún más. Era el final de la hora de cenar, y por el murmullo que llegaba del piso de abajo, supe que toda la gente que había en el edificio, excepto yo, estaba en el comedor o en la taberna. La zona de alojados estaba desierta.

Empecé a avanzar por el pasillo. La iluminación era muy tenue, así que me tuve que ir apoyando con los dedos sobre la pared de roble para no caerme. Me sentí muy tranquila, pues la paz que se respiraba en la posada, ya que todo el mundo estaba en una habitación lejana, me hacía sentir muy segura, como si fuera invisible.

La puerta del cuarto de baño estaba a medio abrir, y dentro no había luz. Me acerqué y la abrí del todo. Me quedé rígida, con los pies pegados al suelo, intentando asimilar lo que estaba viendo, conmocionada hasta los huesos.

En la vida hay grandes momentos, pero a veces son los pequeños, los que nos parecen menos importantes, los que lo cambian todo. El segundo en el que estás pensando en tus cosas, completamente despreocupada, inmediatamente antes de sufrir un accidente. La posibilidad de elegir un camino en lugar de otro, y el tomar uno sin pensarlo mucho, porque te faltan datos para elegir. No soy capaz de explicar exactamente cómo cambió todo en ese segundo en el que abrí la puerta del cuarto de baño. Lo único que supe, y de manera inmediata, fue que nada en mi vida sería igual a partir de ese momento.

El señor Ryder estaba de pie en el cuarto de baño, delante del espejo, con una toalla en la mano. Tenía agarrada la toalla con el pulgar y el índice, y se la estaba pasando con bastante fuerza por los párpados y el puente de la nariz. Tenía los ojos cerrados y la mandíbula apretada, como si sufriera un dolor tremendo.

Solo tenía puestos los pantalones. Tenía el pecho desnudo y los pies descalzos. Miraba casi en dirección contraria a donde yo estaba y, en un primer momento, no me vio. Vi la camisa que se había quitado y había dejado descuidadamente sobre el radiador. Pero, sobre todo, a quien vi fue a él.

Tenía una enorme cicatriz de color rosa oscuro que discurría a lo largo de la musculosa espalda y del brazo derecho, que vibraba con fuerza y solidez. Le recorría la piel del brazo, pasaba por el omóplato, llegaba hasta el nacimiento del pelo en el cuello y después torcía hacia abajo, hasta el final de la espalda, en la cintura de los pantalones, y probablemente continuaba. En el tórax y por debajo del bazo tenía señales de quemaduras, incluso el brazo lo tenía hinchado e irritado, con la piel tirante y probablemente le dolía, hasta la mismísima muñeca y la palma de la mano, la zona que había visto cuando me sirvió la taza de té.

Era una cicatriz tremenda, la más espantosa y horrible que había visto en mi vida, y afectaba a su cuerpo de tal forma que daba la impresión de haber sufrido unas quemaduras terribles. Su imagen me dejó conmocionada. Así, medio desnudo, absolutamente inmóvil, su cuerpo era prueba inequívoca de un dolor inimaginable. Di un paso hacia atrás y me topé de espaldas con la pared. Supongo que hice algo de ruido. El señor Ryder abrió los ojos y bajó la toalla muy despacio. Pensé que estaba haciendo un gran esfuerzo por regresar de donde fuera que le hubiera llevado su imaginación, a volver al aquí y al ahora desde el infierno privado de dolor en el que estuviera. Se volvió y me miró, acurrucada contra la pared del pasillo, con la boca entreabierta y, sin lugar a dudas, con expresión de horror. Por su parte, su gesto fue de enfado, pero bajo dicho gesto me pareció ver una desesperación terrible. Nos miramos durante un buen rato.

—Lo siento —murmuré finalmente.

Agarró el pomo de la puerta y la cerró.

No podía respirar. Quizá debería haber llamado, haber hablado con él, pero... ¿para decirle qué? Sin yo quererlo, había visto algo que era muy personal, y probablemente no me lo perdonaría nunca. En ese momento pensé que el hecho de que hubiera abierto la puerta traería consigo, con toda probabilidad, que el señor Ryder me odiara para siempre.

Volví a mi habitación, me desvestí deprisa y me senté en la cama, apretando las rodillas contra el pecho. Sí, seguro que me odiaría. Pese a que apenas nos conocíamos, y a nuestra mutua antipatía inicial, me dolía, lo sentía como una pérdida. Es más, lo sentía por él, por las terribles circunstancias por las que hubiera pasado, fueran las que fuesen, que le habían dejado una huella tan tremenda en el cuerpo. Sentí mucho la pérdida que suponía para un hombre joven, para su vida y su vitalidad, resultar herido y dañado de semejante forma.

Pero, sobre todo, incluso por encima de todo lo demás, sentí el malentendido que, sin duda, había tenido lugar entre nosotros. Y es que se había dado la vuelta justo en el momento de la sorpresa inicial, y lo más probable era que hubiera interpretado mi gesto como de repulsión. Aunque no le gustara, seguro que le había hecho muchísimo daño que una mujer lo mirara tan horrorizada como yo. Esas cosas afectaban mucho a los hombres. Hasta yo lo sabía.

Y allí, en mi cama, estaba segura de que me había malinterpretado. Cerré los ojos y pude volver a ver con toda nitidez la imagen de su torso y su brazo afectados por la tremenda cicatriz. Y cuando los volví a abrir, no pude ver otra cosa que no fuera él, de pie delante de mí. Tenía un gran nudo en el estómago, un nudo que me roía y me hacía daño, que me provocaba una oleada de anhelo incontenible. Me acordé otra vez de su mirada cuando se volvió, y supe que el anhelo nunca desaparecería. Estaba condenada. Porque sabía que no habría forma de convencerlo de que, pese a todas las cicatrices que tenía, la terrible verdad era que haberlo contemplado me pareció lo más maravilloso que había visto en mi vida.

CAPÍTULO 8

Al día siguiente, tal como estaba previsto, entrevistamos a las señoras Clare y Macready. Volvimos a hacer uso del salón privado de la posada, y por fin resultó útil mi condición de secretaria, pues fue el señor Gellis el que llevó a cabo las entrevistas y yo me senté a un lado, transcribiéndolo todo rápidamente gracias a mi buen manejo de la taquigrafía. El señor Ryder se mantuvo sentado en un rincón de la habitación, fuera del alcance de mi vista y también de las entrevistadas, escuchando. Si tenía alguna opinión acerca de cómo estaba desempeñando yo la tarea que él solía hacer, no dijo ni una palabra.

No podía mirar al señor Ryder, y él no me miraba a mí, pero en todo momento fui penosamente consciente de su presencia. Esa mañana se había puesto una camisa blanca y una americana marrón oscuro que le sentaba bien y que parecía de buena calidad. No llevaba corbata, por supuesto. El día anterior tampoco, así que llegué a la conclusión de que tal prenda no formaba parte de su atuendo habitual. No se había afeitado, y seguía teniendo la barbilla oscura por la incipiente barba. Eso fue todo lo que me permití ver antes de darme la vuelta.

Por el contrario, el señor Gellis iba perfectamente rasurado, con la camisa recién planchada y el pelo perfectamente peinado. Se sentó con calma en la silla y puso toda su atención en las prolijas entrevistas. Estaba empezando a darme cuenta de lo inteligente que era. Manteniendo siempre unos magníficos modales, era capaz de llevar a cabo entrevistas agudas, muy completas, que casi eran interrogatorios en toda regla, disfrazándolos de conversaciones educadas. En esencia, podía transformarse por completo si era necesario. Era algo de lo que solo podías darte cuenta si ya lo habías visto en otros momentos, cuando salía a la luz su apasionada obsesión, o cuando sufría algún tipo de conflicto personal, como ocurrió aquel momento en el que encendió el cigarrillo mientras estaba con la señora Barry. Cuando quería, desplegaba mucho encanto personal y carisma, y también era capaz de ocultarlo y dejarlo de lado si lo consideraba necesario.

La señora Clare fue la primera en acudir a la entrevista. Miró con curiosidad al señor Gellis, y no me cupo duda de que lo que vio le gustó.

—No me dijo en su carta que conocía a los Barry.

El señor Gellis, que estaba preparando meticulosamente el cuaderno de notas, dejó de hacerlo, muy sorprendido.

—¿Perdone?

—Los Barry —repitió la señora Clare—. Conversó con Evangeline Barry ayer por la mañana. ¿La conocía usted de antes? —Se alisó la falda con gesto ausente, como si no esperara respuesta—. Lo cierto es que yo apenas los conozco. Y debo decir que ellos tampoco se han esforzado mucho en entablar relación, aunque desde luego tuvieron la oportunidad de hacerlo cuando mi esposo fue juez de paz. Tienen fama de ser gente que se mantiene bastante distante. He oído decir que él no es tan buena persona como debería, por mucho dinero que tenga. —Volvió a mirar al señor Gellis—. Lo cual demuestra que el dinero, y sobre todo el dinero recién llegado, no lleva aparejado la distinción.

Tras este discurso tan sorprendente todos nos quedamos callados. No fui capaz de descifrar el impacto que le causó al señor Gellis. ¿Quién habría presenciado la conversación de la mañana anterior, y sin duda cotilleado sobre ella por el pueblo? ¿Tal vez el posadero o su familia? Volví la vista en dirección al rincón donde estaba el señor Ryder. Tenía las cejas algo levantadas y había inclinado mínimamente la cabeza. Sin duda era capaz de leer en la expresión del señor Gellis algo que yo no captaba.

Me volví de nuevo. La señora Clare solo miraba a Gellis, como si no hubiera nadie más en la sala que mereciera su atención. Lo había reconocido como a una persona de su clase social, basándose en que conocía a la pareja más adinerada del pueblo, y la idea parecía tranquilizarla; en todo caso, había querido dejar bien claro que su propio estatus se fundamentaba en la alcurnia, y no en algo tan vulgar como el dinero. El señor Ryder y yo, que no poseíamos ninguna de las dos cosas, no éramos dignos de su atención.

—¡Ah, ya! —dijo el señor Gellis—. Conocí a la señora Barry hace bastantes años, y la verdad es que no conozco a su marido.

—No se dejan ver mucho, como ya le he dicho. La casa estuvo vacía durante muchos años, hasta que él la heredó, y solo vivieron en ella unos pocos años, tras casarse. Se marcharon a Londres y regresaron tras el final de la Gran Guerra. Las mujeres del pueblo sentían cierta compasión por ella, ya que no tiene hijos, pero la verdad es que no ha sido muy receptiva. Y, por lo que respecta a él, lo único bueno que se puede decir es que tiene dinero, y mucho. Nadie sabe siquiera a qué se dedicaba su padre.

El señor Gellis se tocó la sien, mostrando su desconcierto y quizá hasta un poco de vergüenza ajena.

—Bien —se limitó a decir.

Pero, una vez sentada su opinión sobre la pareja y su propio estatus, la mujer se volvió hacia mí.

—Usted —dijo, traspasándome con la mirada—. No vino a verme ayer. Le dije que lo hiciera cuando saliera del granero.

Me ruboricé.

—Mis disculpas, señora. Apenas sabía adónde iba. Estaba bastante... inquieta.

La señora Clare asintió con gesto parecido a la resignación, y los Barry quedaron completamente olvidados.

—Así que se dejó ver, entonces. Eso sospechábamos. Pudimos escuchar algo. ¿Qué fue exactamente lo que hizo?

—Hubo varios tipos de manifestaciones —intervino el señor Gellis tomando las riendas, una vez que la conversación había empezado a versar sobre lo que le interesaba. Yo se lo agradecí de verdad, pues no quería volver a rememorarlo todo—. Sonidos. También creemos que intentó hablar. Interfirió con nuestro equipo de grabación. De hecho, lo estropeó.

—Maddy puede ser malvada —afirmó la señora Clare.

—Eso parece. Pero estoy especialmente interesado en una cuestión. ¿Ha sido capaz de producir antes algún tipo de alucinación?

La señora Clare se lo quedó mirando.

—¿Perdón?

—Al parecer, fue capaz de crear en la señorita Piper una impresión casi perfecta de que el granero estaba en llamas. La señorita Piper estaba convencida de ello y, por lo tanto, aterrorizada. ¿Ha hecho antes algo parecido?

La señora Clare me miró y se quedó pensando un buen rato.

—¡Qué cosa tan extraordinaria! —dijo—. No, nunca me ha hecho nada de eso a mí, ni tampoco a la señora Macready, al menos que yo sepa. ¿Cómo es que le hizo eso?

—Puede que la señorita Piper sea más sensible, de alguna manera... —arguyó el señor Gellis. Yo pensé que por supuesto: tengo el caparazón muy blando.

Pero la señora Gellis estaba frunciendo el ceño.

—Lo que me preocupa es la alucinación en sí misma —dijo—. Es muy extraño. ¿Acaso podría significar que Maddy tiene la intención real de quemar el granero? Si de verdad la tuviera, ha podido hacerlo miles de veces. ¿O solo estaría jugando? —Parecía preocupada—. Espero que a Maddy no se le ocurra hacer tal cosa. ¡Quemar el granero...!

—Le voy a ayudar a llegar al fondo de todo esto —dijo con suavidad el señor Gellis—. Se lo he prometido. Vamos e empezar con la entrevista, para que pueda hacerme una idea de cómo es la propia Maddy, y cómo era en vida.

Así que empezamos con ello. La señora Macready vino por la tarde, y aunque aportó muchos detalles más que la propia señora Clare, por desconocimiento o por no haberles dado importancia, no dijo nada que contradijera los hechos establecidos por su señora. Las dos mujeres hablaban con claridad, eran firmes y apenas se conmovían. A lo largo del día empezamos a tener algo más clara la idea de Maddy y de sus circunstancias, no completa en absoluto, pero todo lo detallada que podía esperarse de un asunto tan complicado.

La historia era más o menos así: tal como nos había contado la señora Clare, Maddy había aparecido en la puerta de la casa una noche lluviosa, llamando a la puerta débilmente. Estaba sucia, desaliñada, empapada y apenas vestida. Solo emitía débiles balbuceos de dolor y desaliento. El señor Clare, que por entonces aún vivía, aunque estaba ya muy enfermo, era el juez de paz del pueblo, y dio su permiso para que la chica se quedara, al menos hasta que pudiera regresar a su casa, fuera la que fuese.

Estaba claro que le había ocurrido algo terrible, pero fue la señora Macready quien finalmente lo averiguó, después de ayudar a la muchacha a darse un baño con agua caliente. La chica perdida, casi una niña, tenía heridas y contusiones por todo el cuerpo: los brazos, las manos, la garganta, y también los pechos, las piernas y la zona interior de los muslos, lo cual era de lo más significativo. Cuando se le pidieron detalles, la señora Macready indicó que las magulladuras y heridas eran recientes. En los jirones de ropa había restos de sangre, y también en el pelo. No había permitido que nadie la tocara. Se le preguntó qué era lo que le había pasado, dónde y quién se lo había hecho, pero no dijo ni una palabra.

Le proporcionaron ropa seca y le dieron de comer, y los días posteriores los Clare empezaron a investigar por los pueblos de alrededor, preguntando si había desaparecido alguna joven. No parecía de familia adinerada, así que pensaron que quizá se tratase de una criada. Era imposible saber cuánto tiempo había tenido que andar descalza a través del bosque, o desde dónde había llegado, pues aún no podía hablar, o no quería. El señor Clare envió mensajes a otros jueces de paz de los alrededores, de pueblos algo más alejados.

Aunque no hablaba, estaba claro que la chica no era deficiente mental. Entendía lo que se le decía, y observaba lo que ocurría a su alrededor dando muestras de que lo entendía y era inteligente. Fundamentalmente era la señora Macready la que estaba segura de que se trataba de una joven como las demás, y que solo la terrible experiencia que había sufrido era la que hacía que se comportara de esa manera. La puso bajo su protección directa y empezó a asignarle tareas sencillas, como pelar patatas y fregar cacharros.

—Creo que era bueno mantenerla ocupada —les dijo la señora Macready—. Parecía que se iba calmando poco a poco, aunque en ningún momento lo estuvo del todo. Nunca le asigné ninguna tarea dura de verdad, pues se podía pasar más de una hora pelando unas cuantas manzanas, aunque no me importaba. Lo hacía sobre todo para tenerla cerca, para proporcionarle compañía y cariño.

En ese momento fue cuando el señor Gellis le pidió al ama de llaves que le describiera a Maddy. El resultado fue igual que el que había aportado la señora Clare: muy joven, quizá de unos doce años, pálida y de pelo largo y oscuro. Los ojos de color gris. La señora Clare pensó que podría ser irlandesa. Ambas mujeres siempre lo creyeron, y todavía lo creían.

La extraña muchacha se sentía incómoda y asustada en presencia del señor Clare, se escondía cuando aparecía y nunca lo miraba. Pero eso no era nada en comparación con el miedo atroz que sentía cuando nos visitaba el lechero o el jardinero. De hecho, cuando cualquier hombre, fuera el que fuese, visitaba la casa, la chica desaparecía y, como averiguaron más adelante, se encerraba en su cuarto, atrancaba la puerta y volvía a enmudecer.

Y es que, poco después de su llegada, había empezado a hablar. Dijo que se llamaba Maddy, aunque no quiso, o quizá no pudo, decirles su apellido. Finalmente, los Clare le dieron el suyo propio, y se la empezó a conocer como Maddy Clare. La señora Clare se encogió de hombros ante la extraña decisión.

—Solo decía una palabra cuando le preguntábamos su nombre: Maddy —explicó—. ¿Qué otra cosa podíamos hacer?

Con el tiempo, la presencia de Maddy en la casa se convirtió en algo normal. Las averiguaciones no llevaron a ninguna conclusión. Nadie reclamaba a la chica, que no tenía adonde ir. Al principio circularon por el pueblo habladurías y conjeturas, incluso hasta cotilleos sin ninguna base. Y es que nunca salía de la casa ni siquiera para ir a la iglesia con las demás criadas. Pero como la reputación de los Clare era irreprochable, los cotilleos se acabaron como empezaron, en cuanto apareció un nuevo tema del que hablar.

Maddy solo hablaba muy de vez en cuando, y también de vez en cuando sufría episodios de terror y de furia, durante los que permanecía completamente muda. En cualquier caso, trabajaba con diligencia, como si quisiera pagar la deuda contraída con la familia que la había acogido. Todo iba desarrollándose con cierta normalidad, excepto cuando sufría esos ataques de rabia.

Los ataques no eran demasiado frecuentes, según las dos mujeres. Quizás una vez al año. Pero eran verdaderamente terribles. En ellos, Maddy podía llegar a reducir su ropa a harapos y destrozar muebles y loza. En uno de ellos, fue al jardín trasero y arrancó todas las plantas, destrozándolas literalmente, incluso hasta hacerse mucha sangre en las manos. La señora Clare, esa vez, la obligó a reparar los daños, y de hecho replantó el jardín por completo. Una vez pasado cada ataque, Maddy se comportaba con su habitual calma, y esa vez no fue una excepción

—¿Qué era lo que le producía los ataques? —preguntó el señor Gellis.

La señora Clare se tomó bastante tiempo para contestar, pensando y pasándose las yemas de los dedos por la frente con gesto cansado.

—No lo sé. Dios es testigo de lo que le estoy diciendo, no tengo la menor idea. El primero fue tras la muerte del señor Clare, y pensamos que había tenido que ver con ello; pero pasó otra vez, sin razón aparente, así que, simplemente, no lo sé. Nunca molesté a Maddy, señor Gellis. Siempre me porté con ella amablemente. Nunca la castigué, de ninguna manera, solo le pedí que reparara los daños si los causaba, y ella lo hacía sin rechistar ni tomárselo a mal. Me daba demasiada lástima. No puedo pensar en nada que hubiera podido hacer para enrabietarla de esa forma.

—Nada —confirmó por su parte la señora Macready, contestando sucintamente a la misma pregunta—. Nada en absoluto, caballero. Algo pasaba dentro de su cabeza, eso era todo. Se le iba por completo, y resultaba terrorífico, puedo asegurárselo. La señora Clare pensó en algún momento que podía deberse a algo que hubiera hecho para enfadarla, pero yo no. A mi manera, quería a Maddy como a una hija, pero la verdad es que estaba un poco trastornada, caballero. A la señora Clare no le gusta escucharlo, pero es la verdad.

Y así, aunque Maddy vivió en el hogar de los Clare durante siete años, en ningún momento dejó de ser un misterio para todos los que la rodeaban y conocían. Quién era, de dónde venía, qué le había pasado, qué era lo que le producía tanta rabia, si estaba cuerda o no lo estaba, cuáles eran sus sentimientos, sus pensamientos y sus dudas más profundas... Ni siquiera la señora Clare y la señora Macready, que se portaron con ella como auténticas madres, tanto como la chica les permitió hacerlo, obtuvieron nunca la más mínima respuesta a tales preguntas.

Y, después de siete años, un día en el que la señora Clare había salido a tomar el té a casa de unos conocidos y la señora Macready al mercado a comprar pescado fresco para la cena, Maddy entró en el granero, agarró una cuerda que se usaba para atar los caballos y se ahorcó, después de pasar la cuerda por una de las vigas.

Solo dejó, en el suelo y bajo los pies colgantes, una nota garabateada de cualquier manera. Cada palabra ocupaba una línea. Decía lo siguiente:

LOS

VOY

A

MATAR

Se suponía que Maddy Clare tenía diecinueve años. Nadie se imaginaba que supiera escribir.

La señora Clare miraba por la ventana al contar la historia. Era la viva imagen de una mujer que apenas podía contener sus emociones, aunque su gesto reflejaba desesperación, y pronunciaba las palabras lentamente, casi una por una, como un autómata. Tenía los ojos secos.

Se produjo un largo momento de silencio. Yo tenía un nudo en el estómago, pero no dejé de tomar notas, sin levantar la vista del cuaderno. El señor Ryder seguía en su rincón, impertérrito.

—No sabía que hubiera una nota —dijo el señor Gellis en voz muy baja.

—Nadie lo sabe, señor Gellis —afirmó la señora Clare—, excepto la señora Macready. La guardamos cuando la encontramos... a ella. Ni siquiera la vio el juez de paz.

—¿Qué cree que quiere decir la nota?

La señora Clare volvió a negar con la cabeza antes de hablar.

—Una vez más tengo que decirle que no lo sé. Señor Gellis, en todo lo que tiene que ver con Maddy, la respuesta más habitual a todas las preguntas es esa: simplemente, no lo sé.

Una vez más, la señora Macready dio una respuesta más concreta respecto a la nota.

—Usted se la está tomando en sentido literal —respondió en tono admonitorio—. Y no debe, créame. Yo conocía bien a Maddy, y he pensado mucho acerca de esto. La nota no significa nada, excepto que Maddy estaba viviendo un infierno. Estaba en el infierno cuando la encontramos, y permaneció allí, pese a que hicimos lo que pudimos para ayudarla a salir de él. Dios sabe que lo que pensaba era verdad cuando escribió la nota y después se mató. Estaba en el infierno, y eso es lo único que importa.

La actividad fantasmal comenzó a las pocas semanas. Desde el principio supieron que se trataba de Maddy, por supuesto, pues si alguien era incapaz de descansar en paz, esa era ella. Lo intentaron todo para tranquilizarla: sesiones de espiritismo, tableros de güija, intentos de comunicarse con ella y de decirle que debía dejar este mundo, etc. No funcionó nada. Después decidieron llamar al señor Pelham, el vicario, lo que hizo que Maddy reviviera como espíritu los ataques de rabia que solía tener cuando estaba viva. Como nos habían contado ya, la sola presencia de los hombres la había aterrorizado hasta el último día de su vida.

Al final de la entrevista con la señora Clare, ella le preguntó al señor Gellis que cuál era el siguiente paso que pensaba dar. Gellis cerró el cuaderno de notas y dejó la pluma sobre la mesa.

—Mi ayudante, la señorita Piper, volverá mañana al granero. Me da la impresión de que Maddy ha descubierto que es bastante sensible y receptiva; esta vez, la señorita Piper procurará recabar más información, e incluso comunicarse con Maddy, si es que ello es posible. ¿Le parece bien?

La señora Clare asintió, y después me miró. Yo me había quedado helada en mi sitio; hasta me dolían los dedos de agarrar la pluma con semejante fuerza. Me costaba respirar.

El señor Gellis también se volvió y se dirigió a mí con tono puramente profesional.

—¿Podrá usted hacerlo, señorita Piper?

Sentí un escalofrío por el dorso del cuello y la espalda.

—Sí —dije.

Ambos se dieron la vuelta, y yo me atreví a mirar al señor Ryder, que tenía los ojos fijos en mí. Su expresión era indescifrable. Después, igual que los otros dos, volvió la vista.

CAPÍTULO 9

La siguiente mañana también nos levantamos pronto. Esta vez el día amaneció completamente distinto, con el cielo claro y azul y una brisa cálida que confirmaba la primavera y, muy pronto, el inicio del verano. La niebla húmeda del día anterior se había disipado por completo.

Cuando llegué a lo alto de las escaleras miré por la ventana para ver si seguía allí el hombre del día anterior, pero esta vez no había nadie.

Tanto el señor Gellis como el señor Ryder estaban ya en la sala común, tomándose un café. Me serví otro para mí y me uní a ellos. Me sentía extrañamente etérea esa mañana, un tanto atolondrada incluso, lo cual era bastante alarmante. En realidad, debería estar aterrorizada por Maddy Clare y por mi más que cercana nueva visita al granero. Debería también sentirme triste por la trágica historia de Maddy, y de hecho había sentido una gran pena por ella la noche anterior, hasta que me quedé dormida. También tendría que sentir recelo de los dos hombres que estaban sentados a la mesa, y que, sobre todo, me miraban a mí.

Sin embargo, no sentía nada de eso; aunque, en realidad, sí que era consciente de todos esos sentimientos, pero de una manera vaga. Fundamentalmente, como me sentía era preparada para lo que viniera.

Nos bebimos los cafés en silencio.

Finalmente, el señor Gellis empezó a hablar.

—Señorita Piper, ¿se cree capaz de ir... allí esta mañana?

—Sí, señor Gellis —dije, dejando la taza en la mesa.

—¿Recuerda las palabras que debe decir?

Me había hecho algunas sugerencias acerca de en qué términos debía dirigirme al fantasma de Maddy, si es que se mostraba de nuevo. Era más o menos como un texto de teatro, que yo había memorizado de pe a pa.

—Sí.

—La grabadora aún no está arreglada —continuó el señor Gellis—. Y esta vez tampoco llevará cámara. Tengo plena confianza en que lo grabara todo perfectamente en su memoria. Debemos documentarlo por escrito inmediatamente después de que salga del granero, así que procure mantenerse serena.

—Sí.

—Muy bien.

Me levanté y llevé la taza al aparador. Me quedé allí de pie un buen rato, dando la espalda a los dos hombres. No había mirado prácticamente al señor Ryder, y probablemente él a mí tampoco, pero era tan plena y penosamente consciente de su presencia que el equilibrio que había sentido hasta entonces empezaba a tambalearse. El saber que estaba en la habitación me hacía sentir un anhelo tal que se me formaba un nudo en el estómago muy difícil de soportar.

—Señor Ryder... —empecé a decir.

—¡Por el amor de Dios! —dijo en tono bajo y profundo. Ya no recordaba cuándo era la última vez que le había oído hablar—. Me llamo Matthew.

Me volví y lo miré. Tenía clavados en mí esos ojos que no se perdían absolutamente nada. Señaló al señor Gellis.

—Y este es Alistair. Si él no es capaz de poner punto final a esta estupidez de «señor Gellis», entonces seré yo quien lo haga. Hasta aquí hemos llegado.

El señor Gellis frunció el ceño un momento y después se encogió de hombros.

—Bueno, supongo que no es una mala idea. Y nosotros la llamaremos... —inclinó la cabeza mientras me miraba—. ¿Cuál es su nombre de pila, señorita Piper?

Me costó un momento darme cuenta de que no le había dicho mi nombre a ninguno de los dos.

—Sarah —respondí.

El señor Gellis, es decir, Alistair, me sonrió de repente, con una de esas sonrisas suyas, torcidas, que resultaban tan atractivas.

—Precioso. Y ahora tenemos que irnos, Sarah. ¿Estás lista?

Le devolví la sonrisa, aliviada por el hecho de que mostrara su lado encantador.

—Completamente.

—Muy bien. —Se levantó y avanzó hacia mí. Para mi sorpresa, me agarró por los hombros con mucha suavidad y me miró a los ojos—. Sé que me distraigo con facilidad, y que a veces parece que no hago caso —dijo, y parecía muy sincero—. Supongo que no soy todo lo atento y amable que debería. Ya te avisé cuando nos conocimos, no estoy demasiado acostumbrado a la compañía femenina, así que debo disculparme por mi tosquedad.

—¡Ah! —dije. Me había dejado con las defensas bajas.

—Lo has hecho muy bien hasta ahora, ya lo sabes. Lo hiciste bien el día que estuviste en el granero, y también ayer en las entrevistas. De hecho, magníficamente bien. Quería que lo supieras.

—Gracias. —Me ruboricé hasta la raíz del pelo.

—Eres muy valiente al haber aceptado ir otra vez. La mayoría de las chicas habrían salido corriendo y no habrían parado hasta llegar a Londres —dijo, sonriéndome de nuevo, y como estaba haciendo que me sintiera muy bien, se la devolví. Me quedé pasmada cuando me agarró y me dio un abrazo. Me rodeó por completo y, al apretarme la espalda con los brazos, noté que ya no podía ruborizarme más, así que escondí la mejilla en su clavícula. Olía a colonia masculina y a lana limpia. Tenía los brazos sujetos por los de él, así que no podía devolverle el abrazo, aunque quisiera. Me soltó inmediatamente, por lo que no pude corresponder.

No se me pasaba el rubor, y ya sabía que, con toda probabilidad, ambos hombres lo malinterpretarían. Miré al señor Ryder, es decir, a Matthew, pero su gesto era inexpresivo, y se limitaba a dar sorbos a la taza de café. Alistair me miraba fijamente, con expresión amable y, si eso era posible, todavía me puse más colorada. Era extraordinariamente atractivo, cosa que ya sabía desde la primera vez que nos encontramos. Guapo, inteligente y de trato fácil. Pero la atracción que había sentido por él lo primeros días había pasado ya. Aunque me resultaba muy agradable y me gustaba, la constancia física del abrazo me dejó claro que no sentía nada más que amistad por él. Lo que no me había dejado dormir por la noche fue pensar en Matthew, y la imagen que aparecía constantemente cuando soñaba despierta era la suya. Pero el hecho de que me hubiera ruborizado cuando Alistair me abrazó seguramente lo habrían interpretado ambos hombres como que sentía atracción por él.

No sabía qué hacer respecto al hecho de que Matthew pensara que me gustaba Alistair. Aunque puede que le diera lo mismo. Era un hombre difícil de interpretar, y una situación bastante complicada y embarazosa. Además, en ese momento no podía pensar en ello. Maddy Clare me esperaba en el granero, y hoy tenía cosas que decirle.

❋❋❋

Cuando entré, el granero estaba otra vez en silencio. La señora Clare lo había dejado cerrado con llave, tal como había dicho Alistair; esa vez puse más atención y noté que bien ella o la señora Macready habían ido antes de que yo llegara, lo habían abierto y se habían marchado. Ni la dueña de la casa ni el ama de llaves habían vuelto a entrar desde la vez anterior.

No llevaba nada, así que tenía las manos libres, pues había dejado la pelliza y el sombrero fuera. «Me estoy convirtiendo en toda una experta en visitas a fantasmas», pensé irónicamente.

Esperé un buen rato de pie cerca de la puerta, mirando el caos absoluto que reinaba y aguzando el oído. Aunque fuera hacía un día magnífico, ni la luz ni el cálido ambiente se colaban allí. No se escuchaba ni un sonido.

Cerré los ojos. No sentí la presencia de Maddy, pero, de todas formas, avancé hacia el centro.

—Maddy —dije en voz alta, y me pareció que la voz sonaba muy baja en aquel amplio espacio—. Soy yo de nuevo. Mi nombre es Sarah. Sarah Piper.

No hubo respuesta.

—La otra vez jugaste conmigo —continué—. La verdad es que lo hiciste muy bien. Puede que te molestara con la cámara y la grabadora. Esta vez no he traído ninguna de las dos cosas. Solo estamos... tú y yo.

No se produjo ningún sonido, pero... sí, cada segundo que pasaba el aire se iba haciendo cada vez más denso a mi alrededor. Sin tener la intención de hacerlo, cada vez respiraba más tenuemente. Lo noté, y no podía impedirlo. «La presencia de Maddy hace que el aire sea denso como la crema».

En ese momento estaba cerca de mí, o a mi alrededor, en algún sitio. Escuché una especie de arañazo detrás, pero no me volví.

No tenía calor, ni experimentaba sensación de peligro. Todavía no. Solo esperaba y atendía, con los cinco sentidos alerta. Podía sentir sus ojos clavados en mí.

No pude evitar ponerme a temblar. Perdí la sangre fría y empecé a sentir miedo, el miedo de estar delante de un alma que no había muerto, aunque sí su cuerpo, y con una certeza total de que era eso lo que estaba viviendo. «Dios mío, está aquí de verdad, me está escuchando de verdad». Era algo terrorífico y, no obstante, por primera vez, pude sentir un atisbo de lo que alimentaba la obsesión de Alistair, la que le llevaba a buscar fantasmas, la que le hacía desear a toda costa poder estar en mi lugar en ese momento.

Me había indicado las palabras que debía decir, así que respiré hondo y continué:

—Maddy, tu papel en este mundo ha terminado —dije, recitando de memoria—. Debes dejar que todo esto pase, ya no es para ti. Hay algo que te espera en otro sitio, otro lugar al que perteneces. Si ves una luz, Maddy, debes ir hacia ella.

Traté desesperadamente de recordar el resto, pero detrás de mí se produjo otro ruido, una especie de raspadura rápida, y un farol viejo, que creí recordar que estaba en un rincón, salió volando por los aires desde detrás de mí y se estrelló contra la pared del granero, produciendo un enorme estruendo. El cristal del farol se rompió en mil pedazos.

Parecía que el corazón se me iba a salir del pecho. Por lo que aparentaba, a Maddy no le había gustado demasiado mi pequeño discurso. Cerré los ojos. Todavía estaba escuchando, estaba segura. No tenía ni idea de por qué lo sabía. Podría ser que Alistair tuviera razón y Maddy pudiera comunicarse conmigo de alguna forma. El caso es que sabía que estaba atenta, y que no estaba enfadada, todavía no.

Me salí del guion. Tenía una pregunta propia que quería hacerle.

—Maddy. ¿Qué significa «Los voy a matar»?

Silencio sepulcral.

—¿A quién? —insistí—. ¿A quién vas a matar? No lo entiendo. ¿O es que ya mataste a alguien cuando estabas viva? ¿Qué significa eso?

Un mínimo sonido, como si alguien rascara la madera. No fue un paso, pero supe que estaba cerca de mí. Cerré los ojos. El aire era tan denso que apenas podía respirar, y supe que, aunque hubiera querido, no habría sido capaz de hablar. Estaba demasiado cerca.

Noté un soplo de aire helado en la base del cuello. Noté que se me ponían los pelos de punta, como pequeñas agujas, y que me hacían daño en la piel. Fue una exhalación rápida, que no era de este mundo, ahogada, congestionada.

Y entonces me agarró.

No pude gritar. Lo intenté y lo intenté, con la boca abierta, como si jadeara buscando una bocanada de aire; lo intenté y lo intenté, como si fuera una horrible pantomima que reviví en mis pesadillas durante muchos meses. Estaba helada, era incapaz de moverme, y mucho menos de correr, porque tenía los antebrazos sujetos por una fuerza helada, que me alzó del suelo.

La sujeción me hacía daño, era como un pellizco; era tan fría que parecía como si me traspasara, y me producía dolor en la piel. Pateé, pero con muy poca fuerza, pues apenas podía moverme. Traté de liberarme, pero la presión era tremenda, como si me sujetara con manos de acero. Estaba levantada, suspendida e incapaz de escapar. Era como estar atrapada en una tela de araña gigantesca, invisible e ineludible.

Hubo una voz, pero no era humana. En realidad, no fue una voz, no la oí. Llegó directa a mi cabeza, a lo más profundo de mi cerebro, y fue indescriptible.

«Puedo olerlo en ti», dijo.

Intenté e intenté gritar.

Me elevó aún más.

«Puedo olerlo. Un hombre. ¡Puedo olerlo EN TI!».

En medio de la situación de pánico que vivía pensé brevemente en Alistair, en su abrazo anterior a mi llegada al granero. Ese abrazo simple y amistoso. Me pareció lejano, de otra vida.

«¿Quién es? ¿Quién es? ¿Quién es ese hombre que huele así?».

Por puro y aterrorizado instinto intenté dejar de lado mis pensamientos. No debía pensar en Alistair, no llevarlo hasta ella. Procuré dejar la mente en blanco, no pensar en nada.

Noté una especie de risita en el cerebro y pensé que iba a volverme loca.

«Hueles a hombre, niña. Sí, hueles a hombre. Está por todo tu ser. ¡Tráemelo!», exigió.

Volví a intentar patear. ¡Dios mío, Dios mío...!

Dejó de sujetarme y caí al suelo. Se me fueron los pies hacia atrás y caí sobre una rodilla. No me había dado cuenta de lo alto que me había subido, pero por la caída calculé que al menos fue un metro y medio. Me puse de pie como pude y avancé hacia la puerta.

No me siguió. Esta vez no tuve visiones. Me había dado órdenes. Maddy Clare me dejó escapar del granero, y allí pude al fin llorar y gritar, y no paré durante varios minutos.

CAPÍTULO 10

«¡Tráemelo!».

Qué extraño debió de resultar, en esa preciosa mañana de primavera, ver a una mujer salir corriendo del granero de Falmouth House, gritando sin parar como una posesa.

Subí la cuesta que llevaba a la casa, con las piernas temblorosas. Estaba más cerca de la histeria de lo que había estado en mi vida. Todavía podía sentir en la cabeza la fría y húmeda invasión de Maddy, y cada vez que pensaba en ello me inundaba la loca intención de arrancarme el cerebro, de arañarme la cabeza hasta alcanzar el cráneo con las uñas. Me dolían mucho los brazos. ¡Me había tocado, me había apretado hasta hacerme daño, me había elevado del suelo más de un metro! Sentía lágrimas heladas en las mejillas.

Tropecé con algo duro, un hombre, fuerte y cálido. Me agarró por la cintura. Intenté librarme de él y me dejó ir, aunque solo para poder agarrarme desde atrás, con el brazo alrededor de la caja torácica. Me tocó la cara con suavidad, empujando leve pero firmemente para que cerrara la boca. Me habló cerca del oído.

—Tranquila —dijo. Era Matthew Ryder.

Al escucharlo dejé de gritar, aunque seguí jadeando. Me sujetaba fuerte por la cintura, así que estaba apretada contra él y pude sentir que también respiraba con dificultad. Noté su aliento en el cuello.

—¿Te ha hecho daño? —preguntó.

Negué con la cabeza. El sentirlo tan cerca me estaba haciendo recobrar el juicio y la tranquilidad. Mi cuerpo empezaba a relajarse junto al de él.

—¡Por Dios! —exclamó—. Te estaba esperando ahí detrás y empezaste a gritar. Me has aterrorizado.

—Maddy —balbuceé. Me dolió la garganta.

—Ya —dijo, hablando muy bajo—. Ahora ya no está. ¿Me oyes? No puede hacerte daño. Vamos a volver a la posada.

Asentí. Estaba mucho más tranquila junto a él, que aún me rodeaba la cintura con el brazo. Empecé a respirar más despacio. No se movió, por lo que permanecimos así durante un rato, apretados el uno junto al otro. Noté la calidez que fluía entre nosotros, la brisa fresca a nuestro alrededor, y durante un rato simplemente dejé que me inundara esa sensación de estar por primera vez junto a él.

«Hueles a hombre, niña».

Pensar en eso hizo que me pusiera rígida, e inmediatamente me soltó, posiblemente pensando que quería alejarme de él. Parecía que nunca íbamos a entendernos.

Se puso frente a mí y me miró intensamente. Sus ojos oscuros me inundaron. Su boca, suave y sensual, dibujaba un gesto adusto, y me di cuenta de que se había sentido muy preocupado por mí.

—Gracias —susurré, pero ya se había dado la vuelta y subía la cuesta.

✽ ✽ ✽

Alistair estaba esperando en el salón privado de la posada. Echó una rápida mirada a Matthew, que se acercaba a él, y yo detrás. Tensó el gesto.

—¿Qué ha pasado? ¿Ha aparecido?

—Pues... yo diría que sí —respondió Matthew. Se acercó inmediatamente al aparador, en el que había una jarra de agua y varios vasos, y llenó uno—. Si no me equivoco, vas a tener noticias de las Clare de un momento a otro, porque Sarah salió gritando del granero.

Me dejé caer en una de las sillas, intentando aliviar las piernas, que me seguían temblando. Alistair me miró.

—¿Estás bien?

—Sí —confirmé—. Me temo que Matthew tiene razón. Yo no paraba de gritar. Seguro que he dado el espectáculo. Lo siento.

El brillo de ansia en los ojos de Alistair, que ya empezaba a serme muy familiar, alcanzó todo su fulgor. Agarró el cuaderno y la pluma.

—Cuéntamelo todo. Hazlo ahora que todavía lo tienes fresco en la mente.

—Nada de lo que me ha pasado se me borrará de la mente, jamás. —Me estremecí involuntariamente.

—Pues entonces adelante.

Le miré. Caí en la cuenta de que tendría que decirle a Alistair que Maddy me había dicho que quería que él viniera conmigo y, por un instante, consideré la posibilidad de no decírselo. Después de todo, ¿para qué lo querría Maddy? ¿Para matarlo? Quizá lo mejor sería que no lo supiera. Podría contar simplemente que Maddy me había agarrado, levantado por el aire y, finalmente, que me había dejado caer.

Pero ¿cómo podía ser tan estúpida como para pensar que Alistair necesitaba mi protección?

En ese momento me miraba con las cejas levantadas, Y Matthew puso un vaso de agua encima de la mesa. Aunque de mala gana, abandoné la idea de mentir. Eran hombres adultos, con mucha experiencia, que habían luchado en la guerra y habían vivido experiencias indescriptibles. ¿Por qué temer a una sombra fantasmal? ¿Cómo podía pensar siquiera que podía protegerlos, yo, que seguía teniendo un miedo tremendo incluso en su presencia? Era estúpido pensar que me podía enfrentar por mi propia cuenta, sin ellos, a Maddy Clare.

—Habló conmigo —dije.

Alistair abrió mucho los ojos, completamente entusiasmado.

—¡Dios mío! ¿Y qué te dijo?

Así que empecé por el principio y se lo conté todo, sin omitir ningún detalle.

Cuando terminé, Alistair se levantó y arrojó de golpe el cuaderno contra la mesa. Empezó a recorrer la habitación, alzando las manos al tiempo que exclamaba, más que hablaba:

—¡Increíble! —decía—. ¡Simplemente increíble! Es la manifestación más contundente que nadie haya contemplado nunca. Esto es mucho más que una sombra. Es lo que siempre hemos estado buscando, Matthew. Es conciencia. —Recalcó la palabra—. ¿Te das cuenta?

Matthew, apoyado contra el aparador, se limitó a mirar el vaso de agua vacío sin decir nada.

—Cinco años —continuó Alistair—. Sesenta y cuatro manifestaciones confirmadas, de las que yo mismo haya sido testigo, y solo en estos últimos cinco años. Y nunca nada así, ni siquiera remotamente parecido. Es el mayor descubrimiento en la historia de este campo de investigación. Manifestación física. Voz. Reacción a estímulos. —En este punto, negó con la cabeza. Nunca le había visto tan entusiasmado, tan feliz. No podía estarse quieto—. Esto nos hará famosos, a todos nosotros. No hay ninguna posibilidad de que sea un montaje. ¿Cómo se puede agarrar a un ser humano y hacer que levite bastante más de un metro? No puede hacerse. Es una manifestación real, y puede documentarse. —Se volvió hacia nosotros con los ojos encendidos, y pronunció las palabras que yo más temía—. Voy a entrar en el granero.

—¡No puedes! —exclamé.

Volvió la mirada hacia mí, aunque me di cuenta de que ni me veía.

—Ella ha dicho que vaya. ¿Cómo no voy a hacerlo?

—No me parece que sea una buena idea, Alistair —intervino Matthew.

—Voy a documentar sus apariciones —continuó Alistair como si nadie hubiera dicho nada—. Voy a grabarla, y a sacar fotografías. Voy a documentarlo a fondo. No se me puede escapar. —Sonrió, pero fue una sonrisa que me intranquilizó—. Voy a cazarla, del todo.

Sus palabras me produjeron un escalofrío tal que por poco me mareé. Tenía la mente confundida y palpitante, como cuando uno despierta de una pesadilla, sin estar del todo seguro de si sigue soñando o no. Un sudor frío me corría por las sienes. Me imaginé a Alistair entrando allí, y a Maddy advirtiendo su presencia. Sentí muy dentro de mí algo profundo, maligno, avaricioso, y también cierto regocijo. No eran sentimientos míos, sino de Maddy, como si todavía estuviese dentro de mí. La idea era tan horripilante que hice un esfuerzo sobrehumano para librarme de ella.

—Sarah. —La voz de Matthew me llegó desde algún lugar de detrás, cerca de mis hombros—. ¿Estás bien del todo?

Me puse la mano sobre la frente.

—Creo que debería echarme un rato.

—Por supuesto, por supuesto —dijo Alistair—. Voy a pedir que nos traigan té...

Sonó una llamada en la puerta, corta y urgente. Sin pausa, y sin esperar permiso, se abrió la puerta y entró la señora Clare. Tenía el rostro demacrado y gesto de alarma.

—¡Esto es terrible! —dijo sin ningún preámbulo—. ¿Qué ha pasado allí, señor Gellis? Prometió que no entraría usted en el granero. Esta mañana solo vi llegar a la señorita Piper.

—Le aseguro que no he entrado, señora Clare. ¿Por qué lo dice?

Volvió hacia mí su rostro agotado.

—Maddy está más trastornada que nunca. ¿Qué le ha dicho usted?

Negué con la cabeza, y fue Alistair el que habló por mí:

—Parece que Maddy estaba de muy mal humor. Todavía estábamos recibiendo el informe de la señorita Piper.

¡Con qué suavidad hablaba! ¡Qué honesto parecía! Parecía que quería ocultarle la verdad a la señora Clare. Tal vez ocultarle sus intenciones de entrar en el granero, incumpliendo sus órdenes.

La mujer no dejó de mirarme con ojos exhaustos.

—Si sigue haciendo ese ruido me va a volver loca. Golpes secos, estallido de cristales... Pensaba que allí ya no había nada más que destruir. Esta mañana, en la casa, han caído al suelo varios cuadros, y ha destrozado parte de la vajilla de la cocina. Dejó de pasar a la casa hace algún tiempo, aunque al principio sí que lo hacía. Ha dicho usted algo que la ha hecho enfadar, y mucho.

La miré con gesto desesperado. «Cierre con llave el granero», pensé. «Ciérrelo, por favor... aunque quizá ya sea tarde».

—Lo siento —me disculpé—. Solo le dije mi nombre, y no tuve apenas ocasión de decir nada más. No puedo imaginarme el porqué de su reacción.

Entrecerró los ojos y supe que no me creía. Yo me puse de pie, con piernas inseguras.

—Si me lo permiten, tengo que ir a echarme.

—Por supuesto, señorita Piper —dijo Alistair.

Lo miré y no vi otra cosa en su gesto que insípida cortesía. Alistair, tan dulce y amigable, pero también, tal como estaba descubriendo, tan capaz de decepcionar y pasar por encima de lo que fuera cuando se trataba de lograr a toda costa lo que quería. Miré a Matthew, que estaba sentado en un rincón con un tobillo apoyado sobre la rodilla contraria, mirándose una de las botas con el ceño muy fruncido. No me dirigió siquiera un vistazo, así que me di la vuelta y salí del salón.

Al aproximarme a las escaleras, un hombre que bajaba por ellas estuvo a punto de atropellarme. De hecho, me golpeó levemente con el hombro, y cuando me volví para mirarlo bajó la cara. Vestía gorra de tela y americana gris, y desapareció rápidamente por la puerta.

Subí las escaleras despacio. Primero fui al cuarto de baño, y me rocié la cara y las manos con agua templada. Pese a que lo había dicho como excusa para alejarme de la señora Clare, lo cierto es que estaba completamente exhausta, y no deseaba otra cosa que echarme en la cama. Caminé trabajosamente por el pasillo hacia mi habitación y abrí la puerta.

El cuarto estaba hecho un desastre. Habían sacado los cajones de la cómoda y los habían vaciado, y la mesita de noche estaba en la pared contraria a la que le correspondía. La maleta abierta, y todas las cosas desperdigadas por el suelo. Además, todos mis vestidos estaban destrozados, lo cual me hizo lanzar un grito de dolor y disgusto. Toda la ropa que poseía, pagada con peniques que había ganado uno a uno y a duras penas, y que había guardado con tanto cuidado con la ingenua idea de que este trabajo iba a estar muy bien pagado, estaba reducida a harapos.

Pensé en el hombre de la gorra y la americana gris. Había destrozado mis cosas.

Tenía que haber gritado. Tenía que haber llamado al posadero. Pero no pude hacer otra cosa que mirar con una especie de horror enfermo y agotado, que me dejó sin voluntad, ni tan siquiera para moverme. Cinco minutos después me encontró una criada, en el mismo sitio. No me acuerdo de nada, aunque más adelante me dijo que estaba sollozando.

CAPÍTULO II

Se produjo un gran revuelo, por supuesto, aunque yo no recuerdo nada. Se interrogó a todos los empleados de la posada. No habían visto a ningún extraño o sospechoso. Se me pidió varias veces que hiciese una descripción del hombre que había visto, pero no pude darla. No le había visto la cara, y no pude captar ningún rasgo distintivo, ni el más mínimo.

Alguien sugirió que se llamara al oficial de policía, el representante más directo de la ley en la zona. En Waringstoke no había, aunque se podía avisar al del pueblo más cercano. Pero Alistair desechó la idea. Le dio pena del mal rato que estaba pasando y le dijo al posadero que, al no haberse producido daños personales, no había ninguna necesidad de ir más lejos. Pidió que me trasladaran de habitación y me dijo que él se encargaría de reemplazar la ropa y demás objetos dañados.

Todo eso me sacó del cansado estupor que había estado sufriendo.

—¡No lo hagas! ¡No ha sido culpa tuya! —protesté.

—Estás aquí por orden mía y bajo mi responsabilidad, Sarah —dijo amablemente—. He sido yo el que te ha puesto en esta situación. Me siento fatal, te lo digo de verdad. ¡Por supuesto que te compraré ropa que reemplace la que han destrozado!

Era orgullosa, sí, ¿pero qué alternativa había? Solo tenía la ropa que llevaba encima, y casi ni un penique para gastar, así que no me quedaba más remedio que aceptarlo. Esperaba secretamente que fuera un préstamo, y que algún día pudiese devolvérselo a Alistair.

Por supuesto, todo el mundo hizo caso al diligente y educado señor Gellis. Emanaba una autoridad y un liderazgo natural. Los curiosos se marcharon y el posadero y su esposa se pusieron a trabajar para cambiarme de habitación, una vez superado el problema. Si Alistair lo decía, todo el mundo estaba dispuesto a creer que las cosas iban a ir bien.

Pero no era así. Nada iba a ir bien. Me dolían los antebrazos en los puntos en los que Maddy me había sujetado y me toqué suavemente la piel sobre las mangas, con los brazos cruzados sobre el pecho. Pero eso solo hizo que me encontrara peor.

En algún momento del zafarrancho, la señora Clare había desaparecido. Me pregunté vagamente cuándo habría sido.

Al fin se trasladaron mis cosas. La posada solo tenía seis habitaciones, así que me cambiaron al otro lado del pasillo, más cerca del cuarto de baño, mientras reparaban el pestillo de mi habitación anterior. Alistair me acompañó por el corredor.

—¿Estás segura de que te has recuperado? Hoy has sufrido unas cuantas conmociones. ¿Quieres que llamemos a un médico? ¿O algo de comer? ¿Una taza de té?

—Solo necesita una cosa —dijo una voz familiar desde detrás de mí—. Un billete para irse de Waringstoke ya mismo.

Me volví. Matthew se había puesto la gorra y estaba apoyado contra la pared, las manos en los bolsillos.

—Estaré bien, gracias por preocuparte.

—No lo creo. —La cara de Matthew, para variar, era inescrutable, pero su voz sonaba arrogante, y de repente me di cuenta de que se estaba burlando de mí—. ¿O es que no te has dado cuenta de lo que ha pasado aquí?

Me enfadé mucho y di un paso adelante.

—Eso es lo que quieres, ¿verdad? Que me vaya. Así te librarías de mí.

—Vamos, vamos —medió Alistair.

Matthew ensombreció el gesto. No le hizo caso a Alistair y me habló directamente.

—No es eso lo que me gustaría. Solo se trata de que no parece una situación adecuada para una mujer. Además, se va volviendo peor a cada minuto.

Me puse colorada de pura indignación.

—Así que esa es tu opinión objetiva, ¿no? Que debo quedarme aparte y daros paso a vosotros. Acabo de darme cuenta de que lo que quieres es que me vaya. Y no te molestes en negarlo.

—¡Eso es ridículo! —Ahora le tocó a él enrojecer de indignación—. Estás en peligro, eso es lo único que ocurre, y en lo único que pienso. Pareces demasiado obcecada como para entenderlo. Si Alistair tuviera un poco de sentido común, solo un poco, te mandaría de vuelta a Londres en el primer tren.

—¡Qué «me mandaría», dices!

—¡Eh, vosotros dos! —dijo Alistair, levantando la voz—. ¿Se puede saber qué os pasa?

Di un paso atrás. Matthew se quitó la gorra y se pasó el dorso de la mano por la frente. Se le notaba perfectamente el final de la cicatriz, por debajo de la bocamanga. Negué con la cabeza, pensando para mí que estaría loca si creyera por un segundo que estaba preocupado de verdad por mí. Lo único que quería era que me fuera.

—Estaré en mi habitación —dije.

Se me hacía difícil creer que estuviera cansada, pero lo cierto era que sí que lo estaba, y mucho. Por una vez mi cuerpo había tomado posesión también de la mente, absolutamente superada por todos los acontecimientos del día. Tras quedarme sola en la nueva habitación, con todos los restos de la ropa apilados en un aparador, encima de la maleta, me senté en la cama y me quité los zapatos. Me eché del todo y me quedé mirando al techo, cruzado por vigas de madera, intentando recopilar mis pensamientos y ordenarlos. Pero no lo logré del todo, pues no paraban de fluir.

Estaba asustada, eso era un hecho. Sabía que lo que estaba pasando era peligroso, y que las cosas estaban empezando a escapar de nuestro control. Ahora me daba cuenta de que esa mañana se había establecido entre Maddy y yo un vínculo que se podía calificar de malignamente alquímico. Ella tenía consciencia, pensamientos, y no solo furia. La señora Clare había dicho que yo había hecho que se enfadara, pero me preguntaba si la cosa se quedaría en algo tan simple como eso, si no se avecinaba algo bastante peor.

Y, para colmo, ahora estaba de por medio ese hombre al que se refirió. Matthew tenía toda la razón en eso, estaba en peligro. Tenía que reconocer que era lógico.

Pero si yo estaba en peligro, también lo estaban ellos. Allí echada, encima de la cama, decidí que no iba a abandonar. Después de todo, los tres estábamos en la misma batalla. Sabía de muchos hombres que no se habían echado atrás, que no se habían ido a casa ante el peligro. Al fin y al cabo, después de lo ocurrido durante los últimos años en el mundo, ¿qué podía haber más letal?

❋ ❋ ❋

Seguramente me quedé dormida un buen rato, pues al abrir los ojos comprobé que ya estaba oscuro. La habitación estaba tranquila y silenciosa. Mi mente vagaba sin rumbo, y los pensamientos fluían lentamente.

Acababa de lavarme la cara y de cepillarme el pelo (por lo menos el cepillo no había resultado dañado) cuando oí una llamada a la puerta, tenue, sin urgencias. Dando por hecho que sería una de las sirvientas de la posada, abrí la puerta de inmediato.

Pero quien estaba allí, de pie en el umbral, era Matthew Ryder.

Me miró intensamente con los ojos oscuros. No llevaba gorra, y tenía el pelo bien peinado y húmedo, como si se lo hubiera lavado. La camisa que vestía era blanca y estaba impoluta, tanto que casi brillaba en la penumbra. A primera vista parecía enorme y basto, con aquellos hombros tan anchos y los músculos presionando la tela. Tenía una barba oscura e incipiente. No pude moverme, darme la vuelta y cerrar la puerta para intentar escapar de él, salvar la vida, pues el corazón me latía desbocado en el pecho. Pude escuchar su respiración en el silencio.

Fui capaz de bajar un poco la mirada y me di cuenta de que llevaba una pequeña bolsa en la mano, y también una tela blanca doblada sobre el codo del otro brazo.

—Tengo que pasar —se limitó a decir.

Lo miré sobresaltada. La idea de dejar que un hombre entrara en mi habitación ya era de por sí bastante rara, pero tratándose de Matthew Ryder, la cosa se convertía en mil veces peor.

Se dio cuenta de mis dudas, y reconocí su ya para mí habitual gesto de tozudez.

—Sarah, ¿de verdad quieres hacerte la remilgada conmigo?

Negué con la cabeza. Por supuesto, era una estupidez por mi parte el pensar siquiera que tuviera algún tipo de intención, aviesa o no, conmigo. Había venido a hacer un recado, ni más ni menos, y probablemente obligado, porque no debían de gustarle nada los encargos que tuvieran que ver conmigo. Así que me hice a un lado para dejarlo pasar.

Entró en la habitación, dejó la bolsa y después desdobló la tela blanca.

—La posadera me ha dado esto para ti. —Me lo acercó estirando la mano y lo recogí. Era un camisón, quizá pasado de moda y con adornos que no me gustaban, pero no se podía negar que estaba bien hecho y que la tela era de calidad.

—¡Qué amable! —dije—. Lo cierto es que ni había pensado en qué me pondría poner esta noche para dormir.

—¿Te gusta? —Lo miré, muy sorprendida por su pregunta—. Tiene varios. He sido yo quien ha escogido este.

Volví a mirar el camisón, que tenía el cuello bastante alto y unas mangas muy anchas. Seguro que me sobraría la mitad de la prenda, pero no debía decir nada que no demostrara agradecimiento, así que busqué algo positivo para responder:

—Desde luego, no voy a pasar frío.

Ahora el que se sorprendió fue él, lo noté en el brillo de los ojos. Y la sorpresa, muy rápidamente, dio paso al humor irónico. Torció ligeramente y despacio la comisura de los labios y dibujó una sonrisa que me pareció que mostraba verdadera diversión. Era la primera vez que lo veía sonreír de verdad, no ese gesto cínico tan habitual en él desde que lo conocía, y por un instante me quedé sin aliento.

Notó cómo lo miraba y la sonrisa desapareció de su rostro. Se le ensombreció la mirada, que se volvió seria y dura. El cambio de actitud me afectó. Estaba enfadada conmigo misma, y mucho. Y es que, a pesar de que me intranquilizaba y no confiaba en él, lo cierto era que me tenía completamente fascinada. Me recordé a mí misma que no le gustaba, y que yo estaba enfadada con él, y dejé el camisón encima de la cama.

Matthew, por su parte, volvió a levantar la bolsa. Su expresión había cambiado como del día a la noche, endureciéndose casi hasta mostrar burla; no fui capaz de imaginar siquiera el porqué.

—Los brazos. Por donde te agarró Maddy.

Todavía me seguían doliendo.

—¿Qué pasa con ellos?

—Voy a echarles un vistazo. Todavía te escuecen, ¿verdad?

Alzó las cejas de forma interrogativa, sin dejar de mirarme en ningún momento. Supongo que me habría visto frotarme los brazos antes, aunque me sorprendía que se hubiese dado cuenta.

—Me gustaría verlos, por favor.

¿Enseñarle los antebrazos?

—Matthew, no creo que...

—Sarah. —Su voz sonó áspera como la lengua de un gato—. Desabróchate el vestido.

Me quedé paralizada y con la boca abierta.

—¿Perdona?

No podía hacer tal cosa. No iba completamente desnuda bajo el vestido, por supuesto, sino que llevaba una camisola de algodón. Pero, simplemente, no podía hacer semejante cosa.

—Haces esto a propósito para vengarte, ¿verdad? —dije.

Ahora su gesto fue de genuina sorpresa. Parecía que esta noche había sido capaz de sorprenderlo dos veces ya. Miró hacia la bolsa, como si su contenido hubiese pasado a ser extraordinariamente importante. Cuando volvió a mirarme, su gesto era otra vez de humor, mezclado quizá con una cierta dosis de vergüenza.

—De acuerdo, tienes razón. Se trata de eso. Tengo que confesarlo.

Me crucé de brazos.

—Pero, de todas formas, vas a hacer lo que te he dicho.

Abrí y cerré la boca. La sonrisa seguía bailándole en los ojos y en la boca, lo cual no implicaba que no tuviera la menor duda de que hablaba en serio, por la mirada intensa y terca que seguía dirigiéndome con aquellos ojos oscuros.

Así que estaba dispuesto a cobrarse su pequeña venganza, vergüenza por vergüenza. Bajó la mirada de los ojos a la cintura, recorriéndome el cuerpo. La noté como si fuera una mano que me acariciara, y me puse colorada contra mi voluntad. Sentí una cálida dejadez en las venas cuando volvimos a mirarnos a los ojos. La sensación pasó de la sangre a la piel. Los pezones se me pusieron duros, como si ya estuviera desnuda y me los hubiera acariciado. Pensé en el aspecto que tenía cuando lo vi casi desnudo, la musculatura fuerte y plana, el estómago recto, la potente curva de los brazos. También me acordé del momento en el que me agarró, cuando huía corriendo del granero, y después me rodeó por la cintura con el brazo. Sabía que era imposible no hacer caso del sentimiento que me invadía cada vez que lo miraba, de ninguna de las maneras. Había cruzado un umbral y no podía volverme atrás.

Y, de repente, quise hacerlo. Quise hacer lo que me había dicho, esto es, rendirme. Pero también una parte de mí quería experimentar, y desesperadamente, lo que sentía cuando lo miraba. Parte de mí quería que él lo supiera.

—Entonces de acuerdo. —Llevé las manos a los botones del vestido. Antes de desabrochar el primero ya me temblaban las manos, y agaché la cabeza, incapaz de atreverme a ver su reacción. Mi valentía de mujer no llegaba tan lejos.

Pero seguramente habría visto mi reacción, ¿no? Habría creído notar en mí lo que él pensaría que era desagrado cuando lo vi en el cuarto de baño. No tenía elección. ¿Acaso parte de su revancha consistiría en que levantara la cabeza y viera su mirada burlona, incluso su risa? Muy insegura, me desabroché el segundo botón.

—Sarah... —escuché.

—Matthew, no era mi intención —exploté, aún incapaz de alzar los ojos—. Fue accidental. Lo siento.

No dijo nada, así que continué. Finalmente, desabroché el último botón.

La moda de la época en las jóvenes era el aspecto masculino; los vestidos presentaban cortes rectos, y las mujeres más admiradas, estrellas de cine, modelos de alta costura y de publicidad, etc., eran delgadas y con escaso pecho, de cuello, piernas y brazos largos. Yo, como la mayoría de las chicas, sabía que no me ajustaba a ese canon. Era bastante delgada, pero no demasiado alta ni esbelta; y los pechos, aunque no demasiado grandes, sobresalían, independientemente de la ropa que me pusiera. Para mi frustración, las prendas lisas de las tiendas nunca me sentaban bien, y por eso solía comprar blusas con botones, para poder cubrir las embarazosas curvas. Era lo único que podía hacer, aunque no siguiera la moda, aunque deseara inútilmente tener un cuerpo plano.

Utilizaba también como ropa interior unos sostenes de algodón, como segunda forma de sujeción de los pechos y para evitar que se me movieran al andar. Era como una especie de bañador. O al menos eso me dije al ver la parte delantera de la blusa.

«Terminemos con esto», pensé. Con un rápido movimiento separé la prenda de los hombros y la bajé a lo largo de los brazos. Y me quedé allí de pie, expuesta, con la mirada clavada en el suelo, pensando en qué pensaría él acerca de lo que estaba viendo. La curva de la parte alta del pecho. La forma redondeada de los laterales, a través de la cobertura de algodón. Si miraba con atención, la forma erecta de los pezones... o eso quizá simplemente se lo imaginaría.

Noté que respiraba, solo una inhalación rápida, y me encogí de vergüenza. Era una revancha en toda regla.

—Los brazos —dijo.

Los miré y me quedé tan conmocionada que perdí todo sentimiento de vergüenza. Tenía los antebrazos, exactamente en el lugar donde Maddy me había agarrado, completamente marcados, llenos de cardenales formando una especie de brazaletes, con tonos distintos. Los colores oscilaban del morado al negro, y en algunas zonas la piel tenía un tono gris y enfermizo. Y los puntos concretos en los que me había agarrado estaban blancos como la tiza, duros, casi parecían muertos. Solté un pequeño grito de horror.

Matthew se acercó, se apoyó sobre el borde de la cómoda y me agarró de un codo, inclinándolo hacia él.

—¡Madre mía! ¿Te duele?

—Sí —respondí con voz temblorosa—. ¿Qué pasa? ¿Qué es lo que me ha hecho?

—¡No tengo la menor idea, por todos los diablos! ¡Jod...! —Controló el juramento y me miró—. ¡Que el diablo la lleve! —se corrigió finalmente. Me tocó la piel con mucha suavidad, con la punta del dedo índice, pasándolo por la zona de la piel que parecía tiza.

Ocurrió algo muy raro. Fue como si el mundo desapareciera durante un segundo. Vi delante de mis ojos copas de árboles verdes y, algo más lejos, una chimenea de ladrillo rojo que sobre-salía de una casa que no alcanzaba a ver. Pestañeé y la imagen des-apareció.

—¿Sarah? —dijo Matthew.

Sacudí la cabeza. No tenía el menor sentido, pero lo cierto es que lo había visto.

—No sé qué me pasa —dije.

Dejó de sostenerme el brazo y rebuscó en la bolsa, pero lo dejó enseguida.

—Es absurdo pensar que pueda tener algo para tratar esto. ¿Qué crees que debo hacer? ¿Vendártelo?

—No lo sé —respondí—. ¿No deberíamos llamar a Alistair?

Nos miramos durante un rato. Era como si nuestras miradas es-tuvieran bloqueadas, la una por la otra. Por primera vez desde que lo conocía supe con exactitud qué era lo que estaba pensando, cosa que, además, era también lo que yo misma pensaba. Sí, deberíamos llamar a Alistair. Pero a Alistair le gustaría tomar notas, y tam-bién volver a hacerme preguntas. Peor aún, querría hacerme fotos para documentar los moratones y demás efectos de la actividad de Maddy, antes de que desaparecieran. Era lo lógico, pero... pero Alis-tair se preguntaría qué era lo que hacía Matthew solo conmigo en mi habitación, por la noche y a una hora tan tardía, con la parte de arriba del vestido quitada y colgando de la cintura, y sin camisón.

Matthew se aclaró la garganta.

—Creo que voy a vendarte los brazos.

Por mi parte, me mordí el labio y asentí.

—Sí, hazlo. Si mañana están peor, se lo diré a Alistair.

—¿Lo prometes?

Volví a asentir.

Agachó la cabeza para volver a buscar algo en la bolsa. Se ha-bía olvidado del jueguecito de humillación, y parecía un tanto avergonzado.

—No soy ningún monstruo —afirmó en voz baja un momen-to después.

Miré a la pared mientras desenrollaba las vendas, y pensé en el momento en el que vi las cicatrices.

—¿Qué ocurrió? —pregunté.

Me imagino que siguió el curso de mis pensamientos sin hablar. Después soltó una especie de risa ronca, entre dientes y acompañada de un gesto cínico.

—Querida, ya te contaré en otro momento una historia que es de lo más sanguinaria. Pero esta noche no.

Suspiré. Al parecer, nuestro momento de intimidad había terminado, pese a que aún estaba en ropa interior, al menos de cintura para arriba. De todas formas, quería que siguiera hablando.

—¿Por qué crees que ese hombre habrá destrozado la habitación y mis cosas? No tengo nada que merezca la pena robar.

—Quería asustarte —dijo Matthew.

—¿En serio? ¿Tú crees que...? —Matthew me colocó la venda sobre el brazo y, una vez más, la habitación desapareció; volví a ver la chimenea de ladrillos rojos, a ras las copas de los árboles y bajo el cielo gris. Esta vez la visión fue mucho más clara. Podía distinguir las hojas húmedas, brillantes y balanceándose levemente, y justo después la chimenea, medio cubierta de ruibarbo. Sentí que, tras esa visión tan normal, había algo importante, que urgía conocer, pero que estaba fuera de mi alcance. Si me fijaba más quizá...

—¿Sarah?

Volví a la pequeña habitación de la posada, con la tenue luz de gas y las gruesas vigas de madera. La situación empezaba a ser rara.

—Perdona... ¿qué me decías?

Me miró con gesto de cierta sorpresa, o sospecha, no sé decir, aunque no me presionó.

—Te he dicho que te vuelvas, que te voy a vendar el otro brazo.

Así lo hice, e intenté recuperar la conversación acerca del hombre que había allanado mi habitación.

—¿Piensas que quería hacerme creer que había sido cosa de Maddy?

—¿Un fantasma en tu habitación? —gruñó—. Podría ser, sí. Pero la pregunta clave es que por qué quería asustarte.

—Pues a causa de Maddy. —Estaba segura de que esa era la respuesta correcta a la pregunta. Me quité un mechón de la cara—No puede haber otra razón. Aquí no he hablado prácticamente con nadie. Nadie puede saber quién soy, y menos desearme algún mal.

—Es obvio que no sabes nada acerca de los pueblos pequeños como este —dijo con tono irónico—. Aquí todo el mundo sabe quién eres, Sarah, quiénes somos todos. Y eso es aplicable a muchos kilómetros a la redonda. Te lo garantizo.

—¿Y qué les importa? —pregunté, francamente sorprendida.

—¿Me puedes decir qué otras cosas pasan en un sitio tan tranquilo y aburrido como este? Hasta ayer éramos interesantes, pero después de lo de esta mañana nos hemos convertido en la sensación de la temporada.

Se agachó un poco, agarró la parte de arriba del vestido y me la pasó.

—Toma. Ya he terminado.

Me lo coloqué por los hombros. Había perdido toda sensación de vergüenza, pues solo pensaba en lo que me acababa de decir.

—Puede que los tres seamos la atracción del lugar, pero he sido yo la que ha entrado en el granero. Y la que han allanado ha sido mi habitación.

—Exactamente.

¿Pero por qué razón? ¿Acaso es que alguien quería que me alejara de Maddy? ¿Y por qué, si era un fantasma, y mucha gente no creía que fuera real? ¿Qué pensaba encontrar ese hombre en mi habitación?

Me acordé de las breves visiones que había tenido mientras Matthew me vendaba. Fueron extraordinariamente vívidas. ¿Pude de verdad hasta oler la humedad del aire, o fueron imaginaciones mías? Y las sensaciones de impotencia y de frustración también fueron muy claras. Era como si me hubieran escrito una nota, un mensaje: hay algo que encontrar allí.

Me volví a mirar a Matthew.

—Sé que te gustaría que me volviera a Londres, pero no lo voy a hacer. No hasta que pase todo esto. Quiero que lo sepas.

Pensé que me esperaba una discusión, pero se limitó a cerrar la bolsa y, al parecer, a pensar en lo que le había dicho.

—¿Y por qué debería dejar de insistir?

—Porque van a pasar más cosas. Cosas importantes. Y puedo ayudaros.

—Sí, igual puedes, pero igual no. Si dejo que te quedes durante unos días más, ¿qué es lo que propones que hagamos? ¿Y qué quieres hacer tú exactamente?

—Quiero saber más acerca de Maddy —dije.

Cruzó los brazos.

—Pues, lo que son las cosas: resulta que yo también.

CAPÍTULO 12

La mañana siguiente, durante el desayuno, Alistair dijo que íbamos a ir al centro del pueblo. Teníamos que comprar ropa para sustituir la que me habían destrozado, y dado que había decidido pagarla pese a mis protestas, iba a acompañarme. Quedaba Matthew.

—¿Vas a venir entonces? —preguntó Alistair mientras cortaba el último trozo de salchicha y lo miraba—. ¿O te vas a quedar para intentar arreglar la grabadora?

Matthew ni siquiera me miró al contestar.

—Soy incapaz de arreglar ese chisme —rezongó—. Iré con vosotros, y ya me distraeré de alguna manera.

Alistair lo miró con expresión irónica y, a la vez, afectuosa.

—Que la distracción no incluya demasiadas pintas de cerveza. No son ni las diez de la mañana y tenemos trabajo.

—Sí, madre.

Alistair soltó una carcajada al oír su salida y me dirigió una mirada divertida.

—Ya ves la cruz que tengo que llevar a cuestas, Sarah. Aunque tiene que tomar nota: tú eres una asistente mucho más amable, e infinitamente más agradable de mirar.

Le devolví la sonrisa y reflexioné sobre ambos hombres, tan distintos y, sin embargo, tan acostumbrados el uno al otro, obviamente desde hacía mucho tiempo. No creía que Matthew me fuera a contar nada, así que le pregunté a Alistair mientras subíamos la pequeña colina que conducía a la zona comercial. Matthew nos seguía por detrás, caminando solo.

—Pues nos conocimos durante la instrucción militar, aunque te parezca mentira —contestó Alistair inmediatamente y se quedó mirándome—. Su litera estaba al lado de la mía. Supongo que, al vernos juntos, lo primero que se piensa es que no tenemos mucho en común, pero resulta que sí. A Matthew le gusta meterse en líos tanto como a mí. Y en el ejército hay muchísimas formas de meterse en líos, sobre todo si aún no has entrado en combate y no sabes cómo son de verdad las batallas.

Pensé en lo que me acababa de decir para entenderlo. Lo que había dicho Alistair significaba que por aquel entonces eran hombres diferentes, unos jóvenes que no sabían lo que era la guerra, que todavía no habían vivido tal horror. Chicos que en su momento pensaron que alistarse para luchar contra los «boches» iba a ser muy divertido. En aquella época conocí en Londres a bastantes jóvenes como ellos, cuando todas mis amigas querían «colocarme» con algún posible novio. Acudí a muchas fiestas llenas de desconocidos, y todos ellos futuros soldados. Inicialmente solían cantar a voz en grito himnos patrióticos o canciones de chanza contra el enemigo alemán, además de presumir de que iban a arrasarlo en pocos meses. Pero después, conforme avanzaba la guerra, esos alegres e intrépidos muchachos se convirtieron en hombres ávidos de mujeres y que, además, casi habían perdido del todo la capacidad de conversar, creando una brecha que resultaba imposible de rellenar. Eran hombres que volvieron con un caparazón imposible de romper. Eso los que regresaron, por supuesto.

Intenté imaginar a un Matthew joven y despreocupado. No lo logré.

—Hasta embarcamos juntos hacia Francia, en el mismo buque —continuó Alistair—. Pero estábamos en regimientos diferentes, así que una vez allí perdimos el contacto. Yo combatí durante tres años en Bélgica y Francia, hasta que recibí un tiro en la pierna. La bala me destrozó una vena del muslo y fue casi un milagro que no me muriera. De hecho, si llega a darme un centímetro más a la izquierda, no estaríamos hablando aquí ahora. —Su expresión se ensombreció, pero continuó hablando—. De todas formas, estuve bastante tiempo inconsciente. Me enviaron a un hospital de Essex y, al parecer, no desperté hasta pasados tres días. Y cuando me desperté, adivina quién estaba en la cama de al lado.

—Matthew, claro —dije.

No obstante, ya no había el más mínimo rastro de buen humor en el gesto de Alistair, por lo que empecé a lamentar el haber sacado ese asunto a colación.

—Pues sí. Lo que pasa es que Matthew estaba en una situación muchísimo peor que la mía... y eso es todo lo que puedo decirte. Lo que le ocurrió te lo debe contar él si lo desea, no yo. —Se dio cuenta de que, a los lados del camino, el bosque se iba haciendo menos denso y los árboles más estrechos, según nos acercábamos al pequeño núcleo central de Waringstoke. La luz del sol le iluminaba el pelo, y había empezado a renquear un poco debido a la distancia recorrida—. A mí me reconstruyeron bastante bien, me permitieron que descansara y recuperara toda la sangre que había perdido, que según me contaron fue mucha, y me regalaron un bastón en el que apoyarme para andar. También me dijeron, finalmente, que estaba lo suficientemente bien como para volver al frente y seguir luchando un poco más. Estaba esperando a que se resolviera el papeleo cuando, por fin, terminó la guerra. Siempre he sido un hombre de suerte.

Lo dijo con tono sombrío, lo que me desconcertó. ¿Le había alegrado librarse de volver al frente o, por el contrario, se sintió defraudado al no poder hacerlo?

Notamos que Matthew, por detrás de nosotros, aceleraba el ritmo y se acercaba.

—Alistair, ¿serías tan amable de recordarme por qué demonios no hemos venido en automóvil?

—Porque es un paseo de veinte minutos —contestó el aludido en tono de broma, dejando que su amigo se colocara a su altura. Recuperó el brillo malicioso de los ojos—. Me temo que con la comida y el descanso de la posada te has vuelto gordo y perezoso.

—Hace mucho calor —gruñó Matthew.

Tenía razón. El sol había disuelto la niebla, dando paso a una mañana de calor pesado y húmedo. Además, apenas había brisa. De todas formas, a mí me estaba gustando pasear, al parecer lo mismo que a Alistair. Resultaba agradable alejarse de la oscura y vieja posada, y de la alargada sombra de Falmouth House.

Por fin llegamos al centro del pueblo de Waringstoke, que se limitaba a un par de calles formando una X en las que se alineaban varias tiendas, la oficina de correos y un *pub*. Al final de la calle que iba de este a oeste estaba la iglesia, cuyo edificio de piedra gris oscura contrastaba con el verde de la hierba que la rodeaba y en donde estaba el cementerio, que la verdad no parecía muy cuidado. No había nadie, al menos por las calles, fuera paseando o comprando. Pensé en lo diferente que era ir a comprar en Londres, a unos almacenes como Harrods o a los cientos de tiendas, grandes y pequeñas, que abarrotaban prácticamente todas las calles del centro, con los escaparates elaboradamente dispuestos para llamar la atención de los transeúntes. Lo cierto es que yo nunca tenía dinero para comprar casi nada, pero sí que estaba acostumbrada a mirar escaparates.

La noche anterior Matthew y yo acordamos por nuestra cuenta que hoy íbamos a procurar hacer averiguaciones acerca de Maddy Clare. La gente del lugar tenía que saber cosas sobre ella. Por mucho que apenas se hubiera relacionado con nadie, lo cierto es que había vivido siete años en el pueblo, en Falmouth House. Era inevitable que se hubiera cotilleado acerca de la chica medio loca que era criada de los Clare y que apenas pisaba la calle. Seguro que alguien, en alguna parte, tendría algo que contar...

Nos dividimos. Matthew se fue por su cuenta y Alistair y yo buscamos las escasas tiendas de ropa de mujer en las que poder volver a llenar mi maleta. Apenas unos días antes, la idea de ir de compras con un hombre joven hubiera hecho que el miedo me paralizase. Todavía me sentía un tanto cohibida, pero no me costó demasiado relajarme por completo. Después de todo, había estado delante de Matthew casi sin ropa. Y me había enfrentado a situaciones mucho más terroríficas que la de ir a comprar ropa interior con un hombre, y menos si se trataba de Alistair Gellis.

Lo que sí que me seguía molestando era que él lo pagara todo. Pareció darse cuenta, y seguramente debido a que era una buena persona, no me presionó. Me dejó escoger las prendas más baratas, los vestidos, camisas y faldas más prácticas y de estilo más simple, para que no se pasaran de moda en un año o menos. Sí que discutió conmigo cuando insistí en que solo necesitaba un par de medias. Le informé de que en que en Londres tenía más, por lo que no necesitaba un segundo juego. Al final cedió.

Finalmente lo había repuesto todo, exceptuando mi vestido favorito, con el que me sentía más cómoda. Alistair me dejó que me probara sola varios vestidos, argumentando que tenía que acercarse a la oficina de correos porque había indicado que le mandaran la correspondencia a Waringstoke. Así que me los probé por mi cuenta.

Seleccioné unos cuantos, muy simples y prácticos, desde luego, y lo más adecuados posible a mi complexión; según me indicó la dependienta, me fui a la parte de atrás de la tienda a probármelos. Cerré la cortina y me quedé en el estrecho probador.

El vestido que había sobrevivido al allanamiento de la habitación tenía mangas hasta los codos. Me lo quité y miré los vendajes que me había hecho Matthew la noche anterior, y que me protegían los dos antebrazos. El color blanco contrastaba de forma siniestra con la oscuridad del probador. Aún me dolían los brazos. ¿Más o menos que ayer? No sabía decirlo.

¿Debería quitármelos y ver cómo tenía las marcas?

Le había prometido a Matthew que lo haría. Le había prometido también que, si los tenía peor que ayer, debía decírselo a Alistair. Pero no quería. Simplemente no quería saberlo.

Pero ¿y si el problema era serio? ¿Y si necesitaba atención médica?

¿Habría algún médico capaz de curarme lo que tenía, fuera lo que fuese?

Mientras era presa de la indecisión, oí unos pasos acercándose. Di por hecho que se trataba de la dependienta, hasta que vi unos zapatos por debajo de la cortina. Eran nuevos, brillantes, a la moda, con tacones y una hebilla de metal dorado en la zona del tobillo. Era imposible que una dependienta de ese pueblo llevara unos zapatos como aquellos.

—Señorita Piper —dijo una voz de mujer.

Cerré los ojos. Sabía exactamente quién era, por supuesto. Lo supe en el instante en el que vi los zapatos.

—Señora Barry —dije. Era la mujer que paseaba aquella mañana con su perro. La mujer alta y guapísima que había estado fumando un cigarrillo con Alistair.

—Perdone que le moleste —dijo con voz profunda y un tanto ronca.

Allí estaba yo, con mis bragas de algodón y los antebrazos vendados, deseando con todas mis fuerzas que se marchara. Junto al estilo que emanaba, perdí toda la confianza en mí misma que había logrado acumular esa mañana.

—¿Qué tal está, señora Barry? —acerté a decir.

—Escuche. —Los zapatos se acercaron a la cortina, y no pude evitar mirarlos con envidia. Seguro que habían costado más de lo que podía ganar en un mes trabajando adonde me mandara la agencia de empleos temporales—. Tengo que confesarle una cosa... les he seguido hasta aquí —dijo, y me dejó atónita.

—Pero... ¿qué me está diciendo? —dije, alejándome instintivamente de la cortina.

—Suena fatal, lo sé. Incluso a locura. Pero tengo mis razones. Solo le pido que me escuche un momento.

Recordé la mañana que la vi hablando con Alistair, y lo pequeña que me sentí. La forma en que lo miró mientras encendía el cigarrillo. Las vibraciones invisibles que se transmitían entre ellos, de una naturaleza que desconocía por completo.

—Si a quien busca es al señor Gellis, está en la oficina de correos —dije en voz muy baja.

—Por favor, limítese a escucharme, se lo ruego.

Pensé un momento.

—De acuerdo —dije por fin.

Suspiró, y los pies se alejaron un poco. Me la imaginé con un vestido exquisito, gorro a juego y esos guantes de ante que llevaba cuando la conocí. No. Pensándolo mejor, seguro que hoy llevaría otro par de guantes, más adecuados para la cálida mañana. El día que la conocí me intimidó mucho, pero ahora simplemente me repelía. Me apoyé sobre un pie, esperando acontecimientos.

—Quiero saber una cosa —dijo la señora Barry—. Ese fantasma. La criada. ¿Es verdad que esa chica habla con usted?

—¿Cómo dice? —Me quedé con la boca abierta.

—Que si es verdad que se comunica con usted. Tengo que saberlo. ¡Necesito saberlo! —Su tono era apresurado, impaciente e incluso un tanto amedrentado.

—Señora Barry, quizá debería decirme qué es lo que ha oído por ahí.

Suspiró de nuevo, y oí que andaba nerviosamente.

—Todo el pueblo habla de ello. Que Al... el señor Gellis la ha traído a usted aquí. Que usted es una especie de médium, con la que ha contactado por su experiencia a la hora de hablar con los espíritus. Que Agnes Clare la dejó entrar en el granero para que pudiera encontrarse con el fantasma. Que se ha comunicado con esa chica, aunque está muerta.

Me llevé la mano a la boca. No tenía claro si lo que me apetecía era reírme (¡yo una especialista que Alistair había buscado a propósito!) o quedarme sin aliento. Pensé a toda velocidad y decidí no desilusionarla. No pensaba mentir, pero sí soltar un poco de cuerda para ver si podía averiguar algo.

—¿Qué sabe usted de Maddy Clare? —pregunté.

—Por favor. —Se acercó un poco—. ¿Ha hablado usted con ella? ¿Es verdad lo que se dice?

—Me ha hablado, sí —dije, cuidando las palabras. Eso era cierto, pero no especifiqué que por poco me vuelvo loca al escuchar, o mejor sentir, sus palabras—. ¿La conoció cuando estaba viva?

—¡Oh, Dios! —La señora Barry se quedó quieta al otro lado de la cortina—. ¿Qué le dijo? ¿Fue algo acerca de...?

—¿Acerca de qué? —pregunté al notar que se detenía.

—Señorita Piper... ¿le dio un mensaje? ¿Un mensaje de algún tipo? Por favor, dígamelo.

Me mostré firme.

—No le diré nada hasta que usted no me diga qué interés tiene en los mensajes que me haya podido dar Maddy Clare.

—No tengo tiempo —dijo. La noté muy agobiada—. Tengo que irme. Le he dicho a Tom que solo tardaría un momento. Me seguirá hasta aquí. Escuche... todas las mañanas salgo a pasear con el perro. Todas. Así que nadie podrá sospechar. Por favor, encuéntrese conmigo para contármelo.

Parecía realmente desesperada. Me pregunté qué podría pasar, pero también supe que no me lo diría. Se dio la vuelta para irse.

—Por favor —dijo de nuevo, y se marchó.

Me quedé quieta un rato, preguntándome si volvería, pero no lo hizo. Había mencionado «la criada». «¿Es verdad que esa chica habla con usted?», había preguntado. No había sido capaz de decir su nombre, Maddy.

Me olvidé de los vendajes y empecé a probarme los vestidos.

CAPÍTULO 13

El *pub* de Waringstoke era pequeño y acogedor. Aparte de la taberna de la posada, se trataba del único lugar en el que se podían reunir los vecinos del pueblo, así que no me pareció raro que estuviera bastante lleno a la hora de la comida. Mientras buscábamos una mesa, Alistair se quedó helado en medio de una protesta sobre la tardanza de Matthew, mirando algo por encima de mi hombro.

—¿Qué pasa? —dije—. ¿Ocurre algo?

Recuperó el control y dejó de mirar a ese punto.

—No, nada.

No me engañó. Paseé discretamente la mirada por el local y pude captar la imagen de la señora Barry, sentada a una mesa cercana con un hombre, probablemente su marido. Me daba casi la espalda, pero pude ver que era delgado y de pelo oscuro. Me volví de nuevo hacia Alistair.

No capté nada en su mirada. Le hizo una seña a la camarera.

—No puedo esperar a Matthew. Tengo hambre.

Esperé a que hiciera la comanda, aprovechando para reunir valor. Finalmente, me lancé a fondo.

—¿Qué pasa con ella? —le pregunté, mirándolo a los ojos—. Con la señora Barry, quiero decir.

De momento, se mantuvo en silencio. De hecho, cuando finalmente contestó la comida ya estaba en la mesa, de forma que yo había llegado a pensar que no lo haría. Se concentró en el estofado típico de labradores que nos habían servido, evitando cuidadosamente mirar a la mesa en la que se sentaba el matrimonio Barry.

—Sarah, a veces eres muy observadora, casi diría que demasiado.

—Puedes confiar en mi —dije, algo afectada por su comentario—. No soy ninguna niña. ¿Estáis...? ¿Vosotros dos...?

—¿Poniéndole los cuernos a su marido? —Se había ruborizado intensamente, y soltó el tenedor—. No, nada de eso. ¿Era eso lo que querías saber?

«Si te has metido tu solita en la boca del lobo, la única posibilidad de salir indemne es mostrar valor», pensé.

—Bueno, no pensaba... no era eso lo que quería decir. Lo que ocurre es que parece que sí que hay algo entre vosotros, que está pasando algo.

Volvió a agarrar el tenedor y removió la comida sin llevarse nada a la boca, exactamente lo mismo que estaba haciendo yo.

—Conocí a Evangeline en una fiesta de Año Nuevo de 1914. Bueno, eso ya lo sabías porque lo dijo delante de ti. Yo estaba en un club en Londres. Bailé con ella dos veces, y le pedí que se casara conmigo.

No pude evitar que se me escapara un pequeño bufido de sorpresa.

—Nunca había hecho nada semejante con ninguna mujer hasta entonces, ni lo he vuelto a hacer —confesó, mientras cortaba una patata con el cuchillo—. Sé que fue una estupidez, pero era lo que deseaba de verdad en ese momento, y con mucha intensidad; no pude evitarlo. Había algo entre nosotros, y ni en ese momento, ni tampoco en ningún otro, nada tenía sentido. Lo único que deseaba era no separarme nunca más de ella. Y su respuesta fue que ya estaba casada.

—¡Ah! —susurré.

Levantó los ojos y me miró por fin.

—Ahí lo tienes, Sarah. Ahora ya lo sabes. Me fui a la guerra y no volví a verla. No tenía ni idea de que vivía en Waringstoke. No había vuelto a saber nada de ella, solamente que no podría tenerla, nunca. Y entonces, aquella mañana apareció por la posada, paseando a su perro.

Se me encogió el corazón por el dolor que vi en su mirada. Y también pensé en el miedo que percibí en la voz de Evangeline Barry. «Le he dicho a Tom que solo tardaría un momento. Me seguirá hasta aquí».

—Alistair —dije, inclinándome hacia él y reprimiendo las ganas de tocarle la mano—. Alistair, creo que quizá...

—¡Vaya, vaya!

Miré hacia arriba y noté un intenso calor en las mejillas. Era el marido de la señora Barry. Tenía el pelo negro peinado hacia atrás, y los ojos azules, aunque con algunas manchas negras en las pupilas.

—Los cazadores de fantasmas, nada menos —dijo, como si estuviera encantado con la idea—. Aquí están, en carne y hueso. ¡Qué afortunados somos!

Alistair y yo nos miramos, y él abrió la boca para decir algo, pero el señor Barry no le permitió hacerlo.

—Les ruego que me perdonen —dijo con voz suave. Colocó la mano en el respaldo de mi silla y se inclinó hacia nosotros, colocando la cara tan cerca de la mía que me hizo sentir incómoda—. Me llamo Tom Barry —se presentó, extendiendo la mano derecha hacia mí—. ¿Cómo está?

Sorprendida, le di la mía.

—Soy Sarah... Sarah Piper.

—Señorita Piper —dijo, apretándome la mano y sujetándola durante un momento algo más largo de lo habitual. Después se volvió hacia Alistair, manteniéndose todavía apoyado en el respaldo—. ¿Y usted, señor?

Alistair frunció el ceño. Ninguno de los dos extendió su mano hacia el otro.

—Alistair Gellis. ¿Podemos hacer algo por usted?

—Están librando a Waringstoke de su fantasma, ¿no es así? —dijo Tom Barry, agarrando una silla y sentándose con nosotros. Una vez más, apoyó la mano en el respaldo de mi silla—. Diría que eso sería de mucha ayuda, sí. Y yo estoy aquí para ayudarles a ustedes... así que les ruego que dejen que les invite a un trago. —Bajó la voz para que no pudieran oírle desde las otras mesas—. He oído decir que vienen de Londres. ¡Qué alivio! Yo viví allí unos cuantos años, durante la guerra. Los pueblos como este, ya saben... —Negó con la cabeza y después paseó la mirada por el local. Posiblemente se refería a todo Waringstoke—. Bueno, permítanme decirle que me alegra muchísimo tener alguien con quien poder hablar de verdad.

Me volví a mirar a Evangeline, que estaba en una mesa por detrás de la nuestra. Estaba sentada mirándonos, con las piernas cruzadas, un cigarrillo entre los dedos de una mano, cuyo codo apoyaba en la mesa con gesto relajado. Me vio, me sonrió y me saludó agitando la otra mano, en un gesto que me pareció irónico. La miré sorprendida, intentando reconciliar su actual imagen con la mujer, absolutamente asustada, que se había acercado a hablarme en el probador hacía menos de tres cuartos de hora.

Tom Barry se había vuelto para seguir mi mirada.

—Mi esposa —me informó—. Es muy tímida, y por eso se ha quedado allí, mientras nosotros bebemos juntos.

—La verdad es que no tiene por qué invitarnos... —dijo Alistair.

—Ya está hecho —dijo Tom Barry—. He pedido una botella del mejor *whisky* que se puede tomar en este local. Haremos unos cuantos brindis. Y puede que hasta nos animemos a contar unas cuantas historias, a ser posible de fantasmas.

¡*Whisky*! No era ni siquiera la una de la tarde. Intenté protestar, pero el camarero ya estaba en la mesa con la botella y los respectivos vasos. Barry la agarró inmediatamente y empezó a llenarlos.

—Perdonen que sea tan directo —dijo, aunque su tono no expresaba el menor arrepentimiento—. Supongo que resulta un tanto sorprendente para los londinenses. Pero aquí todos somos amigos, y estamos acostumbrados. Además... —bajó la voz de nuevo— los lugareños sospechan un poco de ustedes, si me permiten que se lo diga. Mentes estrechas, prejuicios y todo eso, ya saben. Así que pensé que debía tomar la iniciativa. Romper el hielo, que se dice. —Nos sonrió, aunque su gesto fue un tanto torcido, como si no cuadrara realmente con lo que sentía. Alzó el vaso y, esta vez, su voz resonó en toda la sala—. ¡Un brindis!

Yo no quería beber, y menos *whisky*. No lo había probado en mi vida, y la idea de tomarme todo ese líquido oscuro con el que Barry había llenado los vasos de los tres casi me daba náuseas. No obstante, cuando miré alrededor, me di cuenta de que era verdad, todo el mundo nos miraba, bien directamente o bien con disimulo. Hasta el camarero lo hacía mientras secaba un vaso con el paño. ¿Y si Barry tenía razón? Necesitábamos a esta gente, a los habitantes del pueblo, para que nos ayudaran con el caso de Maddy Clare. ¿Y si era cierto que consideraban a Tom Barry como una especie de líder, tal como había dejado caer él mismo? Si nadie hablaba con nosotros, no conseguiríamos nada. Puede que un poco de *whisky* fuera un escaso precio a pagar.

Miré a Alistair, que agarró el vaso, así que yo hice lo mismo.

—¡Ese es el espíritu, sí señor! —exclamó Barry—. ¡Por nuestros huéspedes! —Se bebió el vaso de un trago.

Contuve el aliento y me llevé el vaso a los labios, pero el primer y escaso trago me quemó la garganta y carraspeé. Bajé el vaso, me atraganté, tosí y el líquido hasta me quemó las fosas nasales. Me disculpé, pero Tom Barry se rio.

—¡Así que una virgen!, ¿eh? —dijo—. No vamos a terminar pronto con la botella si bebe así. Inténtelo otra vez.

—No es necesario —dijo Alistair. Me di cuenta de que su vaso estaba vacío. Así que podía beber con la misma facilidad con la que lo hacía todo—. No te preocupes en absoluto, Sarah.

—¡Vamos, sea buena chica! —insistió Barry con su falsa sonrisa—. Uno más. Solo uno.

—La verdad es que no...

—No quiere beber.

Se me paró el corazón al reconocer esa voz. Matthew estaba de pie junto a nuestra mesa, con su habitual expresión inescrutable. Llevaba puesto el gorro de tela y la americana de pana, con una postura de relajada fortaleza, como la de un boxeador fuera del ring. Tenía una mano en el bolsillo, y con la otra sostenía un vaso de cerveza. Seguramente le habían servido en la barra, por lo que me pregunté cuánto tiempo llevaría allí, observando la escena.

Tom Barry volvió a reírse y miró a Alistair.

—¿Y quién es este? ¿Su hombre?

—Está usted sentado en mi silla.

—Forma parte de mi equipo de trabajo —dijo Alistair por fin.

Tom Barry nos fue mirando a todos, uno por uno.

—¡Ah, vaya! —dijo tras tomarse su tiempo—. Entiendo.

—Ya ha dejado claro lo que pretendía —dijo Matthew señalando la botella de *whisky*—. Y nosotros tenemos trabajo que hacer.

—Matthew... —dijo Alistair.

—No, tranquilo. La cosa está clara. —Tom Barry se levantó y nos miró a todos con una expresión que daba por hecho que nos habíamos buscado un enemigo—. Es evidente que no necesitan mi ayuda. Bueno, pues que tengan suerte sin contar con ella. —Se rozó con Matthew al salir y entrecerró los ojos—. Usted se cree muy duro, ¿verdad? Ya tendrá la oportunidad de comprobar que eso conmigo no le vale.

—No le recomiendo que pruebe —dijo Matthew.

Barry se acercó hacia la mesa de Evangeline, que había contemplado la escena con calma absoluta, al menos aparente. Se colocó el cigarrillo en los labios, se levantó y sin dirigir ni una mirada a nuestra mesa, siguió a su marido hacia la puerta. Matthew agarró la silla que había dejado libre Tom Barry, la arrastró con la mano y se sentó de cara al respaldo, con los brazos por encima del mismo. Se ajustó el gorro y nos miró.

—Bueno, ¿qué pasa?

—Matthew, pretendíamos actuar de forma discreta con la gente del pueblo —dijo Alistair suspirando.

—¿Y la manera de lograrlo es que Sarah tenga que beberse la tercera parte de una botella de *whisky* al mediodía?

No pude evitar ruborizarme y miré el vaso casi lleno que estaba en la mesa frente a mí. El olor me resultaba desagradable, y me habría gustado librarme de él.

—No ha bebido apenas —dijo Alistair—. Y él tenía la intención de ayudarnos.

—Te equivocas —dijo Matthew, dando un trago de cerveza—. Lo que quería era ayudarse a sí mismo. Y ya sabes que no he nacido para ejercer la diplomacia.

—Un gesto amigable nunca está de más. Aunque nunca he logrado que te entre eso en la cabeza.

—Así que no puedes llevarme a ninguna parte, ¿no? —El tono de Matthew era bastante desagradable—. Así que tu ayudante tiene que tener mejores modales...

—Lo que has hecho no era necesario. Ya le había dicho que no lo necesitábamos.

—¡Anda ya! Pues yo no he oído tal cosa.

—¡Dejad de discutir! —exploté.

Los dos se quedaron mirándome.

Me ardían las mejillas, pero continué:

—Alistair, tendrías que haberle parado los pies. Matthew tiene razón: nos estaba acosando. No era más que una representación para los vecinos del pueblo, aunque no tengo ni idea de cuál era el objetivo. Y tú estabas aturullado porque es el marido de Evangeline.

—¿Cómo dices? —intervino Matthew, echándose hacia atrás—. ¿Esa era Evangeline?

Vi que los dos hombres intercambiaban una mirada, por lo que deduje que Matthew conocía la existencia de Evangeline. Decidí presionar más.

—En cuanto a ti... —continué, mirando a Matthew—. Pienses lo que pienses acerca de Tom Barry, deberías haber tenido en cuenta que estamos en un lugar público, y que para esta gente somos extraños. Acabas de montar una escena de lo más apetecible de cara al cotilleo que seguro que dará la vuelta a todo Waringstoke, si es que no se la ha dado ya. Tú mismo me dijiste que nuestra mera presencia aquí, en un pueblo tan pequeño, ya es noticia en sí misma. Bueno, pues la has aderezado montando un buen revuelo.

Nunca en mi vida había hablado de esta manera. Todos nos quedamos bastante sorprendidos, incluyéndome a mí. Fue Matthew el que rompió el silencio, que había durado un buen rato.

—No sabía que se trataba de Evangeline —dijo mirando a Alistair—. ¿Sabías que estaba en Waringstoke?

—No. —El tono de Alistair era de cansancio—. Me enteré la mañana siguiente a la que llegamos, y la vi por casualidad.

—Y ahora te encuentras con su marido —dijo Matthew con tono comprensivo—. ¡Vaya suerte! —Me miró—. Deberíamos hablar con Evangeline.

Negué con la cabeza.

—No creo que quiera vernos abiertamente. Cuando estaba en el probador de la tienda se acercó a hablar conmigo a escondidas. No creo que tenga muchas oportunidades de separarse de él, salvo cuando saca a pasear al perro.

—¿Que habló contigo en la tienda? —preguntó retóricamente Alistair mientras se frotaba la frente—. Sarah, ¿qué estás diciendo? ¿Piensas que tiene miedo de su marido?

—No... —Me mordí el labio—. No lo sé. —Lo cierto es que no sabía a qué carta quedarme. ¿Quién era la verdadera Evangeline, la esposa asustada que había hablado conmigo a hurtadillas y que parecía presa del pánico o la altiva mujer que había salido de la taberna con su marido? ¿Su comportamiento en el vestidor habría sido solo una actuación para sonsacarme?

—De acuerdo entonces —zanjó Matthew—. De momento, se trata de un callejón sin salida. Esta mañana he hecho algunas averiguaciones. Creo que podemos sondear otras vías de investigación.

—¿Investigación? —dijo Alistair—. ¿Pero de qué estás hablando? Nos dedicamos a buscar fantasmas, no somos detectives. No tengo la menor intención de investigar nada.

—Pues tendrás que hacerlo —intervine—. Le prometiste a la señora Clare que intentarías librarla de Maddy. ¿Cómo vas a poder hacerlo si no sabes por qué permanece aquí, entre los vivos, o qué es lo que quiere? La parte de su historia que conocemos no revela nada. ¿De dónde vino? ¿Qué le pasó antes de que se presentara en casa de los Clare? ¿Por qué se suicidó? ¿Por qué se ha convertido en un fantasma y no sale del granero?

—Vamos a ver, Sarah —empezó Alistair en tono didáctico—, la cosa podría no tener nada que ver con lo que has dicho. ¿No lo entiendes? La actividad fantasmal de Maddy podría ser solo una cuestión aleatoria. Algunos fantasmas no son más que una concentración de energía, eso es todo.

—Pero también hay fantasmas que son otra cosa —dijo Matthew.

Alistair nos miró alternativamente a los dos.

—Ah, bien —dijo, echándose hacia atrás en la silla—. Por lo que veo, estoy en minoría. Muy bien, seguiremos la vía que proponéis, y a ver adónde nos lleva. —Me miró alzando una ceja—. Sarah, dado que parece que has asumido el mando, ¿qué propones que hagamos ahora?

No hice caso del sarcasmo y me limité a meditar acerca de la pregunta.

—Vi el jardín de la iglesia y el cementerio según vinimos —dije por fin—. Me gustaría visitar su tumba.

✳✳✳

—¿Sabéis una cosa? —dijo Alistair mientras entraban en el tranquilo y solitario jardín de la iglesia—. Ni siquiera estoy seguro de que esté enterrada aquí.

—¿Y dónde iba a estarlo si no? —preguntó Matthew.

—No lo he preguntado —respondió Alistair encogiéndose de hombros, y después me miró de reojo—. Creo que debería haberte dejado llevar a ti la entrevista.

Nos habíamos detenido en medio del sendero y eché una mirada alrededor, preguntándome por dónde empezar. La hierba, demasiado crecida y sin cuidar, nos rodeaba, y no parecía haber un orden en las lápidas, pues estaban mezcladas las de aspecto antiguo y moderno, con muchas plantas de zanahorias silvestres entre ellas. Soplaba una cálida brisa que se estrellaba contra las piernas y el cuello, ya sudoroso por la caminata y el calor húmedo.

—Siento el arrebato que he tenido —me disculpé, y lo sentía de verdad—. No tenía que haber hablado así, ni tampoco cotilleado sobre la señora Barry. De verdad que lo siento y os pido disculpas.

Alistair se metió las manos en los bolsillos y empezó a mirar a las tumbas cercanas, lo mismo que yo, mientras que Matthew se alejó de nosotros bastante deprisa, siguiendo uno de los senderos laterales para buscar entre otras tumbas.

—No lo has hecho con mala intención, todo lo contrario —dijo suavemente—. No me imaginaba que fueras tan sensible.

—Ni yo —contesté. Le miré y señalé hacia el edificio de la iglesia, del que salía una persona que se dirigía hacia nosotros—. ¿Quién será?

—Me imagino que el enterrador —respondió Alistair tras volverse.

El hombre se acercó y me quedé sorprendida, porque ya lo había visto. Tenía más de sesenta años, el rostro surcado de profundas arrugas, escaso pelo gris peinado hacia atrás y la frente despejada y morena. Saludó a Alistair con una breve inclinación de cabeza.

Mientras Alistair nos presentaba y el hombre se limitaba a decir que su nombre era Jarvis, finalmente recordé quién era. Lo había visto en la taberna de la posada, la primera noche que habíamos pasado en Waringstoke, mirándome con desaprobación. Aquella noche llevaba una pelliza azul. Ahora vestía un jersey con coderas bastante usado y pantalones de faena también bastante gastados y sucios, así como botas de trabajo llenas de barro.

Su expresión era casi tan hostil como la de aquella primera noche, sobre todo cuando me miró.

—¿Puedo ayudarlos en algo? —dijo con tono bastante tenso.

—Sí. Buscamos la tumba de Maddy Clare, la sirvienta —respondió Alistair—. ¿Está enterrada aquí?

—En la esquina trasera —casi gruñó el hombre, al tiempo que señalaba a los árboles—. Lo que no sé es por qué se gastaron dinero para enterrarla aquí.

—Le tenían aprecio —dijo Alistair amablemente.

El señor Jarvis gruñó de nuevo.

—¿Cavó la tumba usted mismo? —pregunté.

El señor Jarvis me miró de nuevo, aunque solo por un momento. Su hostilidad era evidente.

—Cavo todas las tumbas de Waringstoke —afirmó rotundamente.

—Bueno, bueno... —intentó calmarlo Alistair, pero le interrumpió una llamada de Matthew, que estaba de pie junto a una tumba cercana al extremo del cementerio, más o menos donde empezaban los árboles.

—Está aquí —dijo.

La tumba de Maddy estaba muy descuidada, rodeada de malas hierbas, aunque eso era lo habitual en casi todo el cementerio. Había enredaderas alrededor de la lápida, que era una simple piedra rectangular colocada sobre la tierra, en la que se había cincelado el nombre y la fecha de fallecimiento. Matthew, Alistair y yo permanecimos un rato mirándola, mientras se oía el canto de los pájaros en las ramas de los árboles cercanos.

Finalmente me puse de rodillas sobre la hirsuta hierba. Limpié las hojas y arranqué los tallos de la piedra, incluidos los bordes, sintiendo cierta pena por el hecho de que los que encargaron la lápida desconocían su fecha de nacimiento, e incluso su verdadero nombre. Pero al menos habían hecho lo que habían podido.

Pensé que podría ver en mi mente alguna de esas vívidas imágenes que habían acudido cuando Matthew me tocó las extrañas marcas que tenía en los brazos. No tenía ni la menor idea de lo que eran, ni lo que podían significar la chimenea roja y las copas de los árboles, pero sentía que eran importantes.

Pero no pasó nada. Seguí arrodillada, esperando. Detrás de mí, los hombres permanecían en silencio.

—Nada —dije finalmente, lamentándolo de verdad.

—No me sorprende —dijo Alistair—. De hecho, es bastante raro que haya espectros en los cementerios. La mayoría no tiene implicaciones emocionales con los lugares en los que se los entierra, así que su energía no se concentra allí una vez que han muerto. De hecho, si uno no tiene interés en encontrarse con fantasmas, una de las mejores cosas que puede hacer es, precisamente, ir a un cementerio —constató con tono algo humorístico.

De todas formas, pensé que la tumba podía haber conducido a algún tipo de interacción. A algún eco de la persona que yacía allí. Aunque solo fuera una sensación de vacío, o de descanso en paz. Volví a tocar la lápida. La única vez que reuní la fuerza suficiente como para visitar las tumbas de mis padres, me parecieron muy tristes. Sentí mucha pena cuando estuve ante ellas, allí, la una al lado de la otra, como si la tristeza reverberara en el aire a su alrededor, reflejando la forma en la que habían muerto. O quizá fuera mi imaginación, mi propio estado de ánimo, basado en el recuerdo de aquel horrible día de verano de 1919.

Suspiré y me puse de pie otra vez. Vi al enterrador, Jarvis, que había recorrido casi todo el sendero de regreso a la iglesia, y que me miraba torvamente. Recordé la idea que circulaba por el pueblo y que me había transmitido la señora Barry acerca de que yo era algo así como una «especialista en fantasmas» que había traído Alistair. Puede que el señor Jarvis pensara lo mismo, lo cual explicaría su interés en mí. Pero ¿y su hostilidad? ¿Qué pensaría que estaba averiguando con mi visita a la tumba de Maddy?

Nos marchamos del cementerio. Había dejado en el *pub* los paquetes con la ropa nueva, así que volvimos a recogerlos y emprendimos el regreso a la posada en pleno atardecer. Alistair dijo que necesitaba tiempo a solas para revisar y poner en orden sus notas; no tenía del todo claro cuándo debía volver al granero, o incluso si era conveniente que lo hiciera. Por una parte, tenía claro que significaba ponerme en un peligro cierto, pero también pesaban, y muchísimo, las increíbles experiencias de primera mano que aportaba cada vez que me encontraba con Maddy. Todavía estaba en el proceso de documentar la aparición, y si finalmente decidía volver a mandarme al granero, tenía que tomar la decisión acerca del equipo que iba a llevar.

Por eso pensaba pasar la tarde trabajando. Por su parte, Matthew iba a dedicarse a intentar arreglar la grabadora. Y yo, tras la terrible experiencia de encontrar mi habitación patas arriba la noche anterior, tendría la tarde libre. No se tuvo en cuenta el hecho de que no tenía ni idea acerca de qué hacer en toda la tarde, ni tampoco el que me daba un poco de miedo quedarme sola. Suspiré. Puede que encontrara algún buen libro.

Cuando nos íbamos del cementerio, pasamos delante de una tumba que estaba inmaculadamente cuidada. Se trataba de un monumento familiar realizado en piedra blanca, y la hierba de alrededor estaba muy bien recortada. En realidad, era la única tumba así en todo el cementerio, fuera familiar o individual. Al pasar por ella me fijé en el apellido inscrito en la gran lápida, y aunque fui incapaz de contener la curiosidad, lo que leí no me causó la más mínima sorpresa. El apellido que figuraba en el prístino monumento funerario de color blanco, el único perfectamente cuidado y mantenido por el codicioso enterrador, que sin duda recibía una compensación extra por su trabajo, ese apellido, repito, era Barry.

CAPÍTULO 14

Después de la cena, Alistair subió inmediatamente a su habitación. Aunque yo sabía que iba a seguir trabajando sobre sus notas, lo cierto es que también parecía cansado. Después del largo paseo le dolía la pierna. Y a mí me parecía que no le había gustado nada el nuevo encuentro con Evangeline Barry, ni tampoco con su marido. Estaba más convencida que nunca de que ella lo había hecho sufrir. Pero no tenía nada claro que la mujer hubiera correspondido a sus sentimientos, eso era un misterio. No obstante, estaba casada, por lo cual, de ser así, la relación resultaba imposible. Lo único que podía era sentirme mal por Alistair, y esperar que encontrase a alguien que le mereciera la pena para pasar página de una vez.

Matthew había entrado en nuestra pequeña sala privada, cerrando la puerta tras él. Seguramente para reparar la grabadora, tal como había dicho. Por mi parte, cansada como estaba, y sin ninguna intención de aventurarme fuera de la posada, y menos sola, me hice con el único libro que pude encontrar, el de Alistair sobre fantasmas, y empecé a leerlo.

El estilo literario era un puro reflejo de la personalidad de Alistair Gellis: vívido, suave, interesante y, a veces, hasta divertido. El libro era una sucesión de descripciones de los lugares embrujados de Inglaterra, contadas con bastante detalle, y salpicada de entrevistas realizadas a testigos y supervivientes, historias de las casas y de los fantasmas que, supuestamente, las habitaban, planos de los interiores, en los que las apariciones se marcaban con una X, y un montón de fotografías realizadas con la cámara que acababa de aprender a utilizar. Algunas de las fotos eran de las casas, completamente nítidas, tanto del exterior como de los interiores, tomadas con luz natural. Pero otras eran oscuras y borrosas, tomadas durante supuestas apariciones, es decir, intentos de captar a los fantasmas con la cámara, lo mismo que yo había hecho con Maddy.

Antes de aceptar el trabajo con Alistair nunca me había interesado en temas relacionados con fantasmas, pero la lectura me dejó fascinada. No seguí el orden del libro, sino que fui avanzando y retrocediendo. Me dejó admirada el enorme trabajo de investigación y de organización que habían llevado a cabo estos dos hombres con los que me había encontrado de una manera tan inexplicable y fortuita. Ambos tenían una enorme fuerza de voluntad y mucha inteligencia, a pesar de todo lo que habían sufrido física y, casi seguro, sicológicamente durante la guerra. También me extrañaba que ambos hubieran coincidido en una línea de investigación y trabajo tan poco habitual.

Me di cuenta de que, después de leer el libro, tenía muchas más preguntas que antes. Me dije a mí misma que no debía molestar en ese momento a Alistair, que necesitaba calma para estudiar los datos, y también para descansar. También pensé que necesitaba compañía, e incluso protección, ya que mi habitación había sido allanada la noche anterior. Y llegué a la conclusión de que la interacción social no le hacía daño a nadie. Esas tres razones, o excusas, me condujeron finalmente a bajar las escaleras y acercarme a la sala privada, llamar despacio a la puerta y dirigirme a Matthew Ryder.

Allí estaba, enfrascado en la reparación de la grabadora. Sentado a la mesa, con la máquina delante de él, desmantelados los dos paneles laterales y con los cables a la vista. Había componentes esparcidos por la mesa. Miró hacia arriba y puso cara de pocos amigos cuando escuchó que se abría la puerta, pero al verme su expresión cambió, aunque no pude interpretarla del todo. Había algo de cansancio físico, eso estaba claro. Y, desde luego, un cuidadoso autocontrol. En cualquier caso, no dejó de mirarme mientras me aproximaba y tomaba una silla para sentarme a la mesa junto a él.

Se había lavado a fondo. Ahora llevaba una camisa blanca limpia. De hecho, estaba empezando a notar que la ropa de Matthew siempre estaba impecablemente limpia, como si fuera bastante escrupuloso a ese respecto. La camisa era de manga larga, pero se había subido los puños hasta debajo de los codos, imagino que para poder trabajar mejor. El botón del cuello lo llevaba desabrochado. Dejó de mover las manos, grandes y fuertes, y clavó en mí esos ojos profundos y oscuros, enmarcados por densas pestañas negras.

Sin poder evitarlo, fijé la vista en sus potentes brazos. La cicatriz del izquierdo tenía bastante peor aspecto que la del derecho; en ese brazo, las rayas oscuras e irregulares le llegaban hasta la muñeca, e incluso se adentraban en el dorso de la mano. Sin embargo, en el izquierdo lo que tenía no era exactamente una cicatriz, sino que la carne presentaba manchas de distintos tamaños, de color carmesí y morado, a lo largo de todo el antebrazo y ascendiendo codo arriba. No podía ni imaginarme el dolor que habría tenido que soportar. Levanté la vista y lo miré a la cara. Tenía los ojos fijos en los míos, y su actitud era de indescifrable calma.

Noté que me sonrojaba. Después de haber cometido la audacia de interferir en su trabajo, volvió a inundarme la timidez habitual.

—Por favor, no interrumpas tu trabajo por mi culpa —dije, intentando hablar relajadamente—. Solo he venido buscando un poco de compañía. Espero que no te importe.

—Llevas uno de tus vestidos nuevos —dijo por toda respuesta.

Me toqué el cuello con cierta vergüenza. Era cierto, llevaba uno de los vestidos que había pagado Alistair; era como los que solía llevar siempre, o sea, como los que habían destrozado: un vestido camisero funcional y alejado de cualquier tipo de moda. Parecía que las mujeres de Waringstoke le daban mucha menos importancia a la moda que las de Londres, pues casi toda la ropa de la tienda buscaba la comodidad, apenas marcaba la cintura y no se ajustaba demasiado en el corpiño, dejando cierta amplitud. No había tenido necesidad de apretarme el pecho ni de ponerme faja en la cintura. Lo cierto es que era un gran alivio eso de llevar ropa que, simplemente, se ajustara a mi cuerpo tal como era. Incluso hacía que me sintiera un poco atractiva, aunque estaba segura de que todo el mundo consideraría el vestido que llevaba, de tela azul marino y con un estampado de florecitas, también en tono azul, poco más que relativamente bonito.

—Sí, así es —confirmé.

—Te sienta bien —dijo.

Me quedé sin habla de la sorpresa, y él dejó de mirarme, concentrándose de nuevo en el aparato. Siguió con su trabajo, flexionando los brazos mientras iba uniendo piezas, y yo procuré no mostrarme excesivamente conmocionada, ni feliz, por el cumplido. Lo que hice fue poner el libro encima de la mesa.

—He estado leyendo uno de los libros de Alistair —dije—. Aunque figura solo su nombre, me imagino que tú también has contribuido a escribirlo.

—Yo no escribo —dijo con rotundidad.

—Aun así —dije, fijándome en la destreza con la que movía los dedos—. Me da la impresión de que las ilustraciones son tuyas. ¿Me equivoco?

De nuevo dejó de trabajar y me miró sorprendido.

—Lo he supuesto —dije, encogiéndome de hombros.

Soltó un gruñido y siguió trabajando.

—Mientras lo leía me he preguntado varias veces por qué Alistair y tú hacéis lo que hacéis —continué—. ¿Qué es lo que os fascina tanto? ¿Qué os lleva a ir de un lado a otro de Inglaterra, buscando lo que Alistair llama «manifestaciones»? Así, de entrada, y considerado superficialmente, parece una especie de juego, nada más. Alistair tiene dinero, y no es difícil imaginarlo como una especie de excéntrico al que le ha dado por los fantasmas. —Pasé el dedo por el borde del libro mientras pensaba en voz alta—. Pero ahora que os conozco a los dos tengo claro que no es ningún juego, ni mucho menos. Los dos estáis obsesionados con esto, y buscáis algo. ¿Por qué lo hacéis? ¿Por qué no os establecéis, formáis una familia y trabajáis en algo que os guste, como han hecho y hacen los otros soldados que volvieron de la guerra?

Parecía que cuanto más estaba trabajando en esto, más audaz me volvía. Pero es que quería conocer la respuesta y, por otra parte, no tenía nada que perder. Lo más que podía hacer Matthew era mandarme de vuelta a mi habitación con cajas más o menos destempladas.

En un principio pensé que eso era lo que haría. Colocó una pieza en la grabadora, agarró un destornillador muy pequeño y la atornilló.

—Me imagino que podría volver a casa —dijo por fin, con su habitual tono ronco, y sin mirarme siquiera—. Mi padre tiene una tienda, una sastrería de caballeros. En un pueblo pequeño que se llama Kingscherry, aproximadamente a una hora de Bath. Mi madre lo ayuda cuando está bien de salud. Nunca nos hemos llevado bien, y me fui de casa pronto. A él le gustaría que volviera y me hiciera cargo del negocio cuando se retire. Podría haberlo hecho cuando terminó la guerra.

Se detuvo, pensativo, y contuve el aliento, deseando que continuara.

—En realidad, como ya sabes, Alistair no tiene ningún familiar cercano. Heredó una casa antigua y enorme que ni le gusta ni le interesa, con terrenos suaves y ondulados, estanques y hasta una piscina. No es divertido vivir allí si estás solo. Al terminar la guerra empezó a ir de acá para allá, a dar tumbos como suele decirse. No puedes hacerte una idea de lo difícil que es regresar a casa del mismísimo infierno y que se espere de ti volver a tomar el hilo de la vida. Buscar trabajo, trabajar en una fábrica, fichar a la entrada y a la salida. Meter el almuerzo en una bolsa y tomar el autobús un día detrás de otro para ir al trabajo. Como si no hubiera pasado nada. ¡Nada!

Miró hacia ninguna parte, pero, en cualquier caso, con desagrado. Supe que estaba en algún lugar adonde no podía seguirlo.

—Alistair estaba interesado en los malditos fantasmas, incluso antes de la guerra. En ese momento sí que se trataba de un pasatiempo, un juego si quieres llamarlo así. Como eso que hacen los adolescentes, y no solo ellos: sentarse alrededor de una mesa redonda sin que las rodillas se toquen y ver qué les dice la güija. Y entonces todos nos tuvimos que ir a Francia y correr para salvar la vida, con barro hasta los tobillos y esquivando cadáveres de soldados propios y extraños. Eso sí que no era un juego de salón, no. Era la muerte, echándote el aliento en el cuello día y noche. Al principio te pones enfermo hasta vomitar, pero en un momento dado te acostumbras, lo que es peor todavía. Y un día, durante una de aquellas batallas que no parecían terminar nunca, me encontré a mí mismo pensando en Alistair y sus fantasmas.

Levantó los ojos para mirarme, pero era como si lo hiciera desde lejos, como con un telescopio.

—Hay una teoría que dice que cuando una persona muere en un momento en el que está sintiendo una emoción intensa, o gran intranquilidad, o con algo importante que no ha sido capaz de llevar a cabo estando viva, es cuando se producen las manifestaciones. Esa gente vuelve, o al menos sus ecos. Alistair quiere saber si esa teoría puede demostrase. Y allí estaba yo, con los proyectiles volando sobre mi cabeza, atrapado en el barro hasta los muslos, pensando que en esa batalla habría montones de fantasmas. Tendría que haber miles, decenas de miles. Todas esas vidas se cortaron de raíz. Todos dejaron asuntos sin terminar. Miles en Ypres, miles en Passchendaele. Esos campos tendrían que estar abarrotados. ¿Por qué no es así?

Estuvimos un buen rato sin hablar. Volví a pasar el dedo por el borde del libro. «Manifestaciones fantasmales en el norte de Inglaterra». Las palabras de Matthew daban vueltas a nuestro alrededor, sin poder traspasar el abismo de la guerra. Yo no era capaz de trasladarme allí, ni siquiera con la imaginación, y él no podía regresar.

—Así que lo que quieres es entender qué pasó —dije por fin.

Levantó una ceja, genuinamente sorprendido, y después sonrió. No fue una sonrisa agradable, pero sí que supuso al menos una mejoría respecto a la situación anterior, pues pude comprobar que estaba otra vez en la habitación, conmigo.

—Tal como lo expresas en voz alta, suena a que somos tremendamente ingenuos. No me parece que quiera, o que aspire siquiera a entenderlo. No creo que sea posible. Y, no obstante, creo que una parte de mí sí que lo intenta. —Se pasó la mano por la frente, esta vez con suavidad, y después se echó el pelo hacia atrás, en un gesto que ya empezaba a ser familiar para mí—. ¿Qué otra cosa podría hacer, Sarah? Podría ir a casa, sí, y tomar medidas para hacer trajes de caballero, cortar y coser la tela, y, por supuesto, seguir teniendo pesadillas de las que me despierto gritando todas las noches. Alistair podría irse a su casa y beber solo, deseando que, alguna vez, aunque solo hubiera sido una, su padre le hubiera dicho una palabra amable. Y es que Alistair tiene sus demonios, créeme, no permitas que sus buenas formas y su simpatía te lleven a pensar otra cosa. Lo que pasa es que su representación teatral, y desde luego sus modales, son mejores que los míos, eso es todo.

—La guerra y los fantasmas —dije con suavidad—. Están conectados.

—Creo que la guerra lo aniquila todo, hasta a los fantasmas —dijo Matthew enfáticamente—. Si el hombre ha logrado mecanizar la muerte... y lo ha logrado, créeme porque he sido testigo privilegiado, entonces, ¿adónde van los fantasmas? Eso es lo que más me asusta de todo. Que los fantasmas desaparezcan de la misma forma que nuestra condición humana.

Pensé sobre eso, pero ya estaba negando con la cabeza.

—Eso implica la desaparición de la esperanza. Me niego a creerlo.

—Todavía crees en la humanidad —afirmó, cruzando los brazos.

Me quedé mirándolo. Estaba tan vivo que la habitación casi vibraba con él. Era un hombre vitalista, fascinante, inteligente, que había sufrido daños puede que imposibles de comprender para mí, pero con una fuerza interior que solo empezaba a atisbar. «En ti. En quien creo es en ti», pensé, pero no fui capaz de decirlo.

Capté su atención y, de repente ocurrió algo. La sensación fue indescriptible, una especie de fuego dentro del cuerpo, como si los huesos se estuvieran derritiendo. Fue parecido a lo que me pasó en la habitación la noche anterior, cuando me dijo que me quitara la camisa para curarme los antebrazos, pero aún más fuerte. Volví a sentir dolor en el vientre. Siguió mirándome, de forma descarada y sin miedo, recorriéndome despacio con los ojos, y empecé a respirar agitadamente. Era el momento de reconocer, aunque solo fuera dentro de mi mente, que quería acostarme con Matthew Ryder.

Ya tenía algo de experiencia. A mi madre le habría dado un ataque, pero renunció a su autoridad cuando me dejó aquel mes de junio de 1919. Tras su muerte me marché a Londres, firmé con la agencia de trabajo temporal y empecé a ganarme la vida. Había chicas en todas las oficinas en las que trabajaba, y acudía a fiestas, tenía citas, etcétera. Es decir, posibilidades de conocer hombres. Sobre todo, soldados.

Me había visto arrastrada en algunas ocasiones por alguna compañera de trabajo con la excusa de «presentarme a un chico muy agradable». Normalmente, esas cosas se me daban bastante mal, aunque de vez en cuando había hombres interesados, nunca supe por qué. Tal vez era pura y simple desesperación, o voracidad sexual, lo que les hacía fijarse en mí. Para una chica tímida y sin experiencia con los hombres es más fácil hacer bajar la luna del cielo que darle la espalda a un hombre que le tira los tejos de verdad. Así que acabé teniendo citas incómodas y dando besos que aún eran más incómodos. Y, algunas veces también, las menos, terminé en la cama de alguno, casi podría decir que sin darme cuenta.

Ninguna de esas experiencias me resultó placentera. Los hombres con los que estuve sí que parecían desearlas y disfrutarlas, lo cual, por lo menos, me ponía en el mismo nivel que las jóvenes con las que me relacionaba. Puede que esas relaciones muy esporádicas no me dieran ningún placer, pero por lo menos me hacían sentir menos rara, un poco más perteneciente a mi propia especie. Supongo que, al menos, por eso, merecieron la pena.

Pero ahora, la sola idea de acostarme con Matthew hacía que la sangre me corriera mucho más rápido por las venas. Me invadió una especie de terror que, por otra parte, también tenía su encanto y resultaba placentero y apetecible. Y, además, era inmenso, algo que no me creía en condiciones de manejar. Y, sin embargo, me sorprendí a mí misma con un tremendo deseo de intentarlo.

Sabía que me ardía la cara en ese momento en el que nos estábamos mirando, que se prolongó lo que a mí me pareció una eternidad. Sabía que él se estaba planteando lo mismo que yo; su expresión no era la hasta entonces más habitual en él, cínica y defensiva, sino más bien de tranquila deliberación interna. Seguía sentado en la silla, con los brazos cruzados y la curvatura de los músculos perfectamente apreciable bajo la tela de la camisa. El penetrante olor que exhalaba inundaba mis fosas nasales, incluso estando al otro lado de la mesa. En un momento dado, dejó de mirarme. Por supuesto, había sido una enorme estupidez por mi parte el hecho de siquiera pensar que estuviera planteándose acostarse conmigo. ¡Si ni siquiera había dejado que le viera la piel!

Nos interrumpió una llamada a la puerta. Sin esperar respuesta, la señora Clare irrumpió en la habitación. Iba envuelta en una amplia rebeca gris, con el pelo sin arreglar y ojos algo extraviados. Nos miró a Matthew y a mí.

—¿Dónde está el señor Gellis? —preguntó.

—En su habitación —respondió Matthew. Seguía sentado, sin moverse prácticamente, salvo el giro de la cabeza para mirar a la mujer—. ¿Podemos hacer algo por usted?

La señora Clare se pasó la palma de la mano por la sien.

—No lo sé. Ni siquiera estoy segura de por qué he venido. Pensé que tal vez el señor Gellis podría hacer algo. Dijo que, al menos, lo intentaría.

Matthew frunció el ceño.

—¿Hacer algo acerca de qué? ¿Se trata de Maddy?

La mujer negó con la cabeza, completamente agobiada.

—Pues... no lo sé con certeza —dijo con tono dubitativo—. Puede que tenga algo que ver con ella, pero no sé cómo. No recuerdo la última vez que he logrado dormir más o menos bien, pero esto me sobrepasa por completo. Son los cuervos, ¿saben?

Matthew y yo intercambiamos una rápida mirada de sorpresa.

—Sí, cuervos —dijo de nuevo, como si pensara que no la habíamos creído—. Al principio solo eran unos pocos. Pero ahora son demasiados, y hacen ruido durante toda la noche. La señora Macready también los oye. No puedo soportarlo más. Esta noche he salido y los he contado. —Volvió a pasarse la mano por la sien—. Tuve que dejarlo cuando llevaba trescientos diecisiete.

Me la quedé mirando asombrada.

—¿Tiene usted más de trescientos diecisiete cuervos junto a la ventana?

Matthew se puso de pie.

—Voy a buscar a Alistair —dijo.

❋ ❋ ❋

Media hora después estábamos de pie al final de la cuesta, mirando hacia el granero de la señora Clare desde varios metros de distancia. Al menos lo que podíamos ver del granero, sería mejor decir. Ya era de noche, pero había luna llena, y una vez que los ojos se acostumbraban, la luz era más que suficiente para poder captar los detalles.

El granero estaba completamente cubierto de cuervos. Alistair utilizó los prismáticos y soltó un silbido de asombro.

—No estaba exagerando, ni mucho menos. En mi vida había visto nada parecido.

Yo no necesitaba los prismáticos para sentir mucha desazón al ver la enorme masa negra, que se movía como si sufriera espasmos. Incluso desde esa prudencial distancia podía observar el color negro brillante de las alas de los cuervos y oír el ruido de las garras arañando la áspera y descuidada madera del tejado. ¡Y qué decir del ruido que se acumulaba de los graznidos que emitían al azar, pero de forma continua, esos cientos de aves! También los árboles que rodeaban la casa y el granero estaban cubiertos de negro, como si alguien los hubiera empapado de alquitrán. De vez en cuando, alguna pelea hacía que alrededor de veinte o treinta pájaros echaran a volar, como ominosas y negras llamaradas de un volcán en erupción.

Alistair le pasó los binoculares a Matthew.

—¿Te acuerdas de la casa McCarthy de Yorkshire? El fantasma se manifestaba por medio de ratones. —Se inclinó para agarrar la cámara y ajustó el obturador.

—Mmm —masculló Matthew mientras miraba—. ¡Maldita sea, apenas puedo ver nada! Creo que en casa de los McCarthy lo único que había era una acumulación de ratones... glotones.

—Tonterías. —Alistair alzó la cámara. Pensaba que se habían olvidado completamente de mí hasta que me pasó la tapa de la lente—. Sarah, sujeta esto.

—Le eché un vistazo a la despensa, Alistair —estaba diciendo Matthew—. No me extrañó nada que hubiera ratones.

—Esta manifestación es mucho más impresionante, te lo garantizo. —Alistair había colocado la cámara en un trípode y ajustaba la luz tocando varios mandos—. Roger Edmund documentó un fantasma en Escocia que emitía un ruido como el de miles de ratas andando por las paredes. O por lo menos eso fue lo que dijo, porque no pudo grabarlo, así que nadie puede asegurar que no se tratara simplemente de que había ratas detrás de las paredes. Pero esto... esto avergonzará a Roger Edmund.

Matthew bajó los prismáticos de los ojos y me miró con expresión sarcástica.

—Alistair odia a Roger Edmund —explicó.

El aludido apretó el disparador de la cámara y la noche se iluminó con una explosión de luz que me obligó a pestañear.

—¿Es necesario el flash? —preguntó Matthew, que estaba otra vez utilizando los prismáticos.

—¡Pues claro que sí! Está muy oscuro, Matthew. No hay suficiente luz natural. —Volvió a apretar el botón y el flash estalló otra vez.

Los cuervos empezaron a hacer más ruido, frotando las plumas oleaginosas y graznando.

—Quizá deberíamos venir a verlos por la mañana —dije hablando en tono bajo, odiándome por mi cobardía. Y es que el miedo me inundaba sin que pudiera evitarlo.

—Por la mañana podrían haberse ido —dijo Alistair, sonriéndome mientras volvía a preparar la cámara—. ¡Esto es una aventura, Sarah! —Volvió a disparar el flash, iluminando las tinieblas con el brillante y repentino estallido de luz.

Matthew no dejaba de mirar con los binoculares.

—Una aventura —repitió con tono sombrío—. Se están moviendo.

Alistair se incorporó.

—¿Cómo?

Matthew le pasó los prismáticos.

—Míralo tú mismo.

Alistair los agarró.

—Mientras yo miro, saca una foto. —Sonrió al ver que Matthew no hacía nada—. ¿Te dan miedo unos cuantos pájaros?

Matthew soltó un juramento y preparó la cámara. Alistair, por su parte, se ajustó los prismáticos y miró, y Matthew apretó el botón.

Yo jadeé.

—¡Dios mío! —exclamó Alistair.

Enseguida entendí el porqué de su exclamación y del exabrupto de Matthew. Durante el instante de luz pude ver la enorme cantidad de cuervos negros, formando una especie de punta de flecha, algo así como el torbellino de un tornado, elevándose hacia el cielo. El ruido era increíble. El aire se llenó de graznidos profundos e iracundos.

—Se van porque nos han visto —dijo Matthew.

—Saca otra foto —ordenó Alistair.

Así lo hizo, y esta vez no hice ningún ruido, ya que el miedo me había helado la garganta. Los pájaros volaban en nuestra dirección. Solo unos segundos después pude oír el estruendo de su aleteo, y el crujido de las ramas de los árboles que estaban por encima de nosotros, al tiempo que los pájaros se posaban pesadamente sobre las ramas. Las agitaron y graznaron hacia donde estábamos, me pareció que todos a la vez.

—¿Podemos irnos ahora?

Alistair estaba quieto. Había bajado los prismáticos y miraba para arriba, alrededor, observando las negras sombras posadas sobre las ramas, llenándolas. Sonó un fuerte ruido en un arbusto muy cercano a él. Serían cuatro o cinco pájaros que doblaron hasta casi romper las ramas sobre las que se posaron, equilibrándose después por medio de las alas. Estaban a centímetros de Alistair. Uno de ellos se acercó cautelosamente hasta el extremo de la rama, curvando las céreas garras y mirándolo con ojos negros y brillantes.

Se produjo una larga pausa, mientras Alistair y el pájaro se miraban.

—Puede que ya hayamos visto todo lo que teníamos que ver —dijo por fin Alistair en voz baja y precavida.

Matthew agarró la cámara y el trípode, y yo la funda. Procuramos no hacer ruido, como si nos hubiéramos puesto de acuerdo.

Alistair miró de nuevo al cuervo de la rama cercana a él. Se inclinó un poco y lo miró aún más de cerca. Yo tenía ganas de gritar.

—Hola —dijo él con suavidad.

El pájaro extendió las dos alas y las elevó por encima de su negra cabeza. Abrió el pico todo lo que pudo y emitió un graznido largo, profundo y crecientemente áspero, un sonido que me retumbó en la espina dorsal y en la boca del estómago.

En ese momento, Matthew puso la mano sobre el hombro de Alistair.

—Es hora de irse. ¡Ya!

Anduvimos hacia la posada, y los pájaros no nos siguieron. Pero no dejaron de mirarnos mientras nos alejábamos, oscuros y silenciosos sobre las ramas de los árboles.

CAPÍTULO 15

olví a mi habitación, me puse el ridículo camisón blanco y me tumbé en la cama. No me entraba el sueño, así que me limité a mirar el techo de la habitación con los ojos muy abiertos. Tenía pensamientos erráticos, no era capaz de centrarme. Estaba inquieta.

Me puse de lado y encogí las rodillas. La cama estaba fría, pero, de todas formas, no me tapé ni con la colcha ni con la manta. Tenía el pulso completamente acelerado y me temblaban las sienes, que también me ardían. Me daban ganas de correr y gritar. Cerré los ojos y noté el delicado roce de las pestañas. Por fin había terminado aquel largo día, aunque en el fondo pensaba que todavía no lo había hecho. Me esperaba cualquier cosa.

¡Qué distinta era de la chica que hacía unos días se había marchado de Londres! Había pasado momentos de absoluto terror, por supuesto. Todavía estaba aterrorizada. Pero la chica de Londres estaba dormida. Llevaba años así. Ahora estaba despierta, para bien o para mal, y nunca volvería a dormirme. No quería volver a dormirme.

Finalmente, concilié un sueño agitado. Y soñé con cuervos.

No estoy segura de qué fue lo que me despertó, si un ruido, el de la puerta al abrirse con un suave clic puedo suponer, o si en realidad sentí un cambio en la atmósfera de la habitación. Salí del sueño despacio, de forma lánguida, sintiendo los miembros pesados. Se produjo un paso casi inaudible en el suelo, cerca de la cama. Abrí los ojos muy poco a poco. Ahora yacía de espaldas, y notaba cierto calor en el cuerpo. Noté un aroma conocido. Sentí una excitación por todo el cuerpo, aunque relajada, sin experimentar el más mínimo temor.

Me quedé mirando la silueta oscura de Matthew Ryder mientras se sentaba sobre el borde del colchón. Su peso hizo que la cama crujiera mínimamente. Se inclinó hacia mí, apoyándose sobre un brazo. Sabía que estaba despierta.

Me quedé mirándolo. Estaba vestido, con la misma ropa que llevaba por la tarde. La camisa blanca se distinguía bien en la penumbra. No necesitábamos hablar. Supongo que estaba algo sorprendida, pero la sensación que predominaba era la expectación. Era como si hubiera sabido en todo momento que iba a venir, y también el porqué. Y quizá fuera verdad que lo sabía.

No me miró a los ojos, pero, acostumbrada a la escasa luz del cuarto, me di cuenta de que me recorría la cara con su mirada profunda, después el cuello, y más hacia abajo. Me tocó la mejilla con los dedos, y luego esa zona tan sensible de la piel, bajo la oreja. Si no estaba del todo seguro de cómo lo recibiría, no pude detectarlo.

Inclinó la cabeza y me la acercó mucho al cuello, como si quisiera respirar a través de él. Antes había hablado de que todas las noches tenía pesadillas. Me pregunté si esta habría sido una de esas noches y si había venido conmigo para librarse de ellas. Apreté ligeramente la mejilla contra la suya.

Tenía los dedos algo ásperos, y me raspaban un poco la piel cuando me tocaba. Cerré los ojos y me concentré en las sensaciones. Noté que estaba empezando a jadear un poco. Me acarició la línea del cuello y la clavícula. La zona de la piel en la que me tocaba enfebrecía de inmediato. Pensé que tal vez estaba escuchando su respiración, que se hacía más entrecortada a cada momento... o igual era la mía la que oía.

Me desabrochó uno de los botones del cuello del camisón, y después otro. Dio un tirón, un poco brusco, para apartar la prenda del hombro, y me di cuenta de que empezaba a costarle mantener el autocontrol. Introdujo la recia mano por el hueco que había abierto y me acarició el pecho.

Lo que sentí fue algo parecido a una descarga eléctrica que me recorrió todo el cuerpo. Emití un sonido ahogado y me arqueé para que me apretara más el pecho. Después me incorporé, le acaricié el pelo con las dos manos y acerqué la boca a la suya, atrayéndola hacia mí.

Gruñó. Me mordió levemente el labio superior y después lo recorrió con los dientes. Abrí la boca. Me besó con ansia, con la lengua rugosa; una de las manos me sujetaba la barbilla, mientras que con la otra seguía acariciándome el pecho, ahora con cierta fuerza. Con cierta torpeza, la verdad, pero no me importó.

Carecía de paciencia, y tácitamente le concedí permiso para que no la tuviera. Estaba claro que había acumulado ansia, y que la estaba satisfaciendo, y lo recibí gustosa, devolviéndole todo lo que me daba. Yo tampoco tenía paciencia. Lo besé con la misma fuerza que él a mí, envueltos ambos en esa oscuridad casi irreal. Estaba encendida.

Me empujó sobre el colchón y se colocó sobre mí con un movimiento rápido pero suave. Me retorcí bajo él. Dejó de besarme en la boca y empezó a recorrerme con la lengua el cuello y el hombro. Raspaba casi como el papel de lija. Me mordisqueó la piel y la chupó, saboreándola. Yo no dejaba de jadear, con los dedos enredados en su pelo, áspero y abundante.

Volvió a besarme en la boca, profundamente, y pegó el cuerpo al mío. Me colocó las piernas entre los muslos y me los separó. No puedo describir el ansia que me entró. Nunca, nunca habría sido capaz de imaginar que comportaría de ese modo, pero sí, me agaché y me levanté el camisón, arrugándolo por encima de la cintura. Él emitió una especie de profundo jadeo, que parecía de enfado. Se quitó los pantalones, también de forma frenética. Separé aún más las piernas y penetró dentro de mí.

Tuve que contener un grito. Lo sujeté por los hombros, cubiertos por la camisa, y empecé a besarle, creo que hasta a morderle, en el cuello. Se retiró un momento, pero enseguida volvió a penetrarme, esta vez con más fuerza. Emitió un sonido con la garganta. Lo sentía grande, duro y potente dentro de mí. Todo eran sensaciones que hacían que ardiera con cada uno de sus movimientos. Me escuché a mí misma gemir junto a su cuello, y apoyé con fuerza los talones contra el colchón, ayudándome a levantar las caderas y a envolverlo con más fuerza. Empezamos a movernos al unísono, con los cuerpos enganchados en lo que parecía una especie de pelea.

Bajo mis manos, los músculos de sus hombros parecían de piedra. Echó la cabeza hacia atrás, de modo que ahora lo besé en la garganta, sintiendo en la lengua el sabor del sudor acre. Se apretó aún más contra el estómago y, esta vez, el sonido que salió de su boca fue una especie de sollozo. Finalmente nos quedamos los dos quietos y jadeantes. Aparté la boca de su cuello y lo miré. Tenía los ojos cerrados, y le corría el sudor por las sienes.

Solo habíamos tardado unos minutos, y no habíamos pronunciado ni una palabra. Unos minutos en la oscuridad.

Se separó de mí, se enderezó y apartó las piernas hacia el extremo de la cama. Sin decir aún una palabra, agarró una toalla de la palangana y me la ofreció. Se sentó en el extremo del colchón, dándome la espalda, mientras me limpiaba. Me estiré el camisón, absolutamente arrugado y me deslicé para poder mirarlo de frente. Me vibraba el cuerpo, como si lo recorriera una corriente eléctrica. Miré la línea que formaban sus omóplatos bajo la camisa, y el movimiento del pecho al ritmo de la respiración, que se iba volviendo progresivamente más lento. Finalmente, ocultó la cara entre las manos.

—Lo siento —dijo con voz ronca, incluso más de lo habitual. Podía notar el enfado, casi odio hacia sí mismo, que destilaba—. No lo... —Las palabras parecieron atascársele en la garganta—. Desde antes de la guerra —concluyó.

No era una frase completa, pero daba igual. La terminé por él en mi mente. Seguí tumbada, quieta, observándolo.

—No he debido hacerlo —dijo, aún mirando al suelo.

—Pues yo me alegro de que lo hayas hecho —dije con suavidad.

Mis palabras no parecieron reconfortarlo. Tenía los hombros hundidos, y se pasó la mano por la frente. Finalmente levantó la cabeza y se enderezó, aunque todavía sin mirarme.

—No volveré a venir—dijo.

Yo me quedé callada.

Se levantó y caminó hacia la puerta, y oí cómo se cerraba suavemente después de que saliera.

Me quedé tumbada, con los ojos abiertos en la oscuridad, tratando de desenmarañar mis sentimientos y emociones. Estaba dolida, pues una parte de mí, tanto física como emocionalmente, se sentía insatisfecha. No era un amante amable, ni tierno. Pero, entonces, ¿qué era lo que quería de él? ¿Qué le pedía? ¿Y qué quería él de mí?

Hacerlo con él me había producido una gran euforia. Un hombre que lo único que busca es la pura satisfacción física siempre tiene la capacidad de encontrarla, bien sea con una chica dispuesta a ello o incluso a cambio de dinero. Matthew no había hecho eso, por lo que me confesó. Algo se lo había impedido. Puede que yo le resultara indiferente, pero, al fin y al cabo, me había escogido, en mi caso no había sido capaz de resistirse.

Aún podía sentir en el cuello el roce de su barba, y sus manazas acariciándome. Aún podía sentirlo dentro de mí. Cerré los ojos y, tras pasar mucho tiempo despierta, al fin me venció el sueño.

CAPÍTULO 16

L a mañana siguiente dormí hasta tarde. Cuando por fin me desperté, el sol ya entraba por la lóbrega ventana de la habitación.

Me lavé a fondo, me vestí y me miré en el espejo. No tenía un aspecto muy distinto del de la tarde anterior. Seguía siendo yo, vestida con falda, blusa y rebeca. Me asaltaron un montón de dudas y preguntas absurdas. Siempre había pensado que era una persona anodina, que no destacaba en absoluto. ¿De verdad era yo así? ¿Pensaría eso Matthew? ¿O le parecería al menos un poco atractiva? Dado que la noche anterior había acudido a mi cuarto, se podría pensar que había visto algo en mí. No obstante, sabía perfectamente que los hombres eran muy capaces de tener intimidad y relaciones físicas con mujeres que no les interesaban ni lo más mínimo. En cuanto se mezclaban el aburrimiento y las ganas, lo intentaban con cualquier mujer. La noche anterior me había sentido poderosa, pero ese poder se disipó penosamente con la despiadada luz del sol.

Me miré en el espejo. Sabía que era delgada, que las piernas no estaban mal, que tenía unos tobillos bonitos. Sabía también que tenía los brazos bien torneados, por lo que solía utilizar prendas con mangas ajustadas. Pero también era consciente de que no tenía bonitos ni los pechos ni las caderas, que tendía a bajar los hombros, como si quisiera esconderme, y que la cara, de cejas oscuras, ojos marrones y nariz estrecha, no era de las que hacían que los hombres se volvieran para mirarla una segunda vez. Igual solo me había utilizado. De hecho, seguramente había sido eso. La confianza que sentía la noche anterior se había evaporado por completo, y me apetecía quedarme en la habitación, bien escondida.

«No volveré a venir».

Respiré hondo y me di la vuelta. Bueno, si me había utilizado, que así fuera. La vida continuaría. Bajé al salón privado, en el que ya estaban Alistair y Matthew. Alistair estaba sentado a la mesa, con la silla un poco alejada, y con una pierna cruzada sobre la otra despreocupadamente, a la altura del tobillo. Matthew permanecía de pie, sirviéndose un vaso de agua de una jarra, de espaldas a mí.

—¡Ah, aquí estás por fin, perezosa! —dijo Alistair, dirigiéndome una sonrisa que, con toda seguridad, habría hecho que cualquier chica normal se cayera de espaldas. Estaba recién afeitado, con el pelo rubio peinado hacia atrás, delgado, en forma y rebosando fortaleza. En ese momento parecía el ideal de la masculinidad inglesa, perfecta, completa y sin mácula, y solo alguien que lo conociera muy bien sería capaz de intuir lo que podía esperarse de él—. Nos estábamos preguntando cuándo te dignarías aparecer.

—Hola —dije en voz baja. Parecía que el corazón se me iba a escapar del pecho. No pude evitar mirar a Matthew, cuyo brazo firme y potente sostenía el vaso, que tenía la parte de atrás del cuello al descubierto debido a que tenía la cabeza inclinada hacia delante. En ese momento aprecié la perfección física de su figura, fuerte y flexible, la forma en la que la cintura de los pantalones se le ajustaba por encima de las caderas, allí donde el faldón de la camisa se estrechaba, por debajo de las anchas espaldas. Me obligué a mirar hacia otra parte y me acerqué al aparador, bordeándolo con cuidado, para prepararme un té y algunas tostadas. Matthew no me miró.

—Hemos estado hablando acerca del plan de hoy —dijo Alistair con tono jovial. Esta mañana estaba feliz por alguna razón, y me pregunté cuál sería—. Matthew cree que deberíamos volver a visitar a Roderick Nesbit. ¿A ti qué te parece?

Mientras Alistair y yo estuvimos de compras el día anterior, Matthew había encontrado una buena pista en lo que se refería a Maddy Clare. Se había pasado la mañana siguiendo la táctica que él llamaba «el camino más corto hacia la verdad». Lo que, traducido, quería decir que había preguntado a los sirvientes en lugar de a los amos.

Los sirvientes estaban deseando hablar, pero, por desgracia, lo que sabían era más bien poca cosa. No habían conocido a Maddy, que jamás había abandonado la casa de los Clare tras ser acogida en ella. La mayor parte de lo que le contaron a Matthew fueron rumores, conjeturas o mentiras sin más. En esas conversaciones, el nombre de los Barry había salido varias veces; pese al dinero que tenían, ningún buen sirviente quería trabajar con ellos; tampoco la clase alta del pueblo se había relacionado con la pareja, y esa actitud incluía a la propia señora Clare. Al parecer, la afirmación de Tom Barry respecto a que era un líder de opinión en Waringstoke no tenía el más mínimo fundamento.

No obstante, la mañana se tornó completamente productiva cuando un mozo de cuadra le contó a Matthew que durante el breve servicio funerario por Maddy, él estaba paseando un caballo en los alrededores del cementerio. Solo habían acudido al servicio el vicario, la señora Clare y la señora Macready; sin embargo, el mozo vio a alguien más lejos, escondido entre los árboles; una persona que se marchó rápidamente. Lo reconoció como un individuo llamado Roderick Nesbit, un hombre que se ganaba la vida haciendo chapuzas a domicilio y que vivía en el pueblo.

Matthew averiguó enseguida la dirección de Nesbit y se acercó a su casa para hablar con él. Vivía en una casucha alejada del centro, aislada y bastante abandonada. Nadie respondió tras llamar a la puerta, ni tampoco a las llamadas de Matthew, pero estaba seguro de que había alguien en la casa.

Era otra pieza sin resolver del gran rompecabezas. ¿Por qué había acudido al funeral de Maddy el tal Roderick Nesbit, y sin dejarse ver?

Me senté a la mesa y me tragué con dificultad un pequeño trozo de tostada. Miré a Alistair, pero me distraía mucho el hecho de estar absolutamente pendiente de Matthew, que quedaba fuera de mi ángulo de visión.

—Creo que es una buena idea —dije, esperando que mi tono hubiera sonado normal.

Alistair me sonrió e inclinó la silla hacia delante, flexionando una de sus largas piernas.

—Sí que es una buena idea —dijo—. De hecho, es excelente. No obstante, yo tengo una todavía mejor.

—¿Y cuál es?

—Volvemos al granero de los Clare.

Dejé sobre la mesa la taza de té mientras sentía un estremecimiento por todo el cuerpo. Sentí cómo Matthew se quedaba rígido detrás de mí.

—¿Perdona? —dije.

—Vamos a ir al granero —repitió Alistair con absoluta confianza. Matthew traerá la grabadora, y yo seré quien utilice la cámara de fotos. Sarah, quiero que tomes notas.

—¡Pero no podéis...! —acerté a decir. Era como si me hubiera atragantado.

Alistair echó de nuevo la silla hacia atrás, pero él siguió inclinado hacia delante.

—¿Y eso por qué? ¿Porque la vez anterior creíste notar que había peligro para mí? Te lo agradezco mucho, Sarah, te lo digo de verdad. Pero no tengo ningún miedo.

Lo miré y supe que decía la verdad. No tenía ningún miedo de Maddy Clare, a la que consideraba una especie de eco, una especie de vibración, nada más que una tela de araña. Entraría en el granero tan confiado como si fuera en su propia casa. Una parte de mí estaba segura de que sí que debería tener miedo, de que ocurriría algo terrible si hacía semejante cosa. Pero lo conocía ya lo suficientemente bien para saber que no sería capaz de disuadirlo, ni yo, ni Matthew si es que lo pretendiera, ni nadie. Tras luchar en las trincheras, sería bastante difícil encontrar algo que volviera a infundir miedo a Alistair.

Volví la cabeza y miré a Matthew, que estaba de pie junto al aparador, apoyando la cadera sobre el mueble, y nos miraba.

—¿Tú qué opinas? —le pregunté.

Matthew miró hacia el suelo frunciendo el ceño, con gesto reflexivo. Me pregunté si estaría pensando en el posible peligro, pero cuando levanté la cabeza me di cuenta de que no era así. Parecía tan tranquilo como Alistair a ese respecto.

—Creo que la grabadora ya está arreglada.

—¡Estupendo! —exclamó Alistair.

—No has respondido a mi pregunta —dije, dirigiéndome de nuevo a Matthew.

Se volvió hacia mí. A la luz de la mañana me pareció aún más guapo. No era una belleza rubia, como Alistair, sino más completa, más sólida, más masculina, en una palabra. Me acordé de la gran fortaleza de los hombros cuando, la noche anterior, había apoyado las palmas en ellos, pero inmediatamente alejé tal pensamiento. Sabía cuál iba a ser su respuesta antes incluso de que abriera la boca.

—Quiero ver por mí mismo a ese fantasma —dijo—. Así que estoy de acuerdo.

Me volví, presa de una inútil desesperación. ¿Cómo era posible que hubiera acabado con este par de tercos, a los que no les importaba en absoluto el peligro? Probé con otra táctica.

—La señora Clare no te ha dado permiso. Será un allanamiento.

—Sabía que lo dirías —comentó Alistair asintiendo—. Pero como también dijiste sabiamente ayer, la señora Clare quiere que la libremos de ese fantasma. Y he llegado a la conclusión de que no podré hacer tal cosa si no lo experimento por mí mismo. Y es lo que voy a hacer.

—¿Vais a romper el candado a la luz del día o por la noche?

Fue Matthew el que contestó a eso.

—Los candados no suponen ninguna dificultad.

Me levanté y empecé a pasear por la habitación, sin poder estarme quieta.

—Ya visteis los cuervos ayer por la noche. Fue algo insólito.

—Sí, completamente fascinante. Me pregunto si habrá algún experto en aves en esta zona que pudiera ayudarnos.

—¡Alistair! —exclamé, casi gritando de pura frustración.

—Se trata de aves, Sarah, solo pájaros.

Lo miré desesperada y él se inclinó hacia mí, apoyando los codos en las rodillas.

—Por cierto, esto me lleva a otra cosa —dijo.

—¿A qué te refieres?

—Veamos, Sarah, te contraté para que reemplazaras a Matthew. Ahora Matthew ha regresado, y me da la impresión de que debería darte la oportunidad de volver a Londres si lo deseas. ¿Qué me dices?

Me quedé con la boca abierta, completamente perpleja.

—¿Me estás diciendo...? —tartamudeé—. ¿Quieres que me vaya?

—¡No, ni mucho menos! Por supuesto que no. Pero está claro que este trabajo está resultando complicado para ti: los encuentros con Maddy, el allanamiento de tu habitación... Me da la impresión de que podrías sentir el deseo de olvidarte de todo esto para siempre. Quizá no quisieras decirlo, y por eso te brindo la oportunidad planteándolo yo. Ahora que Matthew está de vuelta, podemos encargarnos nosotros dos, si es necesario. ¿Qué opinas?

Miré a Matthew. ¿Habría sido idea suya? ¿Seguía sintiendo rencor hacia mí, pese a lo que había ocurrido la noche anterior entre los dos? Los ojos oscuros de Matthew no dejaban traslucir nada.

Pensé en lo que significaría volver a Londres, a mi húmeda habitación y al opresivo ambiente de la ciudad y, sobre todo, a mi solitaria vida de pura rutina. No podía volver a eso, ahora no, y quizá ya nunca. Y no había ni la más mínima posibilidad de que estos dos hombres fueran al encuentro de Maddy sin mi ayuda.

—Me gustaría quedarme —dije por fin.

Alistair pestañeó, como si no fuera esa la respuesta que esperara. Después dibujó una sonrisa que le iluminó la cara, tan genuina y atractiva que se me encogió el corazón.

—¡Estupendo entonces! —dijo—. ¿No te parece, Matthew?

Matthew se limitó a soltar un gruñido y Alistair puso los ojos en blanco.

—¡Vaya modales para un caballero! Bueno, vamos a preparar el equipo para irnos enseguida.

—Alistair —insistí otra vez—. Tengo que decirte que no creo que sea una buena idea.

—Deja de preocuparte de esa manera, Sarah —me dijo—. Todo va a ir bien.

❉ ❉ ❉

Abandonamos la posada y cruzamos la estrecha calle para avanzar por el ya familiar sendero a través de la pequeña zona boscosa. Alistair iba por delante a buen ritmo, confiado e impaciente. Matthew, para mi sorpresa, se quedó atrás para caminar a mi lado.

Al darme cuenta de lo que estaba haciendo noté que me había ruborizado, lo que me molestó muchísimo. ¿Acaso podía pensar en otra cosa que lo que había ocurrido la noche anterior?

Pero Matthew ni lo mencionó. En lugar de eso, me dijo algo en voz baja para que Alistair no lo oyese.

—Creo que deberías saber algo. Cuando bajé esta mañana vi a Alistair hablando con Evangeline, que estaba paseando al perro.

Asimilé lo que me decía sin pronunciar palabra.

—No sé cuánto tiempo habrán estado hablando —prosiguió—, pero me parece que la conversación ha sido larga. Y te garantizo que le ha cambiado el humor.

—Doy por hecho que no han hablado de Maddy —dije.

—No, creo que no.

Por lo tanto, habrían hablado de sus cosas, y tal vez hasta habrían llegado a un acuerdo, algún acuerdo que le vendría bien a Alistair. Debería haberme conmocionado el que el hombre hubiera hablado largamente con una mujer casada, debido a todas las habladurías y cotilleos a los que eso podía dar lugar, y durante bastante tiempo. Pero la verdad es que yo ya no era la misma. Y si le había hecho sentirse algo feliz esa conversación, que seguramente deseaba sin la menor esperanza que se produjera desde hacía mucho tiempo, y ni se imaginara que pudiera siquiera llegar a producirse, me alegraba por él de todo corazón.

Ahora todo tenía más sentido. Por delante de nosotros, Alistair andaba deprisa, como si no tocara el suelo con los pies. Y así se explicaba también el que me hubiera hecho la oferta de regresar a Londres, pues sin duda había sido idea de Evangeline Barry. Probablemente se lo planteó como si estuviera preocupada por mí, preguntándole si yo no estaría secretamente ansiosa por marcharme, pero no me atreviera a planteárselo. Alistair se habría tomado la sugerencia al pie de la letra, por supuesto, como era de esperar en un hombre enamorado. Pero Evangeline simplemente había dado un paso para intentar librarse de mi presencia.

También explicaba esta repentina decisión de ir al granero. Alistair quería redondear su tarea, quizá para parecer mejor a ojos de Evangeline. Y por eso se lanzaba hacia delante, como un valiente caballero capaz de arreglarlo todo. ¡Y todo por una mujer que ya estaba casada! Pensé en la calmada obediencia a su marido que había desplegado el día anterior, y el saludo lánguido y condescendiente que se había permitido hacerme moviendo la mano, y deseé que la cosa no condujera a un completo desastre... aunque estaba casi segura de que sería así.

—¡Oh, Alistair! —suspiré.

Me volví. Vi que Matthew me estaba mirando, y hubiera dado todo lo que tenía, y todo lo que pudiera tener en el futuro, por leer lo que expresaban sus ojos. Pero, como siempre hasta entonces, Matthew siguió siendo un misterio para mí.

Alcanzamos el final de la pequeña cuesta y nos aproximamos al sitio en el que habíamos permanecido la noche anterior, cuando fotografiamos el granero y los cuervos.

—Pensaba que estabas enamorada de él —dijo Matthew en voz baja, pues estaba a mi lado—. De Alistair.

Por delante de nosotros, Alistair se detuvo y nos llamó:

—¡Vamos! ¡Mira que sois lentos! —gritó. Cuando nos acercamos, el granero apareció ante nuestra vista. Antes de que pudiera contestar a Matthew, se me paralizó la garganta de puro miedo.

El granero estaba otra vez cubierto de cuervos, exactamente igual que la noche anterior. Estaban posados por todas partes: el tejado, los aleros, los alféizares de las ventanas... Nos llegó el rumor de sus graznidos, como si estuvieran charlando entre ellos. También volaban alrededor de los árboles circundantes. A la luz del día, la escena parecía diferente, quizá menos terrorífica, pero, en cualquier caso, repugnante. No mejoraba nada el ver la débil luz del sol de la mañana brillando sobre sus aceitosas alas.

Alistair se había dado de nuevo la vuelta para acercarse al edificio. Me obligué a avanzar, perfectamente consciente de los pasos que daba, ahora un pie, ahora el otro, siguiéndole a él y a Matthew, que se había adelantado de repente al ver la escena, avanzando rápido pese a llevar la pesada maleta.

—Parece que el candado no va a ser un problema —dijo Alistair según nos acercábamos. Pude ver el candado en el suelo. No había sido forzado, ni abierto y lanzado al suelo. Estaba partido en dos: el cuerpo en un sitio y el cierre, pesado y retorcido, a más de dos metros de distancia. Era como si hubiera explotado.

—Veo que somos bien recibidos —dijo Matthew.

—Maravilloso —espetó Alistair—. Pues allá vamos.

CAPÍTULO 17

Una vez dentro del granero, los dos hombres se pusieron a trabajar. Alistair preparó la cámara y Matthew utilizó un polvoriento cajón de embalaje dado la vuelta como mesa para la grabadora. Era algo en lo que yo no había pensado en su momento, pues coloqué la grabadora sobre el suelo de madera del granero, sucio y muy estropeado.

Al principio todo se desarrolló de forma tranquila. Era una mañana de inicios de verano, en la que se oía el zumbido del vuelo de alguna mosca y por las estrechas y rotas ventanas entraba la luz de la mañana, todavía filtrada por algunas nubes grises. Alistair se quedó mirando el caos que reinaba en el granero: cuerdas rotas y mantas rasgadas por doquier, montones de paja seca y pudriéndose por los rincones, piezas de equipos de las caballerías y trozos de madera de los antiguos cajones apiñados contra las paredes, etcétera. Soltó un silbido de asombro.

—Interesante —dijo, al tiempo que se inclinaba sobre la cámara, ya montada sobre el trípode, y tomaba varias fotografías de la escena—. A no ser que la señora Clare haya contratado a uno o varios forzudos de circo y se los haya traído a Falmouth House, esto me parece un típico *poltergeist*.

—Nada de *poltergeist* —dijo Matthew desde detrás de mí.

Alistair alzó una ceja y disparó otra foto.

—Es mucho más fuerte y potente que cualquier *poltergeist* que yo haya visto nunca, te lo puedo garantizar.

—¿Qué es un *poltergeist*?

—La actividad de una especie de fantasma juguetón —respondió Matthew. Miró los botones de la grabadora, observando satisfecho que las ruedas se movían con normalidad, y volvió a apagarla—. Todavía sin una personalidad definida. Bueno, no exactamente un fantasma.

—No te sigo —insistí.

—Lo que mi muy ilustrado asistente está intentado explicar es que un *poltergeist* es un espíritu que se manifiesta por medio de explosiones de actividad aparentemente incontroladas —intervino Alistair tras resoplar—. Normalmente hacen lo que podríamos llamar travesuras: romper vajillas, dar portazos, ese tipo de cosas. Hay una teoría sobre los *poltergeists* bastante interesante, y es que, a diferencia de los fantasmas, digamos «normales», ellos se manifiestan utilizando la energía de los vivos, o la reflejan. Por ejemplo, supongamos que tú, Sarah, te encontraras en una situación de mucho estrés. En tal caso, el hipotético *poltergeist* que estuviera en tu casa se mostraría más activo que si tú estuvieras en calma.

Me retiré el pelo por detrás de las orejas. No sabía hacia dónde mirar; sentía que Maddy podría aparecer en cualquier momento, pero no sabía desde dónde ni haciendo qué. Sudaba por todos los poros.

—Eso suena fatal —dije.

—Sí, pero fascinante —dijo Alistair con una amplia sonrisa. «¡Se está divirtiendo!», pensé—. ¿No te parece, Matthew?

Me volví y me di cuenta de que Matthew estaba muy quieto, y que parecía haberse olvidado por completo de la grabadora. Miraba hacia los travesaños del techo con gesto raro, como si de repente se hubiera acordado de algo y lo sintiera muy dentro. Levantó la mano derecha y se la pasó por la frente para limpiarse el sudor, como si sufriera algún tipo de dolor.

—¡Odio los malditos graneros! —gruñó.

La sonrisa se borró de la cara de Alistair, que volvió a ocuparse de la cámara. Me estaba preguntando qué sería lo que pasaba entre ellos cuando de repente oí el sonido.

Era un ruido de pisadas, de unos pies descalzos, detrás de mí: primero oí el roce de los talones sobre el suelo polvoriento, después cómo apoyaba los dedos. Como si alguien estuviera corriendo hacia mí desde detrás y, antes de que pudiera volverme, me hubiera sobrepasado, yendo hacia la oscuridad del final del granero. Sentí un escalofrío en el cuello. No había visto nada, ni un movimiento.

Me volví con los ojos muy abiertos, no vi nada y me di la vuelta otra vez.

—¿Habéis oído eso?

—¿El qué? —preguntó Alistair, de repente en alerta.

Ahí estaba otra vez, el movimiento rápido de los pies, pero en este caso desde otra dirección, hacia mí y sobrepasándome. Me volví, dándome cuenta de que se me había bloqueado la garganta y de que empezaba a resultarme difícil respirar.

—¡Eso! —exclamé—. ¿Lo habéis oído?

—No, no he notado nada —dijo Alistair.

—Ha habido algo, sí —intervino Matthew—. Lo he visto.

Alistair se volvió, con las manos sobre la cámara.

—¿Qué has visto? ¿Dónde?

—No estoy seguro —respondió Matthew—. Era...

Un crujido, largo y profundo, surgió del techo del granero, y después un gemido procedente de las vigas. El ruido procedía justo por encima de donde se encontraba Alistair. Ahora estaba cubierta de sudor, notaba las frías gotas corriéndome por los hombros y la tela del vestido que se me pegaba al cuerpo. Sonó el crujido una vez más, como si algo muy pesado y potente estuviera empujando las vigas de madera del tejado.

Miré hacia arriba, pero no vi nada. Matthew también estaba mirando, y ponía una cara verdaderamente horrible; estaba conmocionado y pálido.

—¡Por Dios bendito! —susurró, casi sin aliento.

—Pero ¿qué está pasando? —gritó Alistair—. ¿Qué es? ¡No puedo ver nada! ¿Está aquí?

Otra vez el frío en el cuello, y el ronco balbuceo. Justo a mi lado. La cabeza me palpitaba. Era una sensación inconfundible, ya la conocía.

—Sí, ella está aquí —pude susurrar. Maddy, en plena actividad.

Alistair miraba hacia todas partes, enfebrecido, intentando ver lo mismo que nosotros estábamos viendo. Matthew todavía tenía los ojos clavados en lo alto del granero, muy abiertos, con el gesto transfigurado por el horror. Volví a oír los pasos, tac-tac-tac, esta vez corriendo a mi alrededor, hacia el propio Alistair.

Matthew dejó de mirar hacia arriba, y empezó a seguir con la vista algo que se movía por el granero.

—¡Cuidado, Alistair!

—No veo... —Alistair dejó de hablar, y su gesto se volvió extraño, tenía la mirada desenfocada y distraída. Inclinó la cabeza—. ¡Esperad...! ¿Podéis escuchar eso?

Pese al sudor que me inundaba la piel, sentí un estremecimiento en la espina dorsal. Y es que los pasos habían cesado, y también el crujido. El granero estaba en completo silencio.

Intercambié una mirada con Matthew y negué con la cabeza. No oía nada. Por la cara que ponía, supe de inmediato que él tampoco.

—¿Alistair? —dijo.

El hombre levantó la mano con gesto de impaciencia, pidiéndonos que nos calláramos.

—¡Eso! —dijo. Arrastraba las palabras, como si estuviera atontado—. Eso, ¿es que no lo oís? Es música. A ver... Matthew, enciende la grabadora.

Matthew obedeció y giró los botones.

—¡Maldita sea! —A regañadientes, enchufó los auriculares y se los puso—. No sé, Alistair. Lo único que escucho son... —Se volvió a quitar los auriculares con gesto de sufrimiento—. Ruidos de fondo, acoplamientos.

—¿Ruidos de fondo? No, nada de eso. —La mirada de Alistair se estaba volviendo cada vez más extraña, como si estuviera escuchando algo que viniera desde muy lejos. Me asustó mucho al mirarle—. Es música —insistió.

Algo se abrió paso a través del terror que sentía, a través de las dificultades que experimentaba para moverme y pensar. Corrí hacia Alistair y lo agarré del brazo.

—Alistair, ven conmigo. ¡Vámonos!

Intentó soltarse.

—¡No, no! Sarah, ¿es que no lo oyes?

—¡No! —grité—. ¡Y Matthew tampoco! No sé cómo, pero está actuando de una forma distinta con cada uno, por separado, ¿es que no te das cuenta? —Yo oía ruidos que ellos no podían oír, Matthew tenía visiones que nosotros no éramos capaces de ver... De alguna manera, Maddy tenía la capacidad, el poder de hacer tales cosas.

Pero fue lo que le estaba haciendo a Alistair, y solamente a él, lo que me puso enferma de miedo. Porque era a Alistair a quién quería.

El hombre me miró con ojos cada vez más confusos, como si yo fuera para él un recuerdo vago y lejano.

—¿Por separado? Eso no ha ocurrido nunca, no lo he leído... nunca. ¡Qué descubrimiento! Tengo que documentarlo...

—¡No! —Tiré de él, intentando arrastrarlo hacia la puerta—. ¡Por favor!

Pero, aunque lo agarraba con todas mis fuerzas, se libró de mí. Salí despedida hacia atrás y estuve a punto de perder el equilibrio. Matthew empezó a acercarse, pero de repente se detuvo con un gesto de dolor en la cara, apretándose los oídos. Lanzó un furioso juramento.

—¡Sonido de fondo! —gritó, como si quisiera hacerse oír por encima de un ruido infernal. Se volvió a mirar los auriculares, que había abandonado en el cajón sobre el que estaba la grabadora, y se agarró la cabeza todavía con más fuerza, poniéndose las palmas sobre las orejas—. ¡No es posible, joder!

Di un paso atrás, y empecé a contemplar todo lo que estaba pasando como si estuviera a distancia. El granero se iba alejando de mí, como si contemplara una obra de teatro. Me perdí en un sonido crujiente y susurrante, casi físico, que inundaba el aire; por fin, abriéndome paso a través de la estupidez que me producía el miedo que experimentaba, caí en la cuenta de que era el ruido que hacían los cuervos moviéndose sobre el tejado.

El tiempo pareció plegarse. Los ruidos sonaban con enorme fuerza, pero desde muy lejos. Desde entonces siempre me he preguntado qué fue real y qué no de todo lo que siguió; cuánto tiempo pasó exactamente desde el momento en el que Matthew se tapó los oídos con las manos hasta el que la señora Clare entró gritando en el granero. A mí me parecieron muchas horas, una detrás de otra, horas siniestramente fijas, como si yo estuviera en el ojo de un huracán, en un silencio extraño, inundada por una luz roja y amarilla, y la destrucción tuviera lugar a mi alrededor.

No obstante, sé que solo pudo durar unos instantes. Pese a la locura que se estaba produciendo, Matthew no pudo tardar mucho en reaccionar.

Vi que se ponía las manos sobre las orejas, y entonces cerré los ojos. Porque la voz de Maddy volvió a sonar en el interior de mi cabeza, en mi mente; me estaba hablando de esa forma tan siniestra, como la primera vez, sin necesidad de que sonara el más mínimo ruido.

«Bien hecho, pequeña», dijo.

Yo gruñí desesperada. Sabía lo que quería decir. Me había encargado que le trajera a Alistair y, en cierto modo, aunque fuera en contra de mi voluntad, lo había hecho.

—¡No! —intenté gritar, sin saber si lo estaba exclamando de verdad o solo en los confines de la mente.

«Sí», me contradijo Maddy. Se produjo una larga pausa, y entonces pude oír el sonido de un aliento, de una respiración entrecortada, algo así como un último suspiro. Y entonces dijo otra cosa, aunque se perdió en el borboteo de su extraña voz. «Guapo, muy guapo», me pareció que decía. Y, después, algo terrorífico: «Ahora es mío».

—¡No! —volví a gritar.

«Ahora hueles como el otro», dijo Maddy. «Yo me quedo con este».

—¡No puedes tenerlo! —grité.

Sentí náuseas; algo frío me había entrado por la garganta y me invadió una oleada de furia salvaje y enloquecida. El corazón parecía que me estallaría en el pecho. Era algo tan poderoso como las llamaradas repentinas de un incendio, que inundan el aire y lo hacen burbujear; abrí los ojos y pude ver que hasta las paredes del granero ondeaban con la fuerza de la ira de Maddy. Tenía ganas de llorar. «Eso es lo que siente un loco», pensé. «Es así».

«No recibo órdenes de nadie», siseó Maddy en mi mente. Aunque parezca mentira, lo cierto es que me hizo daño, como el que es capaz de provocar un ruido muy agudo. «No vuelvas a hacerlo, niña».

—Sí —traté de decir de forma ahogada.

«¿Lo entiendes, niñita?».

—¡Sí!

La helada masa salió de la garganta y jadeé para poder respirar. Ahora estaba de rodillas, aunque no recordaba que me hubiera caído.

La ira descendió de intensidad, pero solo mínimamente. Era capaz de respirarla en el ambiente. Hacía que la sangre me golpeara con fuerza las paredes de las venas, y empecé a sentirlo de verdad: ira, indignación, furia. Una parte de mí estaba deseando bramar, rugir, romper lo que fuera, reducirlo a pedazos. Quería gritar, sí, pero esta vez no era de miedo. Intenté respirar despacio y recuperar la calma. «Habla con ella», me dije a mí misma.

—Por favor —dije, y nunca he podido saber si en ese momento hablé o no en voz alta—. ¡Por favor, no te lo lleves! Si lo haces, lo vas a matar. Por favor.

«Me gusta el guapito», dijo Maddy, y, aunque suene a locura, me pareció sentir un punto de irritabilidad en su voz.

—Por favor.

Se produjo una larga pausa. Y después volví a sentir su voz, esta vez taimada y satisfecha de sí misma. «Creo que puedes hacer algo por mí. Y después, ya veremos».

Todo mi ser rechazó la terrible tesitura de llegar a un acuerdo con Maddy, de prometerle lo que fuera. Era aterradora, infantil y extraordinariamente retorcida.

—¿Que puedo hacer algo por ti? ¿A qué te refieres? —pregunté.

«Yo también olí a hombre una vez», dijo. La ira todavía inundaba la atmósfera a mi alrededor. «Pero no eran guapos, no para Maddy. Eran tres, sobre mí».

—No lo entiendo —dije. La mente me daba vueltas. ¿Qué me estaba pidiendo?

«Grité, pero solo probé su sangre», prosiguió, como si yo no hubiera dicho nada. «La de cada uno de los tres. Cada uno tenía un sabor distinto. Cumplí sus órdenes, pero sabía que la probaría otra vez. La de cada uno de ellos. Lo haré, pequeña, ¡vaya si lo haré! Me vengaré de ellos, de todos ellos».

Dejé de hablar. Solo escuchaba. El miedo se instaló en mi estómago.

«Pobre pequeña, mirando al cielo con los ojos muy abiertos», dijo Maddy dentro de mi cabeza. En ese momento era como si cantara. Una alegría absolutamente falsa que en realidad era odio, y burbujeaba de pura rabia.

«¿Qué es lo que estás mirando, pequeña? ¿Tan oscuro y tan verde? Lo has visto, ¿a que sí? Te lo he enseñado. Lo verás en tus sueños, igual que yo lo veo en los míos. La pobre niña muerta abre los ojos y todo se ha ido, absolutamente todo, hasta el día que vino del granero».

«Pobre niñita muerta. Encuéntralos. Encuéntrala, y te devolveré a tu guapito. No lo hagas, y el guapito seguirá siendo mío. Puedo verte, pequeña. Puedo seguirte. Rehúsa ayudarme y besaré a tus hijos. Seguro que tienen muy buen sabor, muy dulce».

—¡Oh, Dios! —susurré, y noté cómo me corrían las lágrimas por las mejillas.

«Aquí no hay dioses», borboteó.

Oí un estruendo. Me volví y vi que la puerta del granero se abría bruscamente, dando paso a la señora Clare, con los ojos desorbitados y llevando una lámpara de aceite. Ella se movió a nuestro alrededor, entró dentro de nosotros. Vi a Alistair, apoyado en el suelo, débil como si estuviera inconsciente, con Matthew inclinado sobre él. Vi la grabadora en el cajón, encendiéndose por su propia cuenta. Vi la cámara de Alistair en el suelo, rota.

La señora Clare se fijó en la grabadora. Su mirada no paraba de dar vueltas a todos los rincones del granero, al techo, a todas partes, mirando y mirando...

—¿Dónde estás? —gritó.

Dentro de mi cabeza, Maddy gimió.

—¿Dónde estás? —gritó otra vez la señora Clare con la voz rota—. ¡Vete, por el amor de Dios! ¡Vete, Maddy!

Maddy soltó una especie de carcajada, pero distante; el sonido ascendió al techo del granero, y su eco se perdió entre las vigas de madera.

La señora Clare tropezó y se precipitó hacia delante, y en ese breve instante, mientras mi mente volvía a ser mía de nuevo, y el tiempo volvía a transcurrir de manera normal, pensé que parecía estar absolutamente fuera de sus cabales. Me pregunté, completamente estremecida, por qué llevaba una lámpara de aceite en la mano, a plena luz del día. Y entonces supe el porqué.

—¡No! —grité. Había recuperado la voz—. ¡Matthew! ¡Alistair! ¡Atención!

Matthew miró hacia arriba, vio a la señora Clare con la lámpara e, inmediatamente, se incorporó.

—¡Señora Clare!

La mujer dio un paso atrás.

—No puedo seguir teniéndola aquí más tiempo —dijo.

Pensé en mi primera visita al granero, y en la visión que me había enviado Maddy del fuego devorándolo. Y pensé en la voz calmada de la señora Clare, cuando dijo que esperaba que Maddy no tuviera la intención de quemar el granero.

Parecía que, después de todo, no iba a ser Maddy quien lo hiciera.

Matthew y yo salimos corriendo, pero antes de que pudiéramos llegar hasta ella, la señora Clare estrelló la lámpara contra el suelo.

CAPÍTULO 18

El fuego prendió rápidamente en el espacio seco y polvoriento, y se extendió por los restos de paja seca que había aún en el suelo. Mientras ascendía por las paredes, Matthew y yo levantamos a Alistair que, aunque parecía despierto y respiraba, tenía los ojos en blanco, como si estuviera en una especie de trance, y lo llevamos fuera para dejarlo tendido sobre la hierba.

Una vez a salvo, Matthew volvió de nuevo la vista hacia el granero.

—¿Dónde está la señora Clare?

Observé las llamas que asomaban por las ventanas rotas, y me di cuenta de que empezaba a acudir gente. La señora Macready llegó corriendo por el sendero.

—¡La señora!

Matthew salió corriendo hacia el edifico en llamas. Lo seguí, pero a los pocos pasos me fallaron las rodillas y caí al suelo. Me temblaban las piernas de manera incontrolable; todo me daba vueltas y se volvía gris. Me di cuenta de que estaba temblando, tenía náuseas y me faltaba el aire. Matthew desapareció por la puerta y me quedé mirando al pequeño hueco que brillaba a la luz del fuego, esperando que reapareciera cuanto antes.

La señora Macready se acercó todo lo que pudo al granero en llamas, moviéndose como una gata hacia su camada.

—¡La señora! —volvió a gritar.

Una mujer a la que no reconocí, tal vez una de sus vecinas, se aproximó a ella y trató de calmarla. Un montón de desconocidos se colocó a unos metros de mí, limitándose a mirar. Oí murmullos que decían cosas como «brigada de incendios» y «agente de policía», pero nadie se acercó a mí, pese a que estaba sentada en la hierba, hecha un ovillo y sin parar de temblar.

Me volví y me arrastré por la hierba para ponerme al lado de Alistair. Yacía de espaldas, pálido y sin moverse. Gimió cuando le agarré la cabeza y la apoyé sobre mi regazo.

Miré al pequeño grupo de gente que se había congregado y que me miraba de hito en hito.

—¿Por qué no llama alguien a un médico? —exclamé.

Una chica de unos dieciséis años salió del grupo y se acercó.

—Vivo al lado, señorita. Voy a llamar por teléfono al doctor Cheswick. ¿Está herido?

—No lo sé —dije, y era verdad—. Parece que se ha desmayado. ¡Date prisa, por favor!

La chica salió corriendo. Aparté un mechón de pelo rubio de la frente de Alistair y le acaricié la cabeza. Parecía que estaba luchando por despertarse.

—Shh —murmuré, y volví los ojos de nuevo hacia el granero.

Matthew reapareció en la puerta, sujetando a la señora Clare por la cintura con un brazo. Se apoyaba en él como si estuviera débil, pero caminaba por sí misma. Aunque parezca increíble, Matthew llevaba en la otra mano la maleta con la grabadora. Se dirigió hacia donde estábamos Alistair y yo. La señora Macready se cruzó en su camino y agarró a la señora Clare, apartándola de él, y empezó a hablarle al oído. Matthew recorrió tambaleante el resto del camino hasta llegar a nosotros, y se sentó en la hierba.

—Alguien está llamando por teléfono al médico —le informé.

No dijo nada, y miró a Alistair, sobre todo su cara.

—¿Cómo está?

—No lo sé. ¿Tú estás bien?

—¡Por Dios bendito! —Matthew alzó las rodillas y se pasó ambas manos por el pelo. Tenía la cara del color de la ceniza. Abrí la boca para decirle algo, aunque no sabía qué, pero entonces llegaron los bomberos.

En esos momentos, el granero ardía con fuerza, tanto por las paredes como por los aleros. Prácticamente se habían reunido todos los vecinos de Waringstoke para mirar, aunque desde una cierta distancia, pues el calor empezaba a impedir que nadie se acercara. Se produjo un estridente estallido de graznidos, así como un fuerte rumor de aleteos, y todo el mundo pudo ver cómo los cuervos del tejado se echaban a volar al unísono, elevándose al cielo, ascendiendo y ascendiendo como si formaran el batallón de un ejército volador, emitiendo roncos graznidos, que fueron perdiendo intensidad al tiempo que se internaban en el bosque, denso y verde.

Se produjo el silencio entre los congregados, mientras contemplábamos la inquietante escena. Noté que Alistair se movía sobre mi regazo. Alzó la cabeza, y yo bajé la mirada y me di cuenta de que había abierto los ojos y miraba los pájaros con intensidad febril.

—¿Habéis oído eso? —preguntó en voz baja.

Matthew lo miró.

—Gellis, ¿estás bien?

—¿Habéis oído eso? —repitió Alistair. Tenía la mirada desenfocada, como la de las personas que sufren alguna enfermedad mental. Sin embargo, agarró del brazo a Matthew con un movimiento inusitadamente rápido y se lo apretó con tanta fuerza que pude ver que los nudillos se le ponían blancos.

—¡Aviones! —espetó, al tiempo que miraba a los pájaros desapareciendo entre los árboles del bosque—. Un ataque aéreo. Tenemos que avisar al sargento.

Un estremecimiento me recorrió la espina dorsal, y miré a Matthew anonadada. Este, a su vez, miró a Alistair muy sorprendido; después frunció el ceño y abrió la boca como si fuera a decir algo, pero pareció cambiar de parecer y, lentamente, un halo de tristeza y entendimiento inundó su mirada.

—Sí, lo he oído —dijo quedamente.

—¡Lo sabía! —exclamó Alistair—. Había demasiada calma. Esos siempre vuelven, antes o después. Tenemos que dar la alarma.

Matthew negó con la cabeza, y me maravilló la enorme calma con la que habló.

—Está muy oscuro, Gellis —dijo con esa voz profunda y algo ronca—. Aquí estamos a cubierto. No hay necesidad, porque no pueden ver nada.

—Tienes razón. —Alistair dirigió la mirada a la brillante luz del sol de la mañana—. Aunque otras veces eso no los ha detenido. Los oigo, estoy seguro. ¡Dios, cuánto me apetece un cigarrillo! Pero no se puede encender ninguna luz en este maldito lugar...

—No te preocupes —dijo Matthew con la voz alterada por la emoción—. Duerme un poco, anda.

—¿Me despertarás cuando sea mi turno de guardia?

—Pues claro.

—¡Ni se te ocurra no hacerlo! —Alistair cerró los ojos.

Y Matthew levantó los suyos hacia mí. Parecía absolutamente agotado, como si esa corta conversación hubiera acabado por completo con las energías que le quedaban.

—En el nombre de Dios, ¿qué le está pasando?

Me mordí el labio antes de contestar la terrible verdad.

—Maddy... lo quiere para ella. Ya os lo había dicho. Le está haciendo algo, aunque no sé el qué.

—Esa cosa. —A Matthew le salía fuego por los ojos—. La he visto. Con absoluta claridad. Pero también te he visto a ti. Tú no la has visto, ¿verdad?

—No. —Se me revolvió el estómago y me di cuenta de que estaba sufriendo algún tipo de conmoción. Acaricié mínimamente a Alistair con la mano, fría como el hielo pese al calor reinante—.

No la he visto. Solo la he oído cuando me ha hablado. —Inspiré profundamente y miré a los ojos a Matthew—. Ahora lo entiendo, todo. Maddy me lo ha contado.

❈ ❈ ❈

Cuando el fuego ya iba disminuyendo llegó el médico al que había telefoneado la chica vecina. Era regordete, de unos sesenta y tantos años, y jadeaba por la rapidez con la que había venido. Aún no había aparecido ningún agente de la autoridad. Oí comentar que en Waringstoke no había ningún policía, y que alguien había tenido que llamar al pueblo vecino. Me pregunté si el pobre policía dispondría de algún vehículo para desplazarse, o si no tendría más remedio que venir en bicicleta.

El médico atendió primero a la señora Clare. Estaba tumbada en la hierba de al lado del sendero que conducía a la casa, medio desmayada y atendida por la señora Macready. El doctor la examinó y después se volvió para pedir a alguno de los mirones más altos y fuertes que la trasladaran a su casa. Una vez que se pusieron a hacerlo, nos llegó el turno a nosotros. Nos hizo una rápida revisión y ordenó autoritariamente a otros hombres del pueblo que ayudaran a Matthew a llevar también a la casa a Alistair. Yo los seguí con piernas temblorosas que apenas me obedecían.

Instalaron a Alistair en una de las habitaciones del piso de arriba, y el médico nos indicó a Matthew y a mí que esperásemos en el salón mientras lo examinaba a fondo. Matthew y yo nos sentamos, pero a los pocos minutos él se excusó mínimamente y se marchó sin decir nada más.

El médico bajó unos veinte minutos después, justo en el momento en el que Matthew volvía.

—Bueno —empezó el médico, al tiempo que se dejaba caer pesadamente sobre uno de los recargados sofás de la señora Clare, soltando un profundo suspiro mientras lo hacía. El mueble crujió bajo su peso—. Parece bien de salud, quiero decir, físicamente.

No puedo decir qué es lo que le pasa. —Nos miró a Matthew y a mí—. Puede que haya sufrido algún tipo de *shock* que le haya afectado a la mente.

—¿Qué debemos hacer? —pregunté.

—Le he administrado un sedante suave para que duerma —informó el doctor—. De momento, que descanse. Me atrevo a decir que ahora está cómodo. Volveré a visitarlo en breve para ver si ha mejorado. Puede que el sueño lo ayude a recuperarse. —Me miró a los ojos—. ¿Y usted cómo está, joven? ¿Ha sufrido algún daño?

Negué con la cabeza, pero, de todas formas, el médico se acercó a mí, me tomó el pulso y me sujetó los párpados para observar las pupilas.

—Tienes una ligera conmoción —declaró al cabo de cierto tiempo. Se incorporó y colocó las manos en la espalda—. Estaba un poco preocupado por ti, querida, pero veo que eres fuerte como una roca, más o menos como tu compañero. —Para mi sorpresa, se volvió hacia Matthew—. ¿Tiene usted alguna herida, joven?

En ese momento, Matthew tenía la cara del color de la ceniza, y los rasgos inhabitualmente flácidos.

—No —dijo. Su voz, ya ronca de por sí, sonó todavía más ronca, debido seguramente al humo que había inhalado en el granero.

—¿No tiene quemaduras? ¿No le cuesta respirar? Me han dicho que entró en el granero cuando estaba en llamas para rescatar a la señora Clare.

—Estoy bien —repuso Matthew.

—Ya veo. Estoy seguro de que es así —dijo el médico, encogiéndose de hombros—. No obstante, y a no ser que me equivoque de medio a medio, se ha pasado usted unos veinte minutos vomitando en la letrina.

Matthew miró al médico con expresión de enfado, pero al doctor no pareció afectarle ni lo más mínimo.

—Es estrés de combate, hijo —dijo con descarnada amabilidad—. Lo he visto muchas veces. Puede que incluso tenga alguna pequeña erupción en la zona del cuello. Llevo años viendo este tipo de situaciones. No hay nada de lo que avergonzarse.

Muy sorprendida, me di cuenta de que a Matthew le afectó de verdad lo que había dicho el médico, como si hubiera recibido un duro golpe. No obstante, su expresión seguía siendo desafiante, como si se estuviera enfrentando a ello con todas sus fuerzas. Miró fijamente al doctor, sin apartar ni un momento los ojos, aunque un poco inclinado hacia un lado y apoyándose en el respaldo de una silla, como si estuviera a punto de caerse. ¿Acaso el incendio le habría traído recuerdos de cuando sufrió esas quemaduras tan terribles? Me acordé de él, mirando las vigas del techo del granero con expresión indescifrable. «¡Odio los malditos graneros!», había exclamado, y Alistair se quedó paralizado.

El médico volvió a suspirar.

—No puedo hacer nada por ustedes, y tengo otros pacientes que atender. Volveré esta tarde a ver cómo van las cosas, como ya les he dicho. No tengo la menor idea de lo que está pasando aquí, y la señora Clare se niega a decir una palabra. Supongo que ustedes dos tampoco querrán ponerme al tanto, ¿verdad?

Nos quedamos callados. El doctor soltó un gruñido.

—Lo que me temía. Bueno, no me meteré en lo que no me incumbe... ya se encargará la policía de hacer las averiguaciones pertinentes. Querida —dijo dirigiéndose a mí, no sin cierta amabilidad—, tienes que descansar un poco, o más que un poco. Y come algo, lo vas a necesitar. Y por lo que se refiere a usted —continuó, volviéndose de nuevo hacia Matthew—, tengo agujas hipodérmicas en el maletín. Si lo desea, puedo ponerle una inyección.

—¡Déjeme en paz, joder! —espetó Matthew.

El médico se volvió de nuevo hacia mí.

—Los soldados son los más difíciles de tratar —me dijo como si estuviéramos hablando a solas, en confianza, y Matthew no estuviera a nuestro lado—. Hoscos y, habitualmente, desagradecidos, pero ni se me ocurriría echarles la culpa de nada. Por si quiere saberlo, fue una verdadera estupidez, y muy cara en vidas humanas, el que los mandáramos a esa guerra sin el menor sentido. Es lo que opino, por si quiere saberlo, jovencita. —Cerró el maletín, lo agarró y se dirigió a la puerta.

Después de que se fuera el médico, Matthew y yo permanecimos sentados y en silencio durante un buen rato. La cabeza me daba vueltas, y aún sentía náuseas en el estómago. A nuestro alrededor, la casa estaba tranquila, pero desde el exterior llegaba un murmullo de conversaciones, seguramente de gente congregada en el corto camino que conducía al granero. Apreté las manos y después me apreté las rodillas con ellas, intentando recobrar por completo la compostura. Vi que Matthew se pasaba la mano, temblorosa, por el pelo.

—No estás bien —dije preocupada.

Pensé que soltaría un juramento ante mi comentario, pero no lo hizo. Solo se levantó y empezó a andar por la habitación.

—Todo esto es un maldito caos —dijo con voz ronca—. ¡Un maldito caos! Tengo que pensar. Ni se me ocurrió que pudiera afectarme de esta manera tan intensa. Han pasado cinco años. No sabía que podría... —Se interrumpió y se apretó los ojos con las palmas de las manos.

Esperé. No quería interferir en sus sentimientos ni en sus recuerdos, aunque, de todas formas, no pude evitarlo. No podía dejarlo solo. Me quedé sentada, con las manos entre las rodillas, observándolo.

—De acuerdo —dijo, después de un rato. Bajó las manos y miró por la ventana, pero hacia nada en concreto—. De acuerdo, escucha. Estábamos en Francia, y habíamos atacado. En ese momento me encontraba en retaguardia. Ya llevaba seis semanas en el frente y me estaban dando un descanso antes de mandarme de nuevo a primera línea.

Escuché casi sin respirar.

—Cerca de nosotros había una posición enemiga con un francotirador —continuó Matthew—. No sé cómo habría podido colocarse y, sobre todo, mantenerse allí. Los ataques aéreos no lograban acabar con él, así que no podíamos ni asomar la cabeza. Sabíamos más o menos dónde estaba, pero, por otra parte, la aviación tenía que cubrir mucho espacio, y no podían disparar a todo lo que se movía. Me mandaron, junto con otros tres soldados, en una escuadra para reconocer el terreno y, a ser posible, acabar con el problema.

Las voces procedentes del exterior habían cesado. Me pregunté si la acumulación de curiosos ya se habría dispersado. Rogué para que nadie nos interrumpiera ni entrara en la habitación antes de que hubiera terminado de contarme aquello, pues pensaba que, si no lo hacía ahora, Matthew ya no lo haría nunca.

—Estuvimos moviéndonos durante todo el día —dijo—, y finalmente lo encontramos. Nos encargamos del asunto, tal y como nos habían ordenado, y nos dispusimos a regresar a nuestras líneas. Pero ya estaba cayendo la noche, y uno de los compañeros tenía fiebre. Encontramos un granero abandonado y nos metimos dentro para dormir unas horas.

»Me despertó una explosión. Había fuego por todas partes. Nos habían bombardeado, o bien solo habían pretendido destruir el granero, sin saber si había alguien dentro. Solo Dios lo sabe. Puede que solo se tratara de unas prácticas de tiro, o de un piloto soltando la última bomba antes de regresar a la base. Solo tuvimos tiempo de oír que volvía, unos diez segundos, puede que menos. Cuando cayó la bomba salí despedido casi dos metros. Todo el granero estaba ardiendo, y mis compañeros, los tres, habían muerto. Yo salí corriendo de allí, y no paré.

»Me había internado unos diez metros en el bosque cuando me di cuenta de que toda la parte de atrás del uniforme estaba en llamas. Me lancé al suelo a rodar, intentando apagarlas, pero no lo logré. Por suerte, llegué hasta una zona embarrada y todavía húmeda, de solo uno o dos centímetros de espesor. Rodé sobre ella. Y eso es lo último que recuerdo.

Se volvió y me miró. Pensé en él, corriendo de nuevo hacia el granero para librar de las llamas a la señora Clare. ¿Qué habría sentido en ese momento?

Su gesto se volvió sombrío.

—No sientas lástima por mí, Sarah —dijo—. No. No me siento mal por lo que me pasó, ni siquiera un poco. Me pasé seis meses en el hospital, y cada vez que sentía lástima de mí mismo, me acordaba de que, menos de tres horas antes de lo que me pasó a mí, le volé los sesos a aquel francotirador alemán mientras me miraba a los ojos pidiéndome clemencia.

—¡Eso no es justo! —exclamé—. Era la guerra. ¿Qué otra cosa ibas a hacer?

Se cruzó de brazos.

—No sé si es que eres muy ingenua o, simplemente, una estúpida integral. La justicia no existe, Sarah.

—¡Pues claro que existe! —insistí, mientras las lágrimas me corrían por las mejillas—. Lo que pasa es que todo el mundo ha dejado de percibir su sentido. Todos hemos perdido el sentido de la justicia durante estos años. Pero el médico tenía razón, nosotros os pusimos en esa tesitura. ¡Era imposible! El francotirador estaba matando gente también. Y lo estaba haciendo porque cumplía órdenes, lo mismo que tú. No te puedes echar la culpa a ti mismo, cuando fue una locura absoluta, en todos y cada uno de sus aspectos. ¡Y ahora estás enfadado conmigo simplemente porque he visto tus cicatrices, las secuelas de esa locura! Como si fueran vergonzantes. ¡Me importan una mierda las cicatrices!

Me interrumpí, demasiado avergonzada como para seguir. Igual tenía razón y yo era una estúpida. No me vendría nada bien confesar lo que sentía por él, hasta qué punto lo quería y lo deseaba, y que lo consideraba un verdadero héroe. Matthew no creía en héroes, y no querría a una chica ingenua que veía en él algo que ni el mismo creía que existiese.

Pero estaba frunciendo el ceño, como si hubiera dicho algo que lo confundiera.

—No estoy enfadado contigo —dijo.

—Sí, estás furioso conmigo —le contradije. Al decirlo, supe que era la verdad—. Hasta te cuesta mantenerme la mirada. Piensas que soy ingenua, que «tengo el caparazón blando». Sí, te he oído decirlo. —Hice caso omiso de su mirada de asombro al darse cuenta de que había escuchado sin que se dieran cuenta la conversación que Alistair y él habían mantenido acerca de mí—. Apenas me mirabas y, así de repente, aquella noche te presentaste en mi habitación y..., y...

Él pareció quedar muy afectado.

—Sarah...

—¡No! —Me puse de pie de un salto. Puede que con la conmoción estuviera un poco histérica en ese momento, pero las palabras surgieron de mí como un torrente—. Como se te ocurra decir que lo sientes, no te lo perdonaré nunca. ¡Nunca! Yo no lo siento. Si te arrepientes de lo que hiciste, guárdatelo para ti y no me insultes con ello. Me sentiría defraudada y pensaría que pasaste unos momentos conmigo pensando, y deseando, estar con otra. Y ahora ya no quiero hablar más de eso. Tenemos que hablar de Alistair... y, sobre todo, de Maddy.

Matthew miró al suelo durante un buen rato. Todavía tenía los brazos cruzados. Estaba muy quieto, muy pensativo, y tan impenetrable como siempre.

—Tienes razón —dijo por fin—. Tenemos que ser racionales. Porque me da la impresión de que tenemos un problema, y de los gordos.

—¡Ya lo creo que lo tienen! —dijo una voz procedente del umbral de la puerta. Allí había un hombre alto y con un gran mostacho, que apoyaba una mano sobre el marco. Llevaba un uniforme oscuro. Por fin había llegado la policía.

CAPÍTULO 19

Esto es un completo lío. —El enorme policía entró en la habitación con el gorro bajo el brazo, y nos miró con intensidad—. Estoy muy confuso tras todo lo que he escuchado, no me importa confesarlo. Pero ustedes dos parecen relativamente cuerdos. Igual pueden ayudarme a que me haga una idea de qué es lo que pasa aquí.

Se me aceleró muchísimo el pulso. ¿Qué demonios le podíamos contar a la policía? Sí, teníamos una historia real, la del fantasma de una joven sirvienta que había decidido atacar a los vivos desde más allá de su tumba. Pero eso nos haría parecer unos chiflados. Matthew y yo habíamos pasado el tiempo discutiendo, olvidándonos de pergeñar una historia que pudiera sostenerse. Y ahora no teníamos nada creíble que contar.

Eché una mirada a Matthew, pero no me estaba mirando. Seguía inmóvil y con los brazos cruzados todavía. Miró al policía de frente.

—El término «cuerdo» es bastante relativo, agente —dijo con su voz grave y profunda—. Pero le ayudaremos en todo lo que podamos.

El policía rio entre dientes y extendió la mano hacia Matthew.

—Soy el agente Moores, caballero. Me he retrasado un poco, y es que he tenido que venir desde Spires-church.

Matthew le dio la mano forzadamente.

—Matthew Ryder.

—Ah, ¡sí! —El agente Moores se volvió hacia mí.

—Entonces usted debe de ser la señorita Piper.

—En efecto, agente —respondí, preguntándome cómo es que sabía mi nombre.

Los ojos del hombre parecían despiertos, y brillaban de inteligencia. No parecía ni cansado, ni sus ropas sucias de polvo, así que la conjetura que me había hecho acerca del viaje en bicicleta había resultado ser errónea.

—Así pues, y según la señora Clare, ustedes son los buscadores de fantasmas.

Al oír eso, Matthew y yo intercambiamos una mirada. La suya, inescrutable. La mía, nerviosa. Lo cierto era que no teníamos que explicar quiénes éramos, pero ¿cómo le sonaría nuestra actividad a un policía?

El agente se sentó en uno de los floreados sillones y dejó el gorro en una mesa auxiliar.

—De acuerdo pues. Por favor, empiecen desde el principio. Y, por favor, se lo ruego para empezar... díganme algo que tenga sentido.

A mí no se me ocurrió nada que decir, pero Matthew salió al rescate. Se metió las manos en los bolsillos y miró al agente.

—De acuerdo pues —empezó, repitiendo sus palabras—. Supongo que ya sabrá que la señora Clare nos encargó la tarea de librarla de su fantasma.

—Eso dijo, sí, entre otras muchas cosas —asintió Moores—. Pero cuanto menos hablemos de eso, mejor.

Matthew se puso rojo.

—No somos unos timadores charlatanes, caballero. No cobramos por lo que hacemos. Y puedo asegurarle que en Falmouth House hay un fantasma.

—Sí, lo sé. —Moores parecía incómodo—. Conocí al señor Clare cuando vivía. Era el juez de paz de esta zona. Recuerdo que me escribió preguntándome si sabía de chicas desaparecidas. Me dijo que una de ellas había llegado a su casa, y que era inca-paz de decir nada. La describió. —Se encogió de hombros—. No pude darle ninguna respuesta. Después la chica murió, y la señora Clare piensa que ha poseído la casa, o más bien el granero.

—Así es —intervine.

El agente Moores me miró pestañeando, como si se hubiera olvidado por completo de mi existencia, e inmediatamente agitó la mano con gesto de impaciencia.

—Sigamos entonces. Cuénteme acerca del granero. Lo que más me preocupa es el asunto del incendio.

—Estábamos en el granero —dijo Matthew en voz baja—, intentando ponernos en contacto con la aparición. La señora Clare entró cuando estábamos allí. Estaba muy agitada y en-fadada. Dijo, entre otras cosas, que ya había tenido bastante, y que quería que el fantasma se marchara. Entonces estrelló contra el suelo una lámpara de aceite y el granero empezó a arder.

—Mmm —masculló el agente—. Bueno, eso es lo que me ha contado a mí ella misma. Admite que le prendió fuego a su pro-pio granero. Lo cual me atrevería a decir que resulta muy conve-niente para ustedes.

—¿La señora Clare podría tener problemas? —pregunté.

—Ya veremos —respondió Moores encogiéndose de hom-bros—. No resulta fácil presentar cargos contra una persona que destruye una propiedad de la que es la única dueña, ¿sabe? Podría acusarla y multarla por vandalismo, y por poner en peligro otras propiedades... quizá. Si alguno de los edificios vecinos hubiera sido alcanzado por una chispa, entonces sí que las cosas se ha-brían puesto más serias. No obstante, los Clare son una familia respetada en la zona. Y, afortunadamente, no ha habido más da-ños en propiedades que los suyos propios. —Se rascó la frente—. Lo que no termino de entender es todo lo demás. Me han conta-do cosas acerca de pájaros en el tejado... cuervos, para ser exactos. ¿Los vieron ustedes?

—Sí —respondió Matthew de inmediato. Ya no se le veía conmocionado, y ante el agente se estaba mostrando fuerte, seguro de sí mismo, claro y directo. Me maravilló la fuerza que irradiaba.

—Había muchos pájaros en el tejado. Parece que anidando. Por supuesto, salieron volando en cuanto se produjo el incendio.

—¿Eran muchos?

—Sí, agente.

—En su actividad... ¿había visto usted alguna vez tantos cuervos juntos?

—No, agente.

—¿Es cierto que usted volvió a entrar en el granero, ya en llamas, para rescatar a la señora Clare?

—Sí, agente.

—¿Están ustedes alojados en la posada, al otro lado del camino?

—Sí, agente.

—¿Y tienen pensado marcharse pronto?

—No, agente.

—Respecto a su otro amigo, el que está descansando en el dormitorio —empezó a decir Moores señalando vagamente con la barbilla hacia las escaleras—, me han dicho que ha tenido una especie de ataque. ¿Es verdad?

Matthew volvió a cruzarse de brazos, poniéndose claramente a la defensiva.

—Eso creo —dijo.

—¿Le ha ocurrido alguna otra vez?

Matthew movió un músculo de la mandíbula, seguramente de forma involuntaria.

—Que yo haya visto, no.

—Usted lo conoce bien, ¿verdad?

—Sí, agente.

—¿Diría usted que es una persona, digamos... estable, en general?

—¡Sí! Por supuesto, agente.

—Bueno, pues muy bien. —El policía volvió a tocarse la frente, esta vez rascándosela, y se levantó—. He oído que deliraba acerca de formaciones de ataque. Mi propio hijo estuvo más de un año con problemas parecidos después de que regresara de la guerra. Tuvimos que mandarlo a... un sitio durante un tiempo. Su amigo sufrió cierta conmoción, ¿verdad?

Las preguntas eran tan sutiles, tan rápidas, que resultaba complicado imaginar con antelación por dónde iba a salir el astuto policía.

—Pues... sí, cierta conmoción, supongo que sí —dijo Matthew.

—Entonces estuvo allí.

—¿Perdone?

—La «aparición» —dijo, citando la denominación de Matthew—. El fantasma. Antes dijo que estaban intentando ponerse en contacto con él... o con ella. Parece que lo consiguieron. O, al menos, sus amigas de la casa sí que creen que lo hicieron.

Matthew no dijo una palabra.

—¿Eso importa? —intervine yo.

Una vez más, el agente me miró como si acabara de entrar en la habitación.

—Solo intento completar los datos y ordenar las ideas en la cabeza para entender lo que ocurrió, joven. —Habló con tranquilidad, pero me traspasó con la mirada—. Sigamos: ¿vieron ustedes el fantasma?

—Yo no —dije, sin faltar a la verdad.

—Ya. —El agente Moores se volvió hacia Matthew—. ¿Y usted, hijo?

Los dos hombres se miraron de forma desafiante. Una sombra oscura cruzó los ojos de Matthew.

—No la vi —dijo finalmente.

El agente no dejó de mirar a Matthew.

—Entonces puede que su amigo estuviera confuso, o conmocionado, ¿no cree usted?

—No lo sé —dijo Matthew.

—De acuerdo entonces. Hasta aquí hemos llegado, al menos de momento. —El agente Moores se levantó y dejó caer los hombros, como si admitiera la derrota. También recogió el gorro—. No se vaya del pueblo, hijo. Ni usted tampoco, señorita. Puede que tenga que volver a hablar con ustedes.

***

Mientras subíamos a la habitación en la que descansaba Alistair, agarré a Matthew por el codo.

—Igual el policía podría ayudarnos —dije.

—No sé cómo.

—Conoce la zona —respondí—. Y a la gente. Podría ser capaz de llenar las lagunas... para poder averiguar lo que realmente pasó con Maddy.

Negó con la cabeza.

—No nos ayudará. Antes nos metería en una cárcel o en un manicomio. Por lo que respecta a todo el mundo por aquí, Maddy se suicidó, y ya está. No hubo ningún crimen.

—Pero ¿qué me dices del ataque que sufrió antes de que se presentara en casa de los Clare? Eso fue un delito, por supuesto que lo fue.

—Que ya intentaron investigar en su momento. Pero cuando la víctima no desea hacer declaraciones e identificar a sus atacantes, no hay prácticamente nada que hacer. —Vio mi gesto—. Sarah, te haya dicho lo que te haya dicho en el granero, no podemos ir con ello a la policía.

—De acuerdo —dije—. Tenemos que actuar solos. Vamos a ver si Alistair se ha despertado, y os contaré todo lo que sé.

Alistair estaba despierto, en efecto, tumbado sobre las almohadas. Parecía cansado y atontado, pero cuando volvió los ojos hacia nosotros, los que vimos eran los suyos, los ojos de Alistair. Solté un fuerte suspiro de alivio. Había regresado de su mundo de delirios.

—¡Madre mía! —exclamó—. ¡Menudo dolor de cabeza!

Me senté en el borde de la cama. Matthew acercó una silla y se sentó, inclinándose hacia delante.

—¿Estás bien, amigo? Cuando te trajimos estabas fuera de ti.

—Eso parece. —Alistair se tocó la frente con las puntas de los dedos de manera inconsciente—. Me acuerdo del granero... del fuego. ¿Hubo de verdad un fuego? Desde ese momento, mis recuerdos se vuelven confusos.

—Pues sí, claro que lo hubo —confirmé—. Pero todo el mundo está bien.

—Pero entonces el granero ha desaparecido. —Lo dijo dirigiéndose a mí. No era una pregunta.

—Sí —dije de todas maneras.

Los ojos empezaron a brillarle debido a su constante obsesión.

—¡Fascinante! Si ya no hay granero, ¿dónde estará Maddy?

Miré a Matthew un instante. En efecto, ¿dónde estaría?

—No lo sé —tuve que admitir.

Alistair miró al techo, pensativo, como si pudiera encontrar allí las respuestas.

—¡Menudo dilema! Si el lugar donde está la aparición es destruido, ¿qué ocurre con ella? ¿Está indisolublemente unida al lugar, o es independiente de él? ¿Se marcha o sigue apegada a un montón de madera carbonizada?

—Alistair —dije, agarrándolo de la muñeca—. Tenemos que tomar decisiones rápido. Maddy me habló en el granero, antes del incendio. Me dijo muchas cosas, muchísimas.

Alistair me miró de frente; los ojos le brillaban de interés.

—¿Qué te dijo?

Respiré hondo y procuré repetir literalmente todo lo que me había dicho Maddy con su forma de hablar oscura e inquietante.

—Ya sabíamos que cuando llegó a casa de los Clare estaba... herida —empecé.

—Sí, sí.

—Me dijo que había sido... —me detuve y me ruboricé, porque nunca en mi vida había hablado de estas cosas, pero seguí adelante—...violada. Por... por tres hombres. «Eran tres, sobre mí». Eso me ha dicho

Alistair y Matthew guardaban silencio ahora, sin apartar la vista de mí.

—¿Te dijo quiénes fueron? —susurró Matthew.

—Ni siquiera creo que lo sepa —contesté. «Encuéntralos», fue lo que me dijo—. Me... ordenó que los encontrara. ¿No la sentisteis? ¿Su ira? Hubo un momento en el que pensé que me ahogaría.

Alistair parecía sentir desconcierto, pero Matthew se mostró conmocionado.

—Sí. Lo sentí. ¿Eso era... ella?

—Sí. Me dijo que encontrara a los hombres. Y, en cuanto al resto de lo que me dijo, creo que... —Me mordí el labio—. Fue esto: «Pobre pequeña, mirando al cielo con los ojos muy abiertos». Creo que lo que significa es que... encuentre dónde está enterrada

Una vez más, los dos me miraron sorprendidos.

—¿Es que no está en el cementerio de la iglesia? —dijo Alistair.

Negué con la cabeza.

—Creo que no. Me está mandando imágenes, visiones. Muy breves. —Los miré alternativamente a ambos, y caí en la cuenta de que eso no se lo había contado—. Es como una foto, una instantánea, un lugar en el bosque desde el que puedo ver una chimenea de ladrillo rojo por encima de las copas de los árboles.

Alistair y Matthew intercambiaron una mirada. Matthew negó con la cabeza una vez, mientras Alistair se volvía hacia mí.

—No me suena conocido. ¿Dices que está enterrada en ese sitio? ¿Cómo lo sabes?

—¿Cómo sé todo lo demás? —respondí—. Pues no lo sé... al menos a ciencia cierta. Mi testimonio no serviría como prueba en un juicio. Pero me ha enseñado el lugar, y me ha dicho que lo busque. Está furiosa porque la hayan enterrado en cualquier parte. Quiere que cambiemos lo que se ha hecho mal con ella.

—¿Y si no lo hacemos? —preguntó Alistair en voz baja.

Lo miré a los ojos.

—Te quiere a ti. Me dijo que te... llevaría con ella si no hacía lo que me pedía.

—¿Quieres decir que lo matará? —preguntó Matthew.

—No lo sé. Me temo que la cosa terminaría así, lo pretenda o no. Pero Alistair, ella parece que es capaz de... influir en tu mente. Dijiste que tenías un lío en la cabeza. ¿Recuerdas algo después del fuego?

—Apenas recuerdo siquiera el fuego —admitió—. Se me mezclaba todo. Era como en los sueños, ¿sabes?, en los que el tiempo no significa nada, y las cosas no tienen sentido aparente. —Pestañeó, intentando recordar, y noté que el miedo le cruzaba los ojos—. Entonces, ¿puede hacerme eso? ¿Por qué? ¿Por qué, en el nombre de Dios?

—Pues... —Una vez más me sentí avergonzada—. Porque..., eh..., porque le gustas.

—¿Que le gusto? ¡Pero si pensaba que odiaba a los hombres?

—A ti no —le corregí—. Cree que eres... guapo.

Me miró absolutamente perplejo, lo mismo que Matthew, y me di cuenta de que no sería capaz de explicarme. Las chicas que habían estado encerradas en sí mismas, aisladas, que nunca habían sentido los abrazos y caricias de amor de ningún hombre, eran las que, cuando se enamoraban, lo hacían con más fuerza, incluso con furia. Maddy y yo éramos muy distintas en prácticamente todo, pero eso sí que lo entendía.

Maddy quería a Alistair, y estaba decidida a tenerlo. Y si no era capaz de encontrar a los hombres que la habían atacado, ni encontraba el lugar en el que estaba enterrada, se lo llevaría para siempre, sin sentir que eso fuera algo malo. Él terminaría en un manicomio o, posiblemente, muerto, quizá por su propia mano, como lo había hecho ella misma. ¿Y qué le ocurriría a Alistair después de morir?

Intenté librarme de estas funestas elucubraciones y volví a la realidad, al presente.

—Tenemos que hacer algo —dije—. El agente está todavía abajo, me parece. Quizá podría hacer algo, ayudar de alguna manera.

—¡No, no! —Alistair apartó la manta. Aunque acostado en la cama, estaba completamente vestido, y se levantó, mirando el suelo para encontrar los zapatos—. No podemos permitir que la policía se mezcle en todo esto. Es demasiado extravagante. Empezaremos por la señora Clare, la volveremos a entrevistar, y también a la señora Macready. Tal vez recuerden algo que no nos hayan contado. Y después volveremos a la posada. Matthew... ¿la grabadora?

—Pude salvarla del incendio —contestó el aludido—. Pero no la cámara. Lo siento.

—Ya. Bueno, creo recordar que se me cayó antes, y seguramente se rompió antes... antes del fuego, quiero decir. Pero puede que la grabadora haya captado algo. Me gustaría comprobarlo.

—¿Y después qué? —pregunté.

—Después volveremos a visitar al enterrador, a Jarvis —contestó inmediatamente Alistair—. Nos contó que él mismo había enterrado a Maddy. O nos mintió, o alguien lo ha engañado a él. Mi intención es averiguarlo.

La señora Clare estaba sedada, y la señora Macready nos pidió que abandonáramos la casa, rehusando que la entrevistáramos de nuevo.

—Ya hemos tenido bastante por hoy —dijo. Lo cierto es que su rubicundo rostro parecía muy cansado—. No puedo ni quiero más, ni por mi parte ni por la de mi señora. No volveré a hablar con ustedes a no ser que ella me lo ordene, y eso es definitivo, no insistan. —Nos miró, ablandando algo el gesto—. Ustedes también necesitan descansar... todos ustedes. Maddy se ha ido. Puedo sentirlo, experimento una tranquilidad que antes no sentía. Ahora todos podemos descansar.

Pensé en la pregunta anterior que había hecho Alistair. ¿Dónde estaría Maddy con el granero destruido por el fuego? En todo caso, Alistair, con sus maneras dulces y encantadoras, le pidió a la señora Macready que se limitara a transmitir a la señora Clare, cuando despertara, que deseaba hablar con ella. Después dejamos Falmouth House y nos encaminamos a la posada.

Pero ni siquiera habíamos llegado a ella cuando nuestro plan recibió el segundo golpe: la mente de Alistair empezó a volverse errática de nuevo. De entrada, se quejó de dolor de cabeza. Después se inclinó, como si estuviera prestando atención.

—¿Escucháis eso? ¿La música?

Cuando llegamos a la posada, volvía a tener los ojos turbios, y avanzaba dando tumbos. Había vuelto a su ser normal de forma breve, pero se le había ido la cabeza de nuevo.

Procuré ocultar la consternación que sentía mientras le acompañábamos a su habitación, lo dejábamos sobre la cama y Matthew le desabrochaba los zapatos para quitárselos. También oculté el miedo cuando empezó a hablar de nuevo como si estuviera en la guerra. Había logrado volver de esa niebla mental una vez, y quizá volviera a hacerlo. Pero... ¿y si no lo lograba?

¿Qué íbamos a hacer sin Alistair?

Matthew cerró la puerta de la habitación y ambos regresamos hacia el vestíbulo. En ese momento ya no pude evitar un sollozo, que me salió de la garganta. También noté las lágrimas calientes corriéndome por las mejillas.

Matthew me puso las manos sobre los hombros y me miró.

—¡Por Dios, Sarah!

Apenas podía verlo a través de las lágrimas que me llenaban ya los ojos. No era capaz de contenerlas, aunque lo intentaba. Matthew me agarró con más fuerza.

—¡Sarah, no llores! ¿Me oyes? No llores, por favor. —Había una nota de desesperación en su voz, como si él también estuviera a punto de estallar—. No lo hagas, simplemente no lo hagas.

Negué con la cabeza con tanta fuerza que el pelo me golpeó las mejillas, pero no pude dominarme; era imposible. Ya estaba llorando, y no podía evitarlo de ninguna forma. Me soltó y, de alguna manera, en aquel oscuro pasillo, nos acercamos el uno al otro, como si no pudiéramos evitarlo. Solo me di cuenta de que estaba junto a él, sintiendo su calor, y que me resultaba imposible no tocarlo. Le rodeé el cuello con los brazos y apreté la mejilla contra la camisa.

No se resistió. Allí siguió, fuerte y cálido, y entonces elevó ligeramente las manos y me rodeó la cintura, como si estuviera probando, sin fuerza, pero con delicadeza. Olía a humo, y un poco a sudor. Cerré los ojos. Nuestros vientres se tocaban, los cuerpos se atraían como imanes. Me acarició la espalda con una mano, pasándomela por la columna. Noté que le mojaba la camisa, de tela áspera, con mis lágrimas.

Me elevó un poco con la fuerza de sus brazos. Sentí la dureza de la pared del pasillo. Poco a poco, pero con firmeza, apretó el cuerpo contra el mío. Aparté la cabeza de su hombro y él, inmediatamente, inclinó la suya y me besó.

Fue insistente, pero no brusco. Me pasó el pulgar por la barbilla y empujó suavemente para que abriera la boca; sin admitir negativas, introdujo la lengua. Me recordó la textura de la cera caliente, y me produjo una ansiedad, que no era dolor, en el vientre, mientras, de forma instintiva, acoplaba el cuerpo al de él sin ningún esfuerzo. Abrí la boca cuando se ofreció, y le devolví el beso. Lo noté fuerte al tocarlo con las manos, palpé la potencia de su musculatura, que subía y bajaba en los brazos y en la espalda, realizando una especie de respiración flexible. Lo sentí con todas mis terminaciones nerviosas, una y otra vez, deseando más sin conseguirlo. Me colocó una mano sobre la cadera y apretó, de forma que nos acoplamos perfectamente, y me besó con más intensidad. Mi cuerpo recordaba perfectamente el suyo, lo recordaba dentro de mí. Quería que me poseyera de nuevo.

Interrumpió el beso, pero no me soltó. Sentí su cálida respiración en los labios. Algo aturdida, sentí que su mano se deslizaba por el cuerpo, la cintura, la caja torácica. Eran caricias posesivas; me tenía atrapada contra la pared. Me miró a los ojos como si me taladrara, y en los suyos, más oscuros de lo habitual, observé lujuria, aunque también esa inteligencia insólita que lo caracterizaba.

En un principio no pude entender lo que estaba diciendo, tan perdida como estaba en la enormidad de su abrazo y en el sonido de su voz. Pero cuando pude comprender lo que me decía, me sorprendí mucho.

—Acabo de darme cuenta —susurró con tono aún más grave del habitual— de que yo sí que te he contado mi pequeña tragedia. Pero tú no me has dicho nada de la tuya.

—No tengo ninguna tragedia que contar —dije con impotencia.

Negó con la cabeza, aunque con un movimiento casi imperceptible.

—Sí, claro que la tienes. Lo puedo ver en ti. Vi tu gesto en el cementerio. Fue como si lo sintiera físicamente en ti, Sarah. Como si lo paladeara.

Nunca se lo había contado a nadie, y no me salían las palabras.

—No —dije.

Me acarició con los labios, y una ola de calor me recorrió el cuerpo.

—De una forma u otra, me lo contarás.

Me estaba torturando y, de repente y no sé cómo, saqué a relucir una audacia que no sabía que tenía.

—Te lo contaré si vienes a mi habitación esta noche —susurré.

Se retiró mínimamente, aunque sin soltarme.

—No.

—Entonces no lo sabrás. —No le daría una parte importante de mí misma si él no estaba dispuesto a hacer lo mismo.

Finalmente, se apartó, aunque colocó el brazo contra la pared, sujetándome por un hombro.

—No lo entiendes.

—Pues haz que lo entienda.

Me miró fijamente, como si me taladrara con sus oscuros y turbados ojos.

—Ya te lo dije. No volveré.

Creí detectar un mínimo asomo de duda en su voz.

—Entonces, ¿por qué me has besado?

Miró hacia otro lado, pero antes sí que capté, sin lugar a dudas, un gesto de desprecio hacia sí mismo.

—Porque parece que no puedo evitarlo.

Sus palabras me dolieron como un puñetazo en el estómago. Así que eso es lo que era para él, una chica disponible y deseosa. Fácil de usar y tirar. El tipo de chica que hace que un hombre se avergüence de sí mismo. Pude echarme a llorar, y pude abofetearlo. Pero no hice ninguna de las dos cosas.

Se apartó de la pared y se recompuso, recobrando su habitual gesto inescrutable.

—Voy a asearme. Si te parece, nos vemos en el salón privado dentro de... una hora. Me gustaría comprobar la grabadora. Alistair está mal, y no podemos hacer nada al respecto. Tendremos que poner en práctica en plan nosotros solos.

Esta vez fui yo quien miró para otro lado, y respondí en voz baja y tranquila:

—De acuerdo.

Se volvió y se fue sin decir nada. Oí sus pasos, alejándose por el pasillo, y después la puerta de su habitación abriéndose y cerrándose inmediatamente. Dejé escapar un suspiro y me fui a la mía. Aún sentía calor en la cara, y me dolían los ojos de las lágrimas vertidas por Alistair.

En fin, demasiado para la audaz y sofisticada Sarah Piper. Le había dado carta blanca y no se había mostrado interesado. Por supuesto. ¿Por qué iba a estarlo? Un beso, quizá; también una breve visita nocturna en una noche que se sintió incapaz de contener las ganas. Pero repetir la experiencia o buscar algo más... eso no, en eso no estaba interesado.

Me refresqué la cara, avergonzada, con agua y me quité la ropa, que apestaba a humo. Después de quitarme la blusa y la falda, las cepillé con mucho cuidado y pasé un pañuelo húmedo por las manchas. Después de todo, era parte de la ropa nueva que me había comprado Alistair y no quería que se estropeara. Me puse delante del espejo en ropa interior, también nueva, y me miré. Estaba delgada, enrojecida, y tenía el cabello oscuro que me caía en una media melena sobre la piel clara de las mejillas y la frente. Tenía el pelo completamente enmarañado, con mechones cortos que se entrecruzaban sin orden ni concierto. Nadie se atrevería a decir que era guapa. Agarré el bonito cepillo plateado que había sobrevivido al allanamiento de la habitación y me lo pasé con cuidado por el pelo.

Cuando volví a mirarme al espejo, reparé en las vendas blancas que aún tenía en los brazos. Todavía me dolían las zonas en las que me había agarrado Maddy, pero no me había mirado las rozaduras, como le había prometido a Matthew que haría. La verdad es que estaba demasiado asustada. La visión de esas marcas sobre mi propio cuerpo, blanquecinas, que parecían de tiza, me había enervado y no había querido repetirlo.

Pero ahora necesitaba demostrarme algo a mí misma: que era valiente, tal vez, o que no necesitaba la ayuda de Matthew. Dejé el cepillo y, utilizando la mano derecha, deshice el vendaje del brazo izquierdo.

La marca aún estaba allí, pero su forma había cambiado. Seguía formando una especie de banda, larga y gris, alrededor del brazo, pero más estrecha. Observé su forma con un horror distante, si es que tal cosa puede darse, como si estuviera viendo a otra persona a través de una ventana. Repetí la operación con la mano izquierda para dejar a la vista el brazo contrario. Era exactamente igual. Las formas eran casi imágenes especulares, prácticamente iguales.

Huellas de manos.

Eran demasiado estrechas para ser completamente humanas, y las palmas y los dedos demasiado alargados. Pero, una vez desaparecida la hinchazón y el color morado, pude ver con claridad las formas ovales de las palmas, los dedos estrechos y el color gris más oscuro en las zonas en las que esos dedos habían apretado más la piel. Pude ver también, separándose elegantemente en forma de V, la sombra absolutamente clara, aunque antinatural, del largo dedo pulgar. En la zona de las palmas, la piel tenía el mismo aspecto blanquecino que al principio.

Conforme miraba, iba dando respiraciones más cortas. Noté que la sangre me golpeaba los oídos. Tenía las huellas de Maddy sobre el cuerpo, la huella de su carne muerta. Y quizá lo estaría para siempre. «Besaré a tus hijos...».

Me quedé mucho rato allí de pie, mirando. Después respiré hondo y me agarré las marcas con ambas manos.

La habitación desapareció instantáneamente. Vi la ya familiar chimenea roja entre las copas de los árboles. Me invadió un sentimiento de pánico, también familiar, y deseé retirar las manos, pero me obligué a no hacerlo. Esto era importante. «Te lo he enseñado», había dicho Maddy. Me hacía tener esta visión por algún motivo. Tenía que mantenerme en calma y mirar con detenimiento.

Lo que me sorprendió esta vez fue el ángulo de visión. Estaba mirando las copas de los árboles, pero no a su nivel. Las veía desde el suelo, desde un punto de observación. Calculé que al final de un grupo de árboles a unos cincuenta metros de distancia, lo que me permitía ver tanto las copas como la chimenea. Pero estaba en el suelo. Bastante abajo, sobre el suelo...

Demasiado abajo. No estaba de pie. Estaba tumbada.

Y había algo muy extraño. Me costaba respirar. Algo me apretaba, me ahogaba. No tendría que estar ahí, tumbada. El pánico me invadió el pecho. Si pudiera levantar la cabeza y mirar...

Un toque en la puerta se deslizó en mi visión. Di un respingo, se me escapó un jadeo y solté los brazos. Escuché una voz a través de la gruesa puerta de madera. La de Matthew.

—Sarah, ¿estás bien?

Miré el reloj de la repisa de la chimenea, y casi me puse enferma. Me había pasado allí de pie cerca de media hora, con las manos sobre los brazos, perdida en la visión de Maddy. Y me habían parecido solo unos segundos.

—¿Sarah?

Me miré. Aún estaba en ropa interior, por supuesto. ¿Cómo era posible que el tiempo transcurriera de esa forma?

—Sí —contesté con voz temblorosa, solo para que a Matthew no se le ocurriera abrir la puerta. De todas maneras, tampoco él deseaba verme en ropa interior—. Me estoy vistiendo. Bajaré dentro de un momento.

—De acuerdo. —La voz de Matthew parecía un gruñido apagado—. Quiero que escuches algo.

CAPÍTULO 20

Cuando llegué tenía la grabadora encendida y los auriculares conectados. Había una bandeja con comida sobre la mesa: un buen plato de carne guisada, pan, queso y algunos bocadillos pequeños. Había también un plato vacío, lo que indicaba que Matthew había dado cuenta de su comida mientras me esperaba.

Estaba de pie junto al aparador, llenando un vaso de agua de una jarra. Se había cambiado, y ahora llevaba una camisa limpia y un jersey de botones bastante gastado, que en su momento debió de ser de color verde intenso. Había perdido parte del color, seguramente por los muchos años de uso continuado, y ahora era de un verde suave que contrastaba con su pelo y sus ojos oscuros.

—Deberías comer algo —dijo.

—No tengo hambre.

—De todas formas, come.

Me senté frente a la bandeja. Parecía que íbamos a fingir que la escena del pasillo oscuro del piso de arriba no había tenido lugar. Yo seguía enfadada y dolida, pero, al parecer, Matthew estaba como si tal cosa. Era poco más de mediodía, pero la mañana se me había hecho larga, casi eterna, y teníamos trabajo que hacer por la tarde. No podíamos descansar. Maddy no lo haría.

Tomé un poco del estofado y empecé con uno de los bocadillos.

—¿Has escuchado la grabación? —pregunté.

—Sí. —Matthew se bebió el vaso de agua de un trago, sin dejar de mirarme. Para variar, no pude ni acercarme a leer sus pensamientos.

—¿Qué se oye?

—Termina de comer. Puede esperar.

Alarmada, dejé el bocadillo en la bandeja.

—¿De qué se trata?

Suspiró.

—Por lo que se ve, nunca haces lo que se te dice, ¿no?

—Trabajo para Alistair, no para ti.

—Simplemente he pensado que te vendría bien comer algo, muchacha. Eso es todo.

—Pues ya he comido —dije, enfurruñada—. ¡Haz el favor de poner la grabación!

Dejó el vaso de agua y me pasó los auriculares.

—La encendí para grabar mientras estábamos en el granero, y me puse los auriculares, pero solo escuché...

—Ruido de fondo —me adelanté, acordándome de que se había quitado bruscamente los auriculares para después apretarse con fuerza los oídos. Todo había sido muy confuso, la escena en su conjunto, como un sueño sin pies ni cabeza—. Tú oías ruido de fondo, y Alistair escuchaba música.

—Y tú a Maddy. —Siguió el hilo—. Pensé que todo lo que iba a escuchar en la cinta sería ruido de fondo, pero para la grabadora hubo una actuación especial.

Al principio pensé que no se oía nada. Parecía que la grabadora solo había registrado una especie de siseo, que atribuí al movimiento de la cinta. Pero después el siseo cambió de tono, y me di cuenta de que, al fin y al cabo, sí que se había grabado algo. Era el sonido que hacen los árboles cuando los mueve el viento.

Cerré los ojos y escuché, concentrándome. El sonido de la brisa variaba de intensidad. En la distancia sonó el canto de un pájaro. Recordé la escena que había contemplado arriba, en mi habitación, las copas de los árboles oscilando y el azul del cielo. Maddy volvía a ofrecerme esa escena, esta vez su sonido. Evidentemente, no había forma de comprobar que fuera eso lo que estaba pasando, pero a mí no me cabía la menor duda. Simplemente lo sabía con seguridad.

Un chirrido seco rompió la paz, y me estremecí en la silla. Era una especie de gemido, de respiración entrecortada y penosa, que salía de una garganta dolorida. Lo último fue un sollozo, y después otro, y otro. Eran el sonido del pánico y de la desesperación en estado puro.

«¿Dónde estoy?», dijo la voz de Maddy.

Era ella, y sin embargo sonaba diferente a mis oídos; en la grabadora sonaba con menos intensidad que dentro de mi cabeza, más como una chica viva. El tono irrespetuoso y burlón, la furia, la petulancia, todo eso había desaparecido de su voz. Parecía sola, y bastante asustada.

«¿Dónde estoy?», preguntó de nuevo.

Otra vez el chirrido, y después la voz: «No, no, no...». Había tanta desesperación en las palabras que me llevé la mano a la frente y me obligué a seguir escuchando, pese a que me hacía sufrir. «No, no... ¿Qué me ha pasado?».

Negué con la cabeza. ¿Qué era eso? ¿Acaso Maddy no sabía que estaba muerta? ¿Se habría olvidado del suicidio, de que se había colgado por su propia voluntad? ¿Qué significaba aquello?

Otra vez el chirrido. «¡Corre!», dijo Maddy. «¡Corre!».

Y, con un sonido seco, la grabación se detuvo.

Me quité los auriculares y me quedé sentada un buen rato, sin decir palabra. Matthew estaba de pie junto a la ventana, mirando al exterior. Ninguno de los dos decíamos nada.

—No tiene sentido —espetó finalmente Matthew—. Encendí la grabadora, después la apagué, y después la volví a encender. En algún momento se apagó por sí misma, no recuerdo exactamente cuándo. Y después volvió a encenderse sola otra vez.

—Sí, es cierto. —Recordé ver que la grabadora se encendía sola, justo antes de que la señora Clare estrellara la lámpara de aceite contra el suelo—. Y, sin embargo, es una grabación sin interrupciones.

Matthew se encogió de hombros, sin dejar de mirar por la ventana.

—He renunciado a intentar explicármelo. A decir verdad, he renunciado a explicarme todo lo que está pasando.

—Es el sitio en el que está enterrada —dije—. El sitio entre los árboles, junto a la chimenea de ladrillos rojos. Nos está diciendo que no sabe dónde está. Y parece... confundida, como si no supiera que está muerta.

Matthew apartó la vista de la ventana y, por fin, me miró.

—«Pobre niñita muerta». ¿No fue eso lo que te dijo?

—Sí.

—¿Y qué puede significar lo de «¡Corre!»?

Sentí en el pecho una opresión de puro pavor.

—No lo sé. —Al ver su gesto, entre turbado y afligido, le hice por fin la pregunta que estaba deseando plantearle desde que salimos del granero.

—La viste, ¿verdad?

Aunque dirigía los ojos hacia mí, en realidad parecía como si estuviese mirando hacia dentro de sí mismo, como si la estuviese viendo de nuevo.

—Sí.

—¿Qué aspecto tenía?

Juntó las cejas mientras hacía el esfuerzo de acordarse y después de describirla.

—Solo vi una figura. Blanca. Con el pelo largo y negro que le caía por la espalda. Ojos negros grandes y oscuros. Se movía extraordinariamente rápido. —Hizo una pausa antes de proseguir—. Llevaba un vestido, aunque quizá también podría tratarse de un camisón. En todo caso, era largo. Su aspecto era poco definido, aunque sí que había algo muy chocante... Me refiero a las proporciones.

—Sí. —Pensé en las marcas de formas inconcebiblemente largas que me había dejado en los brazos.

Me miró sorprendido, y se lo expliqué. Pesaroso, negó con la cabeza.

—Esas marcas me preocupan.

Yo cambié de tema sin hacer ningún comentario.

—En un momento dado, miraste hacia arriba, y yo oí un crujido. ¿Estaba... estaba...?

—Colgada, sí. —Hizo un gesto de estremecimiento—. Se me mostró así, colgada de una de las vigas. Tiene que ser consciente de que está muerta, Sarah.

Pero ¿por qué solo había mostrado su figura a Matthew? ¿Por qué no la habíamos visto ni Alistair ni yo? Matthew tenía toda la razón: si intentábamos buscar alguna lógica en todo esto, nos volveríamos locos. Y, mientras tanto, Alistair estaba en su habitación, inmerso de nuevo en una guerra a la que ella lo había vuelto a enviar, y que esta vez estaba empezando a perder.

***

Cuando volvimos a buscarlo allí el señor Jarvis, el enterrador, no estaba en el cementerio de la iglesia de Waringstoke. Tampoco en el edificio de la iglesia, aunque sí el propio vicario, en mangas de camisa y pantalones marrones de diario, arreglando el templo con cuidado después del servicio. Bastante sorprendida, recordé que era domingo.

El domingo era el día libre del señor Jarvis, pero el vicario nos indicó la dirección de su casa, que estaba muy cerca. Matthew y yo nos dirigimos al lugar, disfrutando de la soleada y fresca tarde de primavera.

No hablamos. Matthew seguía turbado y perdido en sus pensamientos, seguramente oscuros si me guiaba por la cara que ponía. Yo me sentía más o menos igual, y me habría gustado poder hablar con alguien. Pero no era el momento de forzar a Matthew, pues enseguida vimos la pequeña casita de una planta, en la que al parecer vivía el señor Jarvis.

Estaba en casa, aunque no parecía muy dispuesto a dejarnos entrar, manteniéndonos allí de pie, en un jardín descuidado, lleno de malas hierbas y cardos que crecían sin control. A mí me dedicó una mirada especialmente hostil, con aquellos ojos oscuros y de mirada profunda y sombría. Iba en mangas de camisa, igual que el vicario, y debajo asomaba una camiseta. Los pantalones que vestía estaban reforzados con rodilleras, y me sorprendió notar que, pese a que sobrepasaba con creces los sesenta años, aún tenía los hombros anchos y una buena musculatura en brazos y piernas. Puede que un hombre que se ganara la vida cavando tumbas tuviera que ser más fuerte de lo normal, aunque, de todas formas, tanta potencia física me resultó inesperada.

Nos miró alternativamente a los dos antes de hablar.

—Los buscadores de fantasmas —fueron sus palabras de saludo.

—Sí —confirmó Matthew, sosteniéndole la mirada con gesto de cierto desafío.

Finalmente, el señor Jarvis se encogió de hombros.

—Muy bien, entren, por el amor de Dios. Pero que sea breve. Hoy es mi día de descanso, y quiero aprovecharlo —dijo, y se apartó del umbral.

Le seguimos hasta una pequeña habitación, sucia y descolorida. Junto a una pared había un sofá desvencijado y polvoriento, tapizado con una tela de flores, y un sillón a juego enfrente. Un gran aparato de radio ocupaba buena parte de la pared más estrecha de la habitación, y al lado una mesa llena de platos, usados y muy sucios, y de botellas de cerveza vacías. Había una chimenea sin encender y una repisa sobre ella, adornada con un reloj de madera tallada, de una talla muy compleja, y no menos polvoriento que el resto del mobiliario. El reloj estaba pintado, con poca maña, con pájaros cantores y hojas de árboles.

—No voy a ofrecerles té —dijo ásperamente el señor Jarvis—. Centrémonos en el asunto directamente. Como ya les he dicho, no tengo toda la tarde.

Me senté en el sofá. Matthew se acercó a la radio y la miró con curiosidad.

—Es un magnífico aparato —comentó.

El señor Jarvis, que estaba de pie junto a la puerta, se metió las manos en el bolsillo del pantalón y emitió un gruñido.

—Sé algo de radios —dijo Matthew. Se inclinó, la estudió de cerca y se incorporó de nuevo.

—Mi programa favorito de los domingos empieza dentro de un cuarto de hora —dijo el señor Jarvis con impaciencia—. Nunca me lo pierdo.

—De acuerdo, de acuerdo. —Matthew me echó una rápida mirada, y después volvió la vista hacia Jarvis—. Venimos a hablar de la joven sirvienta, Maddy Clare.

El hombre se encogió de hombros, pero le brillaban los ojos.

—Han convencido a la señora Clare de que hablan con los fantasmas, ¿no es eso? Pero eso a mí me parece una patraña de charlatanes.

Matthew no apartó la mirada.

—Señor Jarvis, voy a ir directo al grano. ¿Hay alguna posibilidad de que Maddy Clare no esté enterrada en ese féretro del cementerio de la iglesia?

El señor Jarvis se quedó rígido.

—¡Ah, vaya! ¡Así que ese es su cuento! ¡Que están recibiendo mensajes desde el otro mundo! Lo que quieren es remover la mierda, ¿verdad? —Se volvió a mirarme, y después volvió la vista de nuevo hacia Matthew—. No hay ningún fantasma, eso lo sabemos todos aquí. ¿Quién está hablando con ustedes en realidad?

Matthew se encogió de hombros.

—Solo nos dedicamos a investigar, señor Jarvis.

—Ustedes no son nada más que unos impostores. —Se volvió hacia mí—. Y sobre todo usted. —No pude evitar sonrojarme, recordando la teoría de la señora Barry acerca de que yo era una especie de «experta en fantasmas», y contratada ex profeso por Alistair. Al parecer, ese rumor se había abierto paso y calado hondo entre los habitantes del pueblo.

—Señor Jarvis, ¿está usted casado? —pregunté.

Eso lo desconcertó, y reaccionó mirándome dura e intensamente. Había sido un contraataque mínimo, pero hizo que me sintiera algo mejor.

—Hace mucho que me dejó, señorita. Se marchó en 1912, Dios sabe adónde. Nunca he vuelto a saber nada de ella. Puede que haya muerto. Y no me importaría nada.

Se me revolvió el estómago, pero asentí. Ya me había dado cuenta de que, en su momento, una mujer había decorado la habitación en la que estábamos, pero también que llevaba mucho, mucho tiempo sin ocuparse de ella. Ahora era el sucio habitáculo de un hombre que se dedicaba a escuchar la radio, beber cerveza y comer sin limpiar los platos.

—Seguimos una pista —dijo Matthew para volver al asunto y captar de nuevo su atención—. No voy a revelar la fuente, pero alguien nos ha dicho que Maddy podría no estar enterrada donde todo el mundo piensa que está. Y hemos decidido averiguarlo.

Su frialdad era impresionante. ¡Una pista! Hacía menos de media hora que habíamos escuchado esa horripilante grabación que, ni más ni menos, no debería existir. Y ahora le estaba insinuando al señor Jarvis, como si lo hubiera escuchado en una reunión o una pequeña fiesta privada, que Maddy Clare no estaba en su féretro, sino superficialmente enterrada en el bosque. Y todo como si lo único que sintiera fuera simple curiosidad por ello, y se preguntara el porqué casi despreocupadamente.

El señor Jarvis lo miró de arriba abajo mientras estaba allí de pie, junto a la radio, con su habitual expresión impenetrable.

—¿Juega usted al *rugby*? —preguntó.

—Cuando tengo tiempo —contestó Matthew, lo que me dejó bastante sorprendida.

—Me lo imaginaba —dijo Jarvis asintiendo—. Yo también jugaba cuando era joven. La clave del *rugby* está en los hombros. Seguro que es usted un buen jugador.

—No soy malo del todo. —Recordé los hombros que tenía Matthew, los músculos de los brazos y de la espalda, y una parte de la curiosidad que sentía acerca del porqué de su potencia se sintió satisfecha.

—El programa que le gusta empieza dentro de cinco minutos, señor Jarvis. ¿Me va a contestar o no?

Jarvis entrecerró los ojos.

—Se cree usted muy listo, ¿verdad? Por lo que veo los dos, en realidad. Muy bien, de acuerdo. Voy a contestar a su maldita pregunta, que parece tan importante. Esa chica está en su tumba del cementerio de la iglesia, que es donde debe estar. Yo la enterré. Respondo de ello. Si no me creen, pregúntenle al agente Moores. Fue él el que cortó la cuerda en el granero, y también vio cómo la enterraba. Y, si les parece, intenten convencer a la señora Clare de que extraigamos el féretro. ¿Por qué no lo intentan? Vuelvan a engañar a esa mujer, otra vez, como llevan haciendo desde no sé cuándo. Lo único que conseguirán será sacar de donde debe estar el cuerpo a medio descomponer de esa chica. Yo enterré a Maddy Clare, señor buscador de fantasmas. La conversación ha terminado.

Tras ese inesperado discurso se produjo un largo silencio. Miré un momento a Matthew y vi mis propios pensamientos reflejados en sus ojos. El agente Moores no nos había dicho que había sido él quien descolgó a Maddy de la viga del granero.

—Pues muy bien —dijo Matthew, al tiempo que yo me ponía de pie—. Ya sabe dónde puede encontrarnos.

—Sí, sé que paran en la posada. Todo el mundo lo sabe en el pueblo, señor buscador de fantasmas. Usted, su amigo rubio y también su «investigadora especial». —Me miró con desdén—. Su fuente y ustedes siguen una pista falsa, ¿saben? No hay ningún misterio en lo que respecta a esa joven criada. No era más que otra de tantas chicas que se suicidan, ni mejor ni peor que las demás.

—¿Usted la conocía? —dije, muy sorprendida.

—No me hacía falta —contestó, volviéndose hacia mí—. He conocido a muchas como ella, señorita. —Sus ojos centellearon—. Chicas parecidas a usted, ahora que lo pienso.

Me estremecí de temor. En ese momento, Jarvis, ese hombre tan fuerte y amargado, dejó de parecerme un personaje curioso, o digno de lástima. Si un hombre así deseara de verdad hacerme daño, no tendría la más mínima oportunidad de librarme de él. Me di cuenta de que lo sabía, y me miró mientras yo caía en ello, presa del pánico.

Matthew agarró a Jarvis de la camisa, despacio, casi con suavidad, y tiró de él para acercárselo.

—Hasta aquí hemos llegado —dijo con voz fría como el acero—. Se acabó.

La reacción fue de sorpresa, pero la cubrió con una risa burlona.

—Entonces eso es todo lo que va a hacer, ¿no? No me sorprende.

Matthew se quedó callado. Apretó con más fuerza la camisa de Jarvis, y pude ver cómo los nudillos se ponían blancos. Pensé por un momento que iba a dar rienda suelta a toda la furia que había acumulado. Casi podía sentir las oleadas de rabia que lo recorrían.

El señor Jarvis nos miró alternativamente a Matthew y a mí con ojos inciertos, hasta que finalmente lo soltó. Dejé salir el aire de los pulmones; no me había dado cuenta de que había estado conteniendo la respiración.

Salí de la casa siguiendo a Matthew. Notaba gotas de sudor frío por la espalda, y también los latidos del corazón casi en la garganta. Sentí que Jarvis nos miraba desde atrás, aunque supe, sin necesidad de volverme, que nosotros no seríamos capaces de verlo a él a través de las sucias y estrechas ventanas de la casita. Nos observaba, y lo hacía desde las sombras.

Matthew esperó hasta estar fuera del alcance de su vista, y después se detuvo y me sujetó por los hombros. Clavó los ojos en mí.

—¿Estás bien?

Le sonreí mínimamente al sentir la calidez de las manos.

—Sí. Un poco sobresaltada, quizá. Pero bien, sí.

Noté cómo se relajaba, perdiendo la tensión, pero no me soltó los hombros. Parecía molesto consigo mismo.

—Alistair habría manejado esto mejor.

Levanté una mano para ponerla sobre la suya.

—Lo has hecho muy bien, y te lo agradezco.

Sin querer, le toqué la cicatriz de la muñeca, y él retiró la mano. Elevó un poco la mirada y la fijó detrás de mí, en algo que yo no veía.

—Tenemos que irnos.

Me volví a mirar. Había dos grandes cuervos, absolutamente negros, posados en las ramas más bajas de un árbol cercano, mirándonos fijamente. En ese momento llegó un tercero y se posó en la misma rama.

Intenté evitar un estremecimiento y salí andando con Matthew, camino del pueblo.

CAPÍTULO 21

Cuando anocheció sentía agotamiento y malestar. No tenía ningún dolor ni molestia corporal, pero me sentía enormemente cansada, como si llevara una semana entera sin dormir. Era una depresión mental, una sensación de impotencia, de la que no me libré ni cuando me tumbé en la cama esa noche.

El médico había venido y se había vuelto a marchar. Alistair no había mejorado. De hecho, había empeorado bastante, pues ni siquiera reconoció al doctor y apenas fue capaz de responder a sus preguntas. No había probado bocado de lo que le habíamos llevado para comer y cenar, ni tampoco había bebido agua.

—Este hombre debería irse a su casa —dijo el doctor con mucho énfasis.

Matthew no dijo nada ante la demanda, más que sugerencia, del médico. Pero cuando se marchó se derrumbó en un sillón con la cabeza entre las manos, y el verlo así confirmó por completo mis funestas expectativas.

—No puede irse a casa, ¿verdad? —dije en voz baja.

—No. —Matthew se frotó la frente sin levantar la vista—. Allí no tiene a nadie, salvo un grupo de sirvientes casi inanimados, a los que no les importa nada.

«Y esto va a ir a peor». La frase estaba ahí, flotando en la habitación, aunque nadie la hubiese dicho. No podíamos engañarnos pensando que Alistair iba a poder recuperarse por sí

227

mismo. Después de todo, lo que sufría no era una enfermedad como otras.

Alistair no podía cuidar de sí mismo, y unas criadas y un mayordomo no serían de ninguna utilidad. Cuando el médico supiera que Alistair no tenía familia, y antes o después terminaría averiguándolo, la única opción sería ingresarlo en un hospital.

Hice un ruido con la boca al seguir esa línea de pensamiento y llegar a la conclusión lógica del mismo.

—Lo encerrarán —dije—. Lo...

—¡Ni se te ocurra decirlo! —exclamó Matthew—. Ya tuvimos suficiente ración de hospitales durante la guerra. No tengo la menor intención de dejar que lo manden a otro, que además sería un siquiátrico.

—Puede que podamos demorar las cosas un poco —dije—. ¿No se necesita la autorización de un familiar para que envíen a alguien a uno de esos lugares? Puede que tenga parientes lejanos con los que podríamos ponernos en contacto. Y también estaría bien consultar con un abogado. Podríamos decir que se debe esperar a que...

—Sarah, si sigue negándose a comer, no habrá retrasos que valgan. O va a un hospital o se muere de inanición.

—Podemos contratar una enfermera —dije.

—¿Con qué dinero?

—Alistair tiene mucho dinero.

—Si ha perdido la razón, ¿cómo vamos a poder hacer uso de ese dinero? No tiene a nadie, Sarah.

Bajé la mirada y la fijé en las manos.

—No voy a dejarle ir sin luchar, exactamente igual que tú.

—Solo hay una manera de salir de esta situación. Maddy tiene que dejarlo en paz. Y además pronto, antes de que empiece a morirse de hambre.

«Maddy tiene que dejarlo en paz». Mientras subía las escaleras camino de mi habitación, me sentí frustrada e impotente. En este pueblo había alguien que sabía algo, el señor Jarvis, o la señora

Barry, o el agente Moores, o el hombre que había puesto patas arriba mi habitación. O el hombre al que había visto observándonos. ¿Fue el mismo, o fueron distintos? ¿Habría sido Jarvis el que había revuelto mis cosas, buscando lo que fuera? ¿Sabían algo la señora Clare y la señora Macready que no nos querían decir?

La respuesta estaba muy cerca, podía sentirla, todavía inaprensible pero escondida en mi cerebro, entrando y saliendo de mis pensamientos. Faltaba algo, una pieza pequeña pero clave. Una pieza que lo pondría todo en su sitio si era capaz de descubrirla y de colocarla... o si alguien nos contara la verdad.

Me puse el voluminoso camisón y me senté en el borde de la cama. La criada había hecho su trabajo, y las sábanas blancas de la cama estaban limpias y planchadas, colocadas y dobladas con precisión milimétrica en las esquinas del colchón. Pese a su limpieza, la cama estaba fría, así pasé la mano por la suave manta de lana para sentir su calidez. Una mínima corriente de aire se abrió paso por la habitación y me enfrió los pies. No tenía ni idea de que, en esta época del año, las noches fueran tan frías, pero pensé que, en aquella zona, en medio del campo, no sería tan raro.

Me froté la planta de un pie con el otro para entrar en calor. Cuando fuimos a verlo, Alistair no nos había respondido. Tenía la vista clavada en el techo, sin hacer caso, ni probablemente oír siquiera, lo que le decíamos. Me fastidió muchísimo tener que dejarlo solo, pero estaba tan cansada que casi no me podía ni mover. Me sentía como si me hubiera cubierto una pesada y fría manta, que apenas me permitía moverme. Alcé los pies del suelo, me tumbé en la cama y me tapé con la cálida manta.

En la habitación había una corriente, estaba más que claro. Notaba muy fría la punta de la nariz. Me tapé completamente con el embozo y fijé la vista en la oscuridad del techo. Tenía la mirada cansada y a veces perdía el foco. Me imaginé que algo se movía entre las sombras de las vigas, como una especie de volutas de humo.

Fuera, en el pasillo, una puerta se cerró de golpe.

El ruido hizo que me despertara del todo. La puerta de Matthew estaba a la izquierda de la mía, y la de Alistair a la derecha. El sonido había venido de la izquierda. ¿Quién habría dado un portazo como ese? Alistair no, desde luego. Y nosotros éramos los únicos huéspedes de la posada. ¿Una criada, quizá? No había visto a ninguna al subir, ni había oído nada, pero era posible que hubiera venido por la escalera de servicio después de que entrara en mi habitación.

Sí, sin duda tenía que tratarse de eso, porque ahora podía escuchar el sonido de alguien que arrastraba los pies en el pasillo. Un sonido bajo, amortiguado, pero no furtivo; lo más probable es que estuviera teniendo cuidado para no hacer ruido. Después, un golpe indefinido contra la pared del pasillo. Tal vez estuviera llevando ropa de cama, o toallas, e hizo ese ruido al tropezar.

Podía aprovechar para pedirle otra manta, porque todavía tenía frío. Pero debía de estar incluso más cansada de lo que había pensado, porque se había apoderado de mi cuerpo una gran languidez y era incapaz de moverme. No obstante, y pese a lo confuso de mis pensamientos, empezaron a sonar señales de alarma en mi cerebro, y pensé que quizá me estaba pasando algo malo. Lo cierto era que no podría dormirme estando así. Eso fue lo último que pensé antes de cerrar los ojos.

Y entonces, sin transición, empecé a soñar.

¿Cómo podría describir el sueño que tuve? Incluso ahora, cuando pienso en ello, me invade un horror indescriptible, un miedo primario, ancestral, ascendiendo de las profundidades del cerebro, como si procediera de un cuerpo muerto y hundido en las aguas de un lago muy profundo. Hacía frío, muchísimo frío. Yo estaba fuera, con el camisón, y los pies descalzos sobre la hierba húmeda de rocío. Cruzaba el corto claro que había antes de llegar a los árboles, y me dirigía al punto en el que había visto al hombre observándome. El lugar con el que había soñado previamente, y en el que vi también a la señora Barry. Me dirigía indefectiblemente a ese lugar, pero también era cierto que no quería ir.

Seguía avanzando. Con el frío, apenas notaba otras sensaciones, como las espinas que se me clavaban en las plantas de los pies descalzos y que daban paso a un helado entumecimiento. A partir de cierto momento noté ramas, cuando tras la hierba llegó la oscuridad y la niebla del bosque.

No quería andar entre los árboles. Tenía claro que no quería meterme allí, en plena oscuridad. Pero tuve que hacerlo, porque, de repente, una especie de pinchazos entre los omóplatos hicieron que me diera cuenta de que alguien me estaba siguiendo.

«¡Corre!», exclamó Maddy. «¡Corre!».

Salí corriendo. El suelo era muy desigual, y resultaba difícil moverse por él, así que tenía que apretar con fuerza los dedos de los pies para mantener el equilibrio. Apenas podía respirar. Surgían ramas de todas partes que me golpeaban y me arañaban las mejillas, el cuello, los brazos, las piernas... Detrás de mí oía un jadeo. Corrí aún más deprisa.

No sabía hacia dónde iba, ni siquiera qué dirección había tomado; no había ningún sendero. En el momento en que los vi, me metí entre los huecos que dejaban los árboles, intentando evitar los obstáculos que surgían de la oscuridad de la noche. Podía escuchar a las aves nocturnas arañando las ramas en las que estaban posadas.

Oí correr agua, había un arroyo o un río en alguna parte, y cambié bruscamente de dirección para evitarlo. No quería encontrarme con el río, ni con lo que pudiera esconder. Ubiqué su sonido a mi izquierda y seguí corriendo, procurando no acercarme al curso de agua. El bosque parecía interminable. Me ardía la garganta. Me di cuenta de que mi perseguidor había perdido el rastro por unos segundos, pero enseguida volvió a localizarme. Sus pisadas eran firmes y constantes. Procuré no romper a llorar debido al pánico. «¡Sin hacer ruido!; si quiero escapar, no debo hacer ruido».

Noté que llegaba a un claro del que salía un sendero que se internaba en una zona estrecha y erosionada, entre los árboles.

Me lancé hacia allí, y estuve a punto de pararme de puro miedo. En el sendero había algo... algo completamente diferente del atacante que me seguía. Un ente del que sabía, sin entender por qué, que era absolutamente malévolo, y que me hacía señas. «Entra en el sendero. Entra en el sendero». Me puse las manos sobre las rodillas y jadeé, doblada sobre el vientre, intentando controlar las arcadas. Algo me esperaba en el sendero, y si corría hacia ello, fuera lo que fuese, me atraparía, y, ¡por Dios!, sería...

Oí detrás de mí el ruido de los arbustos, lo que me empujó a seguir moviéndome. Corrí por el sendero, intentando no tocarlo apenas con los pies y, de hecho, cuando me interné en él, hasta imaginé que unos dedos helados intentaban agarrarme de los tobillos. Mi perseguidor había ganado un tiempo precioso; ahora podía escucharlo mucho más cerca, y comiéndome cada vez más terreno. No pude evitar soltar un sollozo. Todo era inútil, completamente inútil. Estaba perdida en el bosque, como un conejo entre cazadores, y jamás podría volver a casa y ponerme a salvo. Correría hasta que me agarrara y me matara, y nadie lo sabría nunca...

Atravesé unos arbustos bastante densos y me detuve. Debido al miedo que sentía, había perdido la pista del agua, y allí estaba, una corta ladera que conducía a las orillas de un río, llenas de lodo. Estaba atrapada entre una enorme acumulación de rocas, a mi izquierda, y un montón de arbustos espinosos a mi derecha, imposibles de atravesar. Durante un momento me quedé allí, sin moverme, helada, paralizada por el miedo, incapaz de seguir hacia delante. Porque en el río... en el río había algo.

Y en ese mismo instante supe lo que era. No podía haber nada peor.

Caí de rodillas. Así que, en cualquier caso, moriría. Pero ya no me importaba. En la orilla del río pude ver una silueta blanca, enredada entre la maleza. Un brazo, una mano hinchada con un anillo de casada en un dedo. La antigua pesadilla que se introducía en esta. Nunca podría escapar de ella. La visión hizo que emitiera un gemido, un quejido de horror, un sonido de pena pura, indescriptible.

La cosa, fuera lo que fuese, pasó entre los arbustos que tenía al lado y me agarró.

Pateé, me revolví, pero no pude librarme. Me sujetaba con manos fuertes, grandes y calientes, que me quemaban la piel como si fueran de fuego, y me hacían mucho daño en el brazo. Me lanzó al suelo y se sentó sobre mi espalda, hablándome con una voz que me hizo sentir punzadas de miedo por todo el cuerpo, como si me cortara en trozos con un cuchillo muy afilado. Sollocé, con la cara hundida en el lodo.

Lo que fuera que tuviera sobre la espalda se quedó quieto, como si algo hubiera captado su atención. Alcé la cabeza como pude y logré ver, en la orilla, pero algo más lejos, una sombra que se internaba entre los árboles. Así que, después de todo, no estábamos solos. La cosa del sendero también había venido.

En ese momento, el monstruo que tenía sobre la espalda se inclinó sobre mí, y pude sentir su respiración en la mejilla. Cerré los ojos y no supe nada más.

CAPÍTULO 22

Cuando abrí los ojos ya no vi el río, ni los árboles, ni el lodo. Estaba en la cama de mi habitación de la posada.

Me di la vuelta y miré al techo. Así que había sido un sueño, horrible y terrorífico, pero solo un sueño.

—¡Estás despierta! —Era una voz suave y de tono bajo.

Volví la cabeza. En la azul semioscuridad reconocí a Alistair, que estaba a los pies de la cama, con los brazos cruzados sobre el pecho. Me miraba y supe que estaba en su estado normal, y con un pequeño rictus de humor en el gesto. Lo miré asombrada, preguntándome si aún estaría soñando.

Se acercó un paso.

—Me ha dejado un rato —dijo, respondiendo a la pregunta que no había hecho en voz alta pero que sí había pensado—. Soy yo mismo.

El mundo se estaba recolocando a mi alrededor, después de volverse del revés durante mi pesadilla.

—¿Qué estás haciendo aquí?

—Pensamos que alguien debía quedarse contigo hasta que despertaras.

Muy confundida, negué con la cabeza.

—¿Es que os he despertado? Lo siento, de verdad. Igual he hecho ruido, habré gritado. He tenido una pesadilla...

La expresión de Alistair se tornó completamente seria.

—Sarah —dijo, con firmeza, pero suavemente.

Vi cómo me miraba, preocupado y triste, y mi cerebro no quiso asimilar lo que quería decir.

—No —dije—. Ha sido un sueño.

—Sarah —repitió—. Mira hacia abajo.

No quería hacerlo. Quería cerrar los ojos, perderme otra vez en la nada. Pero me apoyé sobre los codos y miré hacia abajo. Lo que vi fue que estaba completamente cubierta de lodo, tanto el camisón como los pies descalzos, cubiertos por una corteza de barro. Me toqué la mejilla y se me quedó entre los dedos un trozo de barro seco. Pensé en el sueño, en la cosa que estaba subida sobre mi espalda, apretándome contra el lodo de la orilla del río.

No pude evitar un sollozo. Real... ¡Había sido real! Si Maddy había dejado a Alistair durante un rato, había sido para poseerme a mí. Me había hecho vivir el sueño.

—Estaba en el bosque —le dije a Alistair, al borde de la histeria—. Algo me perseguía. Algo intentaba...

—Calla. Ya lo sé.

Lo miré a la cara.

—¿Cómo?

—Me lo ha contado Matthew. —Frunció el ceño al darse cuenta de que lo miraba sin entender—. ¿Entonces no lo viste a él?

Oí un suave crujido y se abrió la puerta, dejando pasar por la rendija abierta un pequeño haz de luz. Matthew entró a la habitación, llevando una bandeja con una jarra de té caliente y tazas. Se detuvo cuando vio que estaba despierta.

Perdí el aliento. Tras mirarlo de arriba abajo, absolutamente horrorizada, vi que, al igual que yo, el barro lo cubría por completo, sobre todo en las rodillas, en los codos y en los antebrazos... o sea, con las partes de su cuerpo que había utilizado para apretarme contra el barro.

—¡Tú! —susurré, estirándome y recordando la cosa que me perseguía, sus manos ardientes sobre mí, su aliento en el cuello y la mejilla—. ¡Eras tú!

—¿Estás bien? —preguntó, sin moverse del sitio.

Lo miré horrorizada, recordando cómo había intentado escapar de la cosa que me perseguía por el bosque, cómo había salido huyendo con toda mi energía. ¿Había estado huyendo de Matthew o de otra cosa?

—Espero no haberte hecho daño —dijo—. Debes de tener mucho frío. —Se acercó y dejó el servicio de té sobre la mesita de noche. Yo no podía articular palabra. Levanté las rodillas y las rodeé con los brazos. Él volvió a alejarse y se colocó junto a Alistair, a los pies de la cama, entre las sombras.

—Sarah —empezó de nuevo Alistair—, has caminado en sueños, sonámbula. Estabas fuera, camino del bosque, cuando Matthew te vio. Te siguió y te trajo de vuelta. ¿Cómo piensas si no que has podido volver?

—No lo sé —dije—. No lo recuerdo. —Todo se volvió oscuro cuando la cosa, es decir, cuando Matthew me agarró. ¿Me había llevado durante todo el camino de vuelta a la posada?—. Estoy muy confusa.

—¿Era Maddy?

—Sí —dije en voz muy baja. Había estado allí. Y yo, de esa manera extraña que ocurre en los sueños, también había estado allí—. Me decía que corriera, que huyera.

—¿De qué?

Miré hacia arriba y vi a Alistair mirándome con avidez.

—No lo sé —dije—. ¿Ha... hablado contigo?

—Sí —dijo, y, durante un momento, el cansancio lo abandonó y se convirtió en el Alistair normal, entusiasmado por su pasión—. Sí, me habla, pero no puedo recordar lo que me dice. Siempre se me olvida, no recuerdo nada. No tiene sentido. Son casi alucinaciones. —Hundió los hombros un poco, de pura frustración—. ¡Si pudiera recordar!

—Tienes que estar hambriento —le dije, recordando que no habíamos sido capaces de hacerle comer.

—Tomaré algo dentro de un par de minutos. Pero antes necesito pensar.

Detrás de él, Matthew se movió.

—Tiene razón, Alistair. —Su voz profunda surgió de entre las sombras—. Tienes que comer.

Pero Alistair había bajado la vista, y solo me miraba los pies.

—Espera —dijo—. ¡Espera!

Me miré los pies, desnudos y cubiertos de barro seco, y después volví a mirarlo a él.

—¿Qué pasa?

—Espera. —Alistair volvió a fruncir el ceño y se frotó la frente con los dedos—. Tus pies. Hay algo... algo importante... —Volvió a frotarse la frente mientras su mirada se volvía turbia.

Matthew se acercó.

—Yo creo que no les pasa nada, están bien.

—Sí. —Alistair cerró los ojos, apretándolos como si estuviera enfadado, o frustrado, y respiró hondo. Sus rasgos empezaron a desdibujarse, pese a que se notaba que luchaba contra ello—. Están muy bien. Sus pies. Están muy bien, sí...

—¿Alistair? —dije.

Pero Alistair se había quedado callado, frotándose la frente, arriba y abajo, sin parar. No abría los ojos. Noté que se me agolpaban las lágrimas.

Matthew se adelantó y lo agarró suavemente de los hombros.

—Deberías comer algo —probó de nuevo.

—El pan está mohoso —dijo Alistair desabridamente, negando con la cabeza—. No quiero comérmelo. Va a ser una marcha corta. No me voy a llevar comida.

Miré a Matthew. Medio escondido entre las sombras, tenía ojeras y un gesto de inmensa tristeza.

—De acuerdo —dijo al cabo de un rato; por su tono de voz, me pareció que estaba tan acongojado como yo—. Una marcha corta, de acuerdo.

Mientras acompañaba a Alistair a su habitación ya no pude contener las lágrimas, que se llevaron por delante el barro endurecido.

❀ ❀ ❀

Cuando, unos minutos más tarde, regresó Matthew, todavía estaba en la cama, agarrándome las rodillas y apretándolas contra el pecho.

No había ninguna silla en la habitación, así que se sentó sobre una de las mesitas de noche.

—Tenemos que hablar —dijo.

Me miré los pies, absolutamente cubiertos de barro y no dije nada.

—Quiero aclarar esto.

—No hay nada que aclarar —aunque la voz me sonó débil hasta a mí misma.

—Sí, por supuesto que sí —insistió; su tono de voz me parecía el habitual, pero a la vez distinto al de otras veces—. Porque tenemos que seguir trabajando juntos, y ahora me tienes miedo.

No lo negué. Su sola presencia en la habitación me recordaba la pesadilla, y el acceso de miedo incontrolable que había sentido.

—No puedo evitarlo. El sueño ha sido muy vívido, muy real.

—Ha sido real en parte —dijo—. Pero no completamente.

Lo miré. Otra vez lo cubrían las sombras. Una parte de mí se daba cuenta de que se mantenía algo alejado de mí debido al miedo que yo sentía, pero por otro lado también tendía a pensar que prefería que no lo viera. Y es que, después de todo, ¿qué sabía yo de Matthew?

—¿Cómo es que me viste? —pregunté—. ¿Por qué no estabas durmiendo en tu habitación?

—Ya te he dicho que no puedo dormir. —Pese a las sombras, me di cuenta de que apartaba la mirada—. A veces dormito un rato, pero me despierto enseguida. Me pasa toda la noche, y todas las noches. Cuando duermo, vuelvo allí, así que prefiero no dormir. A veces pienso que se me ha olvidado cómo hacerlo.

Procuré hacer caso omiso de la punzada de comprensión que sentí en el estómago. Después de todo, me había perseguido por el bosque.

—Tu habitación está en la parte de atrás del edificio. Desde allí no se ve el bosque.

—Estaba recorriendo la posada. —Sentí que de nuevo me estaba mirando—. Oí ruidos.

Pensé en la puerta que se cerró de golpe antes de que empezara a soñar, y los furtivos pasos del corredor.

—Yo oí a una criada.

Matthew negó con la cabeza.

—No había ninguna criada.

—¿Cómo lo sabes? Me pareció que llevaba ropa de cama, o de baño. Iba a pedirle otra manta.

—Porque hacía frío.

—Sí, claro.

—En mi habitación también —indicó, al tiempo que asentía—. Como si hubiera entrado de repente una corriente helada. Se oyó el golpe de una puerta al cerrarse, y pensé que eras tú. Pensé que... —Se interrumpió, y después continuó con voz algo amarga—. Bueno, no importa. Fui como un estúpido a la puerta y la abrí.

Alcé la cabeza y lo miré. Por primera vez, los destrozos que había causado en mi ánimo la pesadilla empezaron a disiparse. Había pensado que era yo, y que iba a su habitación. Me habría gustado que, en ese momento, mi habitación hubiera estado más iluminada para poder verle. La cabeza empezó a darme vueltas.

—Maddy —dije.

Matthew no dijo nada, así que me acerqué a él y proseguí.

—La viste. Estaba en el pasillo, ¿verdad? —Me tragué el miedo mientras pensaba en los ruidos que había oído, los roces, los tropiezos, y que estaba equivocada al pensar que se trataba de una criada—. Abriste la puerta y la viste allí.

Continuó sin decir nada.

—¿Por qué tú? —pregunté—. ¿Por qué solo la ves tú?

—No lo sé —gruñó. Ahora la amargura era mayor, y a ella parecía haberse unido el enfado—. ¡No tengo ni idea, maldita sea! No me gusta nada, ni lo deseo, puedes creerme.

—¿Qué... qué estaba haciendo? —Parecía que el corazón se me iba a salir del pecho.

—¿Qué importa eso?

—Matthew, dímelo —ordené, frunciendo el ceño.

Se había puesto muy rígido, y su voz sonó reticente:

—Estaba en el pasillo, de pie.

—Ya. —No quería decírmelo, y me imaginaba muy bien el porqué. Pero tenía que decirlo, sería una forma de librarse de ese peso—. Sigue.

Suspiró resignadamente.

—Estaba... al lado de tu puerta, por fuera. ¡Por Dios, tiene un aspecto tan extraño...! No soy capaz de describirla. Apenas podía verla entre las sombras. Pero tenía los dos brazos estirados, eso sí que lo vi muy claramente. Esas manos tan largas. Las extendió y tocó tu puerta, como si quisiera sentirla con las palmas. Ni siquiera pensé. Solo reaccioné.

Empecé a recordar algunas partes del sueño y de las circunstancias que lo envolvían. Por ejemplo, que me dormí de repente. Seguramente lo hice en ese momento.

—¿Qué hiciste?

—Salí al pasillo. Y, de repente, desapareció.

—¿Pudiste ver... adónde iba? —Apenas podía pronunciar palabra. ¿Había desaparecido? ¿O se había metido en mi habitación, atravesando la puerta?

—No, no lo vi —contestó—. Avancé por el pasillo, arriba y abajo. El frío seguía allí, en algunas zonas, pero no pude verla. Fui abajo a mirar. No hacía tanto frío, y además no vi nada, así que volví subir. Pensé que habría entrado en tu habitación, así que me acerqué a la puerta y abrí. —Negó con la cabeza—. No estabas. Debiste de salir muy deprisa y sin hacer ruido, porque no estuve mucho tiempo abajo, y en todo momento agucé el oído. Volví al pasillo y vi algo por la ventana, la que hay justo al final de las escaleras. Eras tú, con el enorme camisón blanco, y te dirigías hacia los árboles.

—Y me seguiste —susurré.

—Ibas a toda velocidad —dijo—. En cuanto te internaste en el bosque me resultó muy difícil seguirte. Te estuve llamando todo el rato. Si no hubiera sido por el camisón, seguramente te habría perdido.

—Tenía mucho miedo —dije—. Pensé, quiero decir, Maddy pensó que ibas a matarme y me dijo que corriera. No te puedes imaginar lo aterrorizada que estaba. —Negué con la cabeza—. No te oí llamarme. Te lo juro.

—Lo sé —dijo.

Pensé en lo que pasó cuando atravesé el sendero.

—Sentí como si hubiera algo más, otra presencia. ¿A ti te pasó lo mismo?

—No —contestó—. No sentí nada, excepto la absoluta seguridad de que no sabías lo que estabas haciendo, lo que te pasaba. No noté nada hasta que te encontré a la orilla del río. Fue entonces cuando vi a alguien entre los árboles.

Alcé la mirada rápidamente hacia él.

—¿Cómo?

—Estoy seguro de que estaba allí —confirmó, moviéndose incómodo—. Lo vi, aunque solo fue un segundo. Nos observaba. Después desapareció. —Vio mi cara de sorpresa—. Era una persona, podría jurarlo. Un hombre, a no ser que me engañaran los ojos.

Mi mente empezó a trabajar a toda velocidad. Así que sí que había algo, o más bien alguien, en el sendero. Además de Matthew, en esa loca carrera del bosque, había otra persona, siguiéndome y observándome. Esperando. ¿A qué?

Contuve un estremecimiento. Tuve la impresión de que me había librado de algo infinitamente más peligroso que Matthew. Alguien se había abstenido de intervenir, de hacer lo que tuviera en mente, fuera lo que fuese, gracias a su presencia. Si hubiera estado sola...

—¿Qué había en el río? —preguntó Matthew.

—¿No lo viste? —pregunté a mi vez con aspereza, acordándome de aquel pálido brazo que flotaba sobre las oscuras aguas.

—No. No había nada, Sarah. Era solo una zona de lodo de la orilla. Tampoco había nada entre los juncos. Lo comprobé. Pero estabas gritando. Me diste unas patadas tremendas, y dijiste algo en tu sueño. ¿Qué demonios era?

Me tapé la cara con las manos.

—Ahora estoy demasiado cansada —argüí—. No quiero pensar en eso en este momento. No puedo. Te lo contaré mañana por la mañana.

Oí cómo se movía, acercándose a la cama. Me quitó las manos de la cara y lo miré mientras se inclinaba sobre mí. Por primera vez en esa noche pude verlo con claridad: tenía unas arrugas de agotamiento que le enmarcaban los ojos y en su mirada brillaban el dolor y la incertidumbre. Tenía la ropa hecha un desastre, y parecía completamente agotado, con la cara muy pálida. Me lo imaginé corriendo por los pasillos de la posada, acercándose a Maddy sin ningún temor, y deseé acariciarle la rugosa cara, con una barba incipiente, y sentir el calor de su piel.

—Tienes la necesidad absoluta de contarlo —dijo, sin apartar ni un momento la mirada de mí, ni pestañear siquiera—. Te está destrozando, lo noto.

Tragué saliva. Noté que me estaba relajando, o ablandando. Puede que fuera el agotamiento, o los efectos secundarios de una pesadilla terrorífica.

—Lo que vi no era real —dije, titubeando—. Pero yo lo sentí como si de verdad lo fuese.

Esperó sin decir palabra.

No podía luchar más, y me di cuenta de que tampoco quería hacerlo. Las lágrimas empezaron a caerme sin control por las mejillas incluso antes de que empezase a hablar:

—Yo vivía con mis padres. Los tres —dije.

Matthew siguió callado.

—Mis padres... creo que les iba bien. De hecho, a los tres nos iba bien. ¿Cómo se dan cuenta los niños de si a sus padres les va bien o no? —Noté la garganta seca y dolorida, pero continué—. Mi padre enfermó de gripe en el 19. Fue algo repentino. Lo llevamos al campo, a una casa que era de una amiga de mi madre que se había ido de viaje a América. Pensamos que salir de la ciudad le sentaría bien a mi padre. Mi madre y yo lo cuidamos. Ninguna de las dos podíamos dormir. Estábamos exhaustas.

—Entiendo —dijo Matthew en voz baja.

En esos momentos, las palabras fluían por mi boca como si tuvieran voluntad propia y yo no fuera capaz de pararlas.

—La cuarta mañana fui al mercado. Era junio, y las fresas estaban en plena temporada. Mi madre y yo habíamos trabajado muchísimo. Pensé en comprar fresas para las dos, para tomarlas con nata, las primeras del año: una especie de recompensa. —Me acordé de aquella mañana: el brillo del sol, el aire fresco y vigorizante, aún no tan cálido como lo sería al cabo de unos días... y sentí una fuerte presión en el pecho, algo que me apuñalaba por dentro y con enorme fuerza. Noté que se me crispaba el gesto y las lágrimas brotaron con más fuerza aún—. ¡Dios, pensé que nos daría ánimos!

Agaché la cabeza, pero Matthew me puso los dedos en la barbilla y me la levantó con infinita suavidad.

—¿Y qué pasó?

Respiré hondo.

—Cuando volví, la casa estaba muy tranquila, no se oía ni un ruido. No quise llamar, por si mi padre estuviera dormido, descansando. Subí las escaleras y no vi a nadie. Entré en la habitación de mi padre y... —Me mordí el labio—. Había muerto. El gesto era muy tranquilo, como si simplemente estuviera durmiendo. No pude encontrar a mi madre por ninguna parte.

Dejé de hablar, y Matthew no me apremió, pero tampoco quitó la mano de la barbilla.

—Busqué por toda la casa, también en el sótano y el ático. Mi madre se había ido. Llamé al médico para que viera a mi padre y confirmara... su fallecimiento. Ni se me ocurrió llamar... llamar a la policía. Estaba absolutamente consternada. Finalmente, pensé que podía preguntar a los vecinos. La mujer de la casa de al lado me dijo que había visto a mi madre en el sendero de detrás de la casa, que iba a un desfiladero.

Los oscuros ojos de Matthew brillaron, mostrando que lo entendía.

—¡Ah! —dijo—. Sarah...

No pude evitar el sollozo, que surgió directamente del pecho. Lo intenté, pero no tuve fuerza para contenerlo.

—La encontraron dos días después —continué—. En el río. Llevaba muerta desde... desde el primer momento, eso dijo el forense. Mi padre murió y ella, simplemente, se levantó y se metió en el río. Sin más. —Noté que surgía otro sollozo, pero esta vez sí que fui capaz de contenerlo—. Estuve... estuve fuera menos de una hora. Todavía no soporto ese recuerdo. Podría haberme esperado quince minutos, Matthew. —Lo miré a los ojos—. ¡Quince minutos, y habría llegado a casa! La habría consolado. Nos hubiéramos consolado mutuamente. Pero, simplemente, se marchó. —Pestañeé, sin parar de llorar—. Creo que eso es lo peor de todo. Me destrozó, y sigue destrozándome, pero también me hace sentir mucha, muchísima ira. ¿Cómo es posible que esté tan terriblemente enfadada con mi pobre madre?

Matthew retiró la mano. Lo hizo con mucha suavidad, pero la eché de menos de inmediato.

—Sarah —repitió, con un suspiro que denotaba una pena tan grande que me demostró, aunque sin saber por qué, me entendía como nadie podría hacerlo en el mundo. La cama crujió un poco cuando se sentó a mi lado. Rebuscó en uno de los bolsillos—. Nunca dejaré de avergonzarme de lo primero que pensé de ti al conocerte, ¿sabes?

—¿Qué quieres decir? —pregunté, mientras me limpiaba torpemente las lágrimas de la cara.

Sacó un pañuelo, blanco e inmaculado, típico del anticuado Matthew, y me lo pasó.

—Pensé que eras tímida y débil. Pensé que no serías capaz de enfrentarte a la más mínima dificultad.

Y yo pensé en la vida que había llevado en Londres, una vida que en realidad no era tal.

—Sí —confirmé en voz baja—. Yo pensaba igual de mí misma. —Tomé su pañuelo y me limpié las lágrimas.

CAPÍTULO 23

Evangeline Barry era inconfundible, incluso envuelta en la neblina de primera hora de la mañana. Vi su figura emerger de la oscuridad, alta, delgada y displicente. El sombrero, absolutamente a la moda, le cubría parte de la frente, resaltando su elegancia natural, mientras que la correa del perrito al que paseaba estaba enganchada a su brazo, delgado como toda ella y cubierto con una rebeca de suave cachemira.

Se aproximó a mí, que estaba de pie esperándola junto a la posada. Como la vez anterior, me fue imposible deducir nada de su gesto. ¿Veía preocupación? Y si era así, ¿era a causa de ella misma o de otra persona?

—He venido todas las mañanas —dijo tras un momento, al comprobar que yo no hablaba—. Me alegro de verla.

Continué sin decir nada. No lograba apartar los ojos de ella: la forma en la que los mechones de pelo oscuro le llegaban prácticamente hasta el borde de la barbilla, la palidez de su piel, en la que no era capaz de detectar ni un rastro de maquillaje. No era una actitud muy educada por mi parte, pero no pude evitarlo. Me encogí aún más en el anodino jersey de lana basta en el que iba embutida para protegerme del fresco de la mañana.

Desvió la mirada con un suspiro, como si fuera algo normal que la gente se la quedara mirando fijamente y sin decir una palabra. A la luz gris, su perfil era impecable, perfecto.

—¿Cómo está? —preguntó.

—¿Qué es lo que se dice en el pueblo? —pregunté a mi vez.

—Que está enfermo —respondió—. Un problema mental de algún tipo. Que entró en el granero de Falmouth House y cuando salió estaba...

—Loco —completé.

—No termino de creérmelo —dijo—. No es lógico en él. Y usted estaba allí. —Me miró, pero solo durante un momento, y apartó la vista de nuevo—. Y también su asistente. Ninguno de los dos ha resultado afectado.

Solté una risita, aunque sin una pizca de humor, al pensar en la pesadilla de la noche pasada.

—A veces me da la impresión de que ya me he vuelto loca. Lo que pasa es que todavía no me he dado cuenta.

—¿Qué ocurre de verdad? —La señora Barry me miró de nuevo, y por un instante creí contemplar avidez en sus ojos—. ¿Alistair se va a poner bien? ¿Usted... la ha visto?

Esta vez no apartó la mirada. Me eché hacia atrás un mechón de pelo, sin estar segura de cómo debía contestar.

—No, no se va a poner bien —dije por fin—. Y, respecto a Maddy, no se trata de verla. Más bien se... experimenta su presencia.

Su expresión se volvió insegura, y también creí ver miedo en su mirada.

—¿Habla con usted?

Incliné la cabeza mientras pensaba. De repente me di cuenta de que, a pesar de lo inferior que me sentía en relación con la señora Barry, en realidad era yo quien llevaba el control de la conversación. Quería obtener algo de mí y, aunque no sabía el qué, noté que estaba a la expectativa, y que iba a seguir la senda que yo marcara.

Tenía claro que no me interesaba hablar de lo que Maddy me había dicho.

—¿Conoce usted al señor Jarvis?

Pestañeó sorprendida, y también alzó mínimamente las depiladas cejas.

—¿El enterrador?

—Sí.

Se encogió de hombros y miró hacia otro lado, claramente decepcionada.

—Por supuesto. —Buscó el paquete de cigarrillos—. En un pueblo tan pequeño como Waringstoke todo el mundo se conoce.

—¿Qué sabe usted de él?

Se puso un cigarrillo entre los labios y lo encendió.

—Vive cerca de la iglesia, y por tanto del cementerio, claro. Su esposa lo abandonó y se marchó, ya hace bastantes años. Por lo que contó a alguna amiga antes de irse, él tenía muy mal humor, y ya no pudo soportarlo más. Lo último que he oído decir es que se fue a Escocia, con otro hombre.

Pensé en la casa que había visto, en el desorden y el abandono reinantes, típicos de un hombre que vive solo, y asentí.

—Si lo prefiere, podemos hablar de Alistair.

Volvió a pestañear y me miró con los ojos entrecerrados, desde detrás de sus largas pestañas.

—De acuerdo. —Bajó la voz—. ¿Está usted enamorada de él?

Suspiré.

—Se puede decir que todo el mundo está un poco enamorado de Alistair.

Le dio una calada al cigarrillo.

—Sí, supongo que sí.

—No es lo que piensa. Lo supe cuando lo vi con usted.

Me miró durante un buen rato, sin decir ni una palabra. Alrededor de nosotros no había ni un alma, pese a que estábamos junto al estrecho patio y prácticamente en la carretera, la zona estaba desierta. En ese momento estábamos solas, lejos del alcance cualquier oído indiscreto, como en un escenario de teatro completamente vacío.

—Conocí a Alistair antes de la guerra —dijo Evangeline—. ¿Se lo contó?

—Algo me dijo, sí —contesté evasivamente.

Se volvió de nuevo, con el cigarrillo entre los labios.

—Yo estaba en Londres. Celebrando el Año Nuevo. En un club, con varias amigas. Era tarde, y habíamos estado bebiendo bastante. Fui a la barra a pedir otras copas y, en ese momento, apareció Alistair. —Dibujó una mínima sonrisa con la comisura de la boca—. Se acercó a mí con la velocidad de un torpedo: avanzó casi corriendo y empezó a hablar. —Rio un poco—. Su confianza en sí mismo resultaba arrolladora, ¿sabe? Hasta podría pensarse que se comportó de una forma algo engreída, aunque a mí no me lo pareció. Me pareció un hombre muy seguro de sí mismo y absolutamente sincero. Me dijo que era la mujer más bella que había en el club y que quería bailar conmigo a toda costa.

—¿Y usted cómo reaccionó?

Miró hacia abajo. El cigarrillo, olvidado, se consumía entre los dedos.

—Pues... baile con él, por supuesto. Fue... bueno, soy incapaz de describirlo de manera completa. Hablamos, y fue como si todas las piezas encajaran. Antes de darme cuenta estábamos bailando de nuevo. ¡Era tan honesto, tan abierto acerca de lo que sentía...! Era maravilloso. No estaba acostumbrada a hombres como él. De hecho, nunca he conocido a nadie como Alistair, ni siquiera parecido.

Tiró el cigarrillo.

—Bueno, no podía bailar con él más de dos veces. Mis amigas no me quitaban ojo, y nunca se sabe lo que podía llegarle a Tom, ni cómo. Ya había sido una suerte que mi marido me dejara salir sin él. No tenía ni las más mínimas ganas de tener que explicarle que no había pasado nada, que se trataba solo de un desconocido con el que había hablado, que eso era todo, y todo eso. Pero no lo hice, y debí de hacerlo, por supuesto. Lo he lamentado desde entonces, ¿sabe? He lamentado no haber aprovechado la oportunidad de bailar con Alistair toda la noche. Lo que pasa es que no soy esa clase de mujer.

Me di cuenta de que omitió contarme la propuesta de matrimonio que le había hecho Alistair. Quizá no quería acordarse de aquello, o quizá prefería guardarse aquel recuerdo solo para sí misma, como una fotografía muy personal. Alzó la cabeza para mirarme.

—Supongo que soy una esposa horrible, ¿no cree? No se puede pensar en otro hombre de esa manera. Pero, cuando encontré a Alistair, Tom y yo llevábamos casados dos años, y ya sabía perfectamente de qué iba la cosa, y a lo que me enfrentaba.

—¿Qué quiere decir?

La señora Barry se encogió de hombros. Fue un gesto de tristeza.

—Tom apenas se comporta como un marido. No debería decirlo, pero es la verdad. No pudo alistarse para ir a la guerra porque de pequeño tuvo un accidente muy grave al caerse de un caballo, y se destrozó las dos rodillas. La artritis lo dejará incapacitado antes de los cincuenta. Pero me da la impresión de que tampoco le importó tanto que lo rechazaran. En el fondo no quería ir.

—Lo mismo que muchos de los que fueron.

—Seguramente. Así que Tom, durante la guerra, negoció con acciones y ganó muchísimo dinero. A veces no puedo dormir por la noche, pensando que eso nos convierte en muy mala gente. Es así, lo tengo claro. Ya era dueño de la casa de este pueblo. Estaba vacía hasta que la heredó, y nos vinimos a vivir a ella nada más casarnos, antes de volver a Londres en 1914. Nunca pensé que regresaríamos, pero sí que lo hicimos, después de que acabara la guerra. Decía que quería vivir de las rentas, como un lord. Aquí todo el mundo nos detesta; no encajamos, somos nuevos ricos, y Tom piensa que el dinero lo convierte en mejor y más importante que nadie. No los culpo. Yo odio vivir aquí, pero a Tom le da lo mismo. Tampoco es que me haga mucho caso. Está demasiado ocupado cazando.

—¿Cazando?

—Sí. Los bosques de aquí son famosos por la abundancia de caza, ¿no lo sabía? Tom no se cansa nunca de cazar. Así conocí a Jarvis.

—¿Jarvis caza con su marido?

Asintió, y dibujó otra vez una mínima sonrisa con la boca, pero esta vez amarga.

—¡En qué cabeza cabe!, ¿verdad? Tom, el hombre más rico de Waringstoke, mezclándose con la escoria del pueblo, ¡el sepulturero! Pero Jarvis es servil. Trata a Tom como si de verdad fuera un lord, cosa que a mi marido le encanta. Roderick Nesbit es igual, lo que pasa es que últimamente apenas sale de caza con ellos.

Fruncí el ceño. Nesbit, es decir, el hombre que había sido visto en el funeral de Maddy. El hombre que no había querido abrirle la puerta de su casa a Matthew.

—¿Su marido conoce al señor Nesbit?

—Ya se lo he dicho: en este pueblo del infierno todo el mundo conoce a todo el mundo. —Agarró el nudo de la correa del perro con los dedos de la mano enguantada—. Debo continuar con el paseo. Tom me espera. Si mejora, dígamelo por favor. Me gustaría saber cómo evoluciona.

❈ ❈ ❈

En mi mente se produjo una especie de explosión. Jarvis sabía algo acerca de Maddy, y Jarvis conocía a Tom Barry. Y también a Nesbit. Quería contárselo todo a Matthew, compartirlo con él, esperar a que dijera qué era lo que debíamos hacer ahora. Pero no tuve la oportunidad de hacerlo en ese momento, ya que la señora Clare acudió a la posada a vernos.

Entró en el salón privado mientras Matthew estaba escribiendo notas, con la frente apoyada sobre la palma de la mano, lo que en él era un inhabitual gesto de cansancio, y yo serví el té antes de empezar a hablar. Ambos nos volvimos cuando la mujer entró en la habitación, tan remilgada como siempre pero mucho más demacrada, con la señora Macready siguiéndola como siempre, igual que un perrito.

—Me han dicho que los encontraría aquí —espetó—. Tenemos que hablar.

Matthew se levantó y, sin decir una palabra, cerró la puerta del salón.

Yo agarré un par de tazas más y las llené.

—¿Está usted bien, señora Clare? —pregunté educadamente.

—Más o menos —respondió, al tiempo que se sentaba. Le lanzó una mirada penetrante a Matthew—. Creo que debo darle las gracias, joven. —Su expresión no iba demasiado acorde con sus palabras.

Matthew se encogió ligeramente de hombros mientras volvía a sentarse en la silla.

—No hay por qué darlas, señora.

—He sabido que el señor Gellis no está bien.

Inclinó la cabeza, al tiempo que la señora Macready le acercaba una de las tazas de té que había servido.

—Es una pena. También quería darle las gracias a él.

—¿Por qué? —pregunté.

Se quedó mirándome. Estaba bastante más avejentada que la última vez que la había visto: frágil, huesuda y con los ojos muy hundidos.

—Pues... por cumplir con lo que dijo que haría. No se imaginan el alivio que supone para nosotras el que Maddy se haya ido.

Matthew se rascó ligeramente la parte de atrás del cuello con dos de sus largos dedos.

—Señora Clare, no me gusta nada tener que ser yo el que se lo diga, pero Maddy no se ha ido.

—Sí que se ha ido —intervino la señora Macready—. Ahora la casa está absolutamente tranquila, no se hacen una idea.

Intercambié una mirada con Matthew al ver a la señora Clare en un estado tan frágil, física y emocionalmente. Se me pasó por la cabeza no decirle nada, dejar que volviera a su casa, ahora tranquila, y a su granero que había sido pasto de las llamas. La mujer llevaba sufriendo mucho tiempo, demasiado.

Pero Alistair estaba en la cuerda floja. Y la señora Clare tenía respuestas. Al menos algunas.

—Señora Clare —empecé, utilizando el tono más amable que pude—, tenemos que contarle qué es lo que ha estado pasando después del incendio del granero.

Cuando terminamos la relación de hechos, en la que Matthew llevó la voz cantante, pues las dos mujeres parecían fiarse más de él que de mí, se produjo un largo silencio.

La señora Clare siguió sentada, pálida y muy derecha. Respiraba con dificultad. Le habíamos contado mi pesadilla, incluida la carrera nocturna, y la presencia de Maddy la noche anterior en los pasillos de la posada. Y que Maddy quería saber en dónde estaba enterrada de verdad.

—No es verdad —musitó la señora Clare, sin mirar hacia ninguna parte—. No es verdad.

—Bueno, vamos a ver —dijo la señora Macready levantándose y llevándose la taza de té vacía de su señora—. Tiene que mantener la calma, señora. Todos tenemos que mantener la calma. —Nos miró con intención—. ¿No les parece?

—Maddy nunca se ha portado así —dijo la señora Clare—. Era... traviesa. Le gustaba gastar bromas. Sí, de acuerdo, a veces estaba agitada, o incluso hasta enfadada. Pero nunca ha hecho eso... atormentar a la gente, perseguirla por el bosque... ¡En todos estos años, desde que... murió, nunca se había ido del granero!

Eso era verdad. Cuando estaba viva, Maddy siempre se quedaba en la casa. Y tras morir, siempre había estado en el granero.

—Entonces, ¿qué es lo que ha podido desencadenar estos ataques? —preguntó la señora Macready.

La señora Clare clavó en mí una mirada vacía.

—Todo esto empezó con usted.

Puede que esperaran que lo negase, pero no lo hice.

—Sí.

—La señorita Piper es extraordinariamente receptiva —afirmó Matthew—. Incluso Alistair lo sabía. Puede que haya sido porque Maddy al fin ha encontrado alguien con quien poder hablar.

—Les voy a decir una cosa —espetó la señora Clare—. Esa chica está enterrada en el cementerio de la iglesia. Se lo aseguro por mi vida. La vi con mis propios ojos, en ese féretro. No sé qué será lo que esté pensando. No lo sé. Pero está bajo esa lápida que lleva su nombre, y en ninguna otra parte.

—Calle ahora, señora —le pidió suavemente la señora Macready, al tiempo que le pasaba otra taza de té—. Está bien.

—Es verdad, Meredith.

—Sí, claro que sí —confirmó el ama de llaves.

Así que, después de todo, Jarvis había dicho la verdad. Y, no obstante, alguna pieza no encajaba.

Me levanté y acerqué la silla a la de la señora Clare.

—Por favor, vayamos hacia atrás. Tengo la impresión de que la verdad se esconde en algún sitio. ¿Podemos empezar por el principio?

—¿Qué quiere decir?

—Me refiero a la noche en que apareció Maddy en su casa. Empecemos por ahí. Ya nos ha contado los aspectos básicos, pero me gustaría que me diera más detalles.

La señora Macready se sentó en su sitio, al lado de su señora. Ahora estábamos las tres mujeres en círculo, y Matthew en algún sitio detrás de nosotras. Permaneció en silencio, pero yo sabía que escuchaba muy atentamente.

—Apareció en la puerta de atrás —dijo la señora Clare. Sus ojos se dirigieron a un punto lejano e inconcreto—. Estaba muy oscuro, llovía a cántaros, y ella estaba completamente empapada. Apenas llevaba ropa encima... Bueno, en realidad, solo la interior, y el pelo pegado a la cabeza y apelmazado. Las manos embarradas y las uñas muy sucias. Pero, aunque todo esto ya era malo, lo peor es que no podía articular palabra, pese a que lo intentaba y lo intentaba. De su boca no salía ningún sonido, era como si no supiera hablar. No tenía palabras.

—Dice que tenía el pelo apelmazado —dije—. ¿De puro mojado?

—No, de suciedad, de barro —intervino la señora Macready—. Lo llevaba largo, y no tenía horquillas ni cintas de ninguna clase que lo sujetaran. Lo tenía lleno de barro, como le digo, hasta las mismas raíces. Le puedo asegurar que me costó tres o cuatro horas limpiárselo en el baño, cambiando el agua para que siempre estuviera caliente.

Resistí la urgencia, casi la necesidad, de mirar a Matthew. ¿Cómo era posible que Maddy tuviera tanto lodo en el pelo?

—¿Qué más recuerda usted? —pregunté, mirando ahora a la señora Macready.

—Bueno, ya les dije en su momento la cantidad de lesiones y heridas que tenía —dijo, y se detuvo un momento para hacer memoria—. Daba miedo. Queríamos llamar a un médico, pero cuando lo hicimos empezó a gritar. No en voz alta, porque, como ya ha dicho la señora Clare, apenas podía emitir sonidos, pero sí con todas las fuerzas que tenía. Sonaban como una especie de silbato roto. Gritaba y gritaba... ¡Dios, todavía me acuerdo de aquello! Y así nos dimos cuenta de lo que quería dar a entender con aquello, pese a que no articuló ni una palabra.

Me acordé de las palabras de Alistair de la noche anterior. «Sus pies». ¿Los pies de Maddy?

—¿Qué más recuerda? Me refiero a su estado físico.

—Pues... —Parecía que la señora Macready por fin se estaba animando a hablar—. Intentamos hacernos a la idea de hasta qué punto estaba mal. No parecía famélica. Estaba delgada, pero no demasiado. Parecía claro que hasta entonces se había alimentado más o menos bien. Tenía las manos algo ásperas, pero no demasiado. No tenía la musculatura muy desarrollada, por lo que probablemente no estaba en el último peldaño del escalafón de la servidumbre, el que se dedica solo a las tareas físicas. No obstante, no eran manos de señorita, ni mucho menos. ¿Sabe lo que quiero decir? No eran suaves. —Negó con la cabeza—. La ropa interior era de algodón, sin adornos. Nada sofisticada. No soy policía, pero he visto muchas criadas y estoy segura casi al cien por cien que ella lo era. No del grado más bajo, como he dicho. Tal vez una chica de la limpieza, o una costurera. —Se mordió el labio—. No tiene sentido... Preguntamos por todas partes, indagando acerca de una criada que hubiera desaparecido. Tendría que haberse formado en alguna parte, haber recibido referencias. Pero nadie nos dijo que echara de menos a ninguna criada.

La señora Clare estaba muy rígida. Tenía la boca mínimamente abierta, como si lo hubiera hecho para intervenir en algún momento sin lograrlo y se le hubiera olvidado cerrarla. Parecía afectada, igual que si hubiera reconocido a alguien a quien ya conocía, pero a quien no quería volver a ver jamás. Seguí centrada en la señora Macready.

—¿En qué zonas del cuerpo presentaba más lesiones, o heridas? —pregunté.

—En el cuello —respondió de inmediato—. Lo tenía rojo, lleno de arañazos y contusionado. Y también en... —Miró a Matthew y se ruborizó—. En sus partes íntimas femeninas, ya sabe.

—¿En los pies no?

Frunció el ceño.

—¿En los pies? No, no tenía heridas en los pies. Estaban embarrados, sí, pero bien, sin daños. ¿Por qué pregunta por sus pies?

—¿Sin cortes? —insistí—. ¿No cojeaba?

—No, no, en absoluto. —Nos miró alternativamente a mí y después a Matthew—. ¿Por qué me pregunta por los pies de Maddy?

No me molesté en contestar. La idea que se estaba formando en mi mente era tan terrible que hasta me preguntaba a mí misma si podría ser verdad.

—¿No llevaba zapatos?

La señora Macready estaba empezando a enfadarse.

—No, ni tampoco medias. Ya le he dicho que solo tenía puesta la ropa interior. Le he dicho todo lo que sé.

Matthew intervino desde su posición detrás de nosotras.

—Creo que lo que quiere decir la señorita Piper es que, si la muchacha había estado corriendo por el bosque unos cuantos kilómetros, quizá bastantes, resulta raro que no tuviera los pies algo dañados, ¿no les parece?

La señora Macready lo miró de hito en hito. Por su parte, la señora Clare se había quedado ya absolutamente rígida, sin hacer caso de ninguno de nosotros, como paralizada por el horror. Pensé que podría ser que hubiera tenido la misma idea que yo. Y de hecho así era, aunque no de la forma en la que yo pensaba.

Por una vez, la señora Macready no estaba centrada en su señora. Había entrecerrado los ojos, muy concentrada, y miraba a Matthew.

—¡Tiene usted razón! No había corrido muchos kilómetros, ¿verdad?

—No —confirmó Matthew.

—No había llegado huyendo de un pueblo vecino. Lo que fuera que le ocurriera pasó aquí, en algún sitio de Waringstoke. En nuestros bosques.

—¿Quién tiene servicio en Waringstoke? —pregunté.

—Todavía hay unas cuantas familias. Pero, como le he dicho, nadie echaba de menos a ninguna criada de las características de Maddy. —En ese momento, la señora Macready miró a su ama y puso cara de preocupación—. ¿Está usted bien?

La señora Clare miraba fijamente hacia delante, como si pudiera ver algo que los demás no.

—¡Dios mío! —dijo—. Edward tenía razón. Mi marido tenía razón. Todos estos años...

—¿Señora? —Macready, alarmada, se levantó muy rápido y le quitó la taza de las manos a su señora antes de que la dejara caer al suelo—. Parece enferma.

La señora Clare la miró.

—Venía del bosque, Meredith. ¡De nuestros bosques! Pero nadie sabía quién era, ¿te acuerdas? —Miró intensamente a la otra mujer—. ¿Recuerdas lo que dijo Edward sobre ella?

—¡No! ¡No debe pensar en eso! —casi exclamó el ama de llaves, dejando la taza sobre la mesa—. Olvídese de ello.

—¿Qué fue lo que dijo su marido, señora Clare? —preguntó Matthew poniéndose delante de ella.

—Mi marido... tiene usted que entenderlo —empezó, devolviéndole la mirada—. Maddy odiaba a los hombres, pero toleraba a mi marido. Me llevó cierto tiempo comprender el porqué. Nunca se acercó a ella, ni siquiera le habló. Eso era lo que ella quería, pero no lo hizo por esa razón. Lo cierto es que tenía miedo de Maddy.

—¿Miedo de Maddy? —repitió Matthew, frunciendo el ceño.

—¡Tonterías! —intervino la señora Macready—. Eran tonterías, es lo que he dicho yo siempre.

—Señora Clare —tercié, hablando con suavidad, y la mujer centró su frágil capacidad de atención en mí—. Por favor, dígamelo. ¿Por qué su marido tenía miedo de Maddy?

Las lágrimas empezaron a correr por sus arrugadas mejillas, aunque ella pareció no darse cuenta.

—Siempre dijo... siempre dijo que, la noche que llegó, parecía que había estado enterrada. Que parecía como si hubiera salido de una tumba. Mi marido creía que Maddy ya estaba muerta, incluso antes de que apareciera en Falmouth House.

❋❋❋

Se produjo un largo silencio. Me di cuenta de que me había quedado con la boca abierta. Intenté pensar en qué era lo que debía o podía decir, pero se me había quedado la mente en blanco. No encontraba palabras.

Miré a Matthew, pensando que no se tomaría en serio esa posibilidad, que procuraría que la conversación volviera a retomar su cauce normal, pero no hizo nada de eso. Todo lo contrario, tenía el ceño fruncido y reflexionaba. La idea era una locura, pero... ¿acaso no era una locura toda la situación, en su conjunto y en sus detalles? ¿Con Alistair en su habitación, en un mundo de ensoñaciones, conmigo completamente agotada tras una pesadilla en la que había estado corriendo por los bosques? Durante un momento, que se hizo eterno y cambiante, cualquier cosa parecía posible.

Fue la señora Macready quien rompió el silencio.

—Tonterías —repitió, y esta vez con tanta fuerza y convicción que me volví a mirarla. Tenía el cuello y las mejillas muy enrojecidas—. Es una tontería. A esa chica no le pasaba... eso.

—No estaba bien, Meredith —dijo la señora Clare—. Sabes que no lo estaba. La forma en que nos miraba, el modo en que se comportaba. Nunca fue normal, ni adecuado. Vino de alguna parte, en el bosque, con barro y tierra húmeda en el pelo. Esa chica nunca estuvo bien.

—¡Era una chica y estaba viva! —La señora Macready nos miró a todos, con gesto mitad de súplica y mitad de enfado—. ¿Podía una chica muerta tener esas terribles infecciones en el oído durante los primeros años? ¿De verdad? ¡Esa niña a la que cuidé cuando le daban aquellas fiebres, que sudaba a chorros y gritaba de dolor en la cama! ¿Podía ser una chica muerta, cuando le gustaba tanto comer ciruelas y que odiaba el sabor de mi pudin de Navidad? ¿Una chica muerta cuyas manos se agrietaban con la lejía, y a la que le cortaba el pelo cada seis semanas, que tuvo la primera regla la primavera del mismo año que apareció en nuestra casa? —Nos miró a todos, desafiante, olvidando incluso su vergüenza por mencionar esas cosas delante de Matthew—. Le di sus primeras compresas y le enseñé cómo debía usarlas. No era ningún fantasma, ni mucho menos. Me apuesto la vida.

La señora Clare se enjugó las lágrimas.

—Yo también la quería, Meredith. Pero hasta yo misma me daba cuenta de que, en cierto sentido, no era humana. Era un monstruo.

—Estaba destrozada —insistió la señora Macready—. Había momentos en los que... miraba a su alrededor, y podría jurar que ni sabía dónde estaba. Su memoria iba y venía. La mayoría de las veces me reconocía, pero algunas, incluso después de pasados muchos años, me miraba como si fuera una extraña, como si no me hubiera visto nunca. En esos momentos dejaba de hablar. Y sí, tenía ataques de rabia, y yo tampoco entendía por qué. Había veces que sentía que estar cerca de ella era como... acercarse a un tiburón, o a una serpiente de picadura mortal. Algo que, si pudiera y te dejaras, te mataría. Pero otras, cuando estaba en calma, medio dormida o sentada a la mesa de la cocina, pelando manzanas, podía reconocerse la chica que había sido antes. Antes de que alguien la destrozara.

—De acuerdo entonces —dijo Matthew en voz baja y tranquila, o al menos tan tranquila como pudo. Se sentó en la silla que había dejado libre la señora Macready, al lado de la señora Clare—. Maddy no estaba muerta cuando ustedes la encontraron. Podemos tener eso claro. Pero, de todas maneras, deberíamos pensar en otra posibilidad, bastante plausible.

Todas nos quedamos mirándolo. En sus ojos había un brillo de expectación, algo que ya había visto en su mirada en otras ocasiones.

—¿Qué quieres decir? —pregunté.

—Puede que no muriera. —Nos miró a las tres—. Pero pudo estar enterrada, aunque no llegara a morir.

CAPÍTULO 24

Tenía toda la razón. Aunque la frase me hizo retroceder en el asiento, supe que tenía razón. Las implicaciones eran tan tremendas, tan horribles, que me llevó un rato ser capaz de imaginármelas siquiera.

«Pobre niñita muerta», había dicho Maddy. «Mirando al cielo».

—¡Es imposible! —dijo la señora Clare.

—Claro que es posible —dijo Matthew—. Alguien abusó de Maddy, y después esa persona la estranguló. Y la enterró, pensando que estaba muerta.

—Pero no lo estaba —dije, experimentándolo, creyéndolo. La voz sonó ronca incluso a mis propios oídos—. Se despertó y salió corriendo.

«Corre. Corre».

Cerré los ojos, absolutamente angustiada.

—¡Mi querida niña! —susurró la señora Macready.

—Si todo pasó como dice —intervino la señora Clare—, entonces hay alguien culpable de asesinato.

Tras las pestañas cerradas, de repente lo vi todo claro en mi cabeza. Pensé en Maddy, en lo que había dicho.

—Más de una persona —dije. «Eran tres, sobre mí»—. Había tres, por lo menos durante el primer ataque.

«Corre. Corre».

—Creo que es muy posible que la señora Macready esté en lo cierto —continué—. Creo que, cuando se despertó, apenas se acordaba de lo que le había ocurrido, o incluso lo había olvidado por completo. Al menos durante un tiempo.

—Puede que por eso fuera incapaz de hablar, al menos al principio —intervino Matthew—. Porque había sido estrangulada hasta casi morir.

—Y por eso quiere saber dónde estuvo enterrada —completé, mirándolo. «Pobre niñita muerta. Mirando al cielo»—. Quiere saber dónde estuvo enterrada... la primera vez.

—¿Y seremos capaces de encontrar el lugar? —preguntó Matthew.

—Creo que sí —dije—. Sé lo que se ve... ha instalado en mí el recuerdo de lo que vio. Creo que, si lo buscamos, podríamos encontrar el sitio.

—¿Qué es lo que se ve?

—Una chimenea de ladrillos rojos —contesté—, que se puede ver entre los árboles. ¿Conocen alguna casa que pudiera tener ese aspecto?

Pensó durante un momento, pero enseguida negó con la cabeza.

—Pues no, no me viene a la cabeza ninguna. Pero si el tejado está tan alto, la casa tiene que ser grande. No hay tantas casas así de grandes en Waringstoke —comentó, encogiéndose de hombros. Sin querer, y sintiéndome enferma, supe exactamente qué era lo que iba a decir—. Y la casa más grande del pueblo es la de los Barry, por supuesto.

***

Fuimos a ver a Alistair, que dormía inquieto y tenía la frente perlada de sudor frío. El pecho subía y bajaba. En el pasillo, junto a su habitación, Matthew y yo desarrollamos un plan.

—Mal asunto —dije en un susurro—. Si Evangeline Barry está metida en esto...

—Lo sé —contestó, pasándose la mano por la cara. Pude oír el leve crujido que producía la incipiente barba contra la palma de su mano—. No quiero ni pensarlo. Pero tenemos que tener en cuenta la posibilidad, e ir a la casa de los Barry.

—¿Podemos poner algún pretexto?

—No lo sé —dijo Matthew—. Nunca he hecho una cosa así.

—Ni yo tampoco.

—Alistair sabría qué hacer —se lamentó Matthew, sin dejar de tocarse la barbilla—. Puedo sentarme e intentar dilucidar cuál debería ser nuestro siguiente movimiento, pero seguro que no se me ocurrirá nada. A él nunca le faltaban ideas, pero yo no soy él. ¡No tengo ni idea de qué podemos hacer!

Me mordí el labio.

—Creo que, si aparecemos sin más, Tom Barry sospecharía, dijéramos lo que dijésemos. Y si es de verdad el sitio que buscamos...

—Supongo que no te parecería bien que fuera sin ti...

—¡Claro que no! Me necesitas para reconocer el lugar.

—De acuerdo entonces. Pero iremos después de que anochezca y solo echaremos una mirada rápida. No quiero ponerte en peligro. Si fuéramos ahora, nos vería todo el mundo.

Miré anhelante hacia la puerta de la habitación de Alistair. Una vez más, no había probado bocado en todo el día.

—¿Y qué hacemos hasta entonces?

—Estoy abierto a lo que propongas.

—Pues vamos al pueblo. Quiero ver al señor Nesbit.

Matthew me miró asombrado.

—¿Cómo dices?

Le conté lo que no había podido completar antes acerca de la conversación con la señora Barry.

—Me había olvidado del señor Nesbit —dije—, pero lo vieron en el funeral. Y te ha evitado, así que puede que sepa algo.

Matthew miró hacia abajo mientras pensaba. Se metió las manos en los bolsillos, y en ese momento me lo imaginé de uniforme, en un campo verde y embarrado, avanzando subrepticiamente entre la niebla de la mañana. El hijo de un sastre, con apenas veinte años, intentando volver a ver amanecer al día siguiente, metido sin comerlo ni beberlo en una guerra absurda.

Alzó la vista y me miró a los ojos. El chico de veinte años se había transformado en un hombre, con la barbilla oscura por la barba incipiente, y con una forma de mirar tan intensa que casi quemaba.

—De acuerdo, vamos —dijo con ese tono de voz que casi conseguía amedrentarme—. Lo haremos a tu manera.

❋ ❋ ❋

Caminamos hasta el centro del pueblo. No nos parecía correcto utilizar el automóvil de Alistair y, en cualquier caso, yo no sabía conducir, y Matthew tenía una motocicleta que había guardado en los establos de la posada, en una de las casetas y cubierta con una manta, como si fuera un caballo. Solo tenía un asiento.

El sol había asomado entre las nubes, acabando del todo con la niebla. Parecía que el día sería templado, o incluso caluroso; uno de esos días pegajosos de finales de junio y que aún no habían aparecido. Mientras subíamos la cuesta de la colina, apenas soplaba un amago de brisa.

Matthew avanzaba tranquilamente, como si fuera de paseo, y no sé si lo hacía a propósito o es que las secuelas de sus heridas le obligaban a ello. Incluso puede que estuviera agotado, como me pasaba a mí. Yo estaba tan exhausta que me encontraba en un estado parecido al atolondramiento, como si no pesara y volase, además de pensar de forma frenética. El mundo que contemplaba me parecía muy brillante. Me coloqué a su lado y caminamos el uno junto al otro. Las botas de Matthew aplastaban las malas hierbas del borde de la carretera.

—Ahora Maddy está tranquila —le informé—. Puedo sentirla. Debería tranquilizarme, pero no es así; lo cierto es que no me gusta.

—Es de día —adujo.

—Eso a Maddy le da lo mismo. La he sentido en el granero durante el día. Y ahora que lo ha abandonado... —Miré entre los árboles, cuyas altas copas apenas se movían, mecidas mínimamente por la escasa brisa—. Lo cierto es que no sabemos dónde está. Da la impresión de que puede estar en cualquier sitio. No la sentí en la habitación de Alistair, pero ha habido otras veces en las que la he perdido...

—Eres extraordinariamente sensitiva —afirmó Matthew—. ¿Habías visto antes algún fantasma?

La pregunta me tomó por sorpresa.

—No, nunca. Solo a Maddy. —Sí, solo a Maddy. Me había escogido a mí, por razones que solo ella sabía. Me estremecí.

—Interesante —dijo Matthew.

Pensé en mi casa, en aquel día de junio de hacía muchos años, el opresivo y soleado calor que me recibió en casa. El silencio, que a mis oídos resultaba una auténtica tortura. Había sido horrible, sí, pero no había visto ni sentido nada, ni la más mínima señal. Durante todos esos años no había recibido nada de las personas a las que echaba tantísimo de menos. Simplemente se habían ido, sin mirar atrás.

—¿Y tú has visto muchos?

—No. —Se quedó callado y pensé que ahí había acabado la conversación, pero continuó poco después—. Creo que he visto montones de pruebas, o al menos eso supongo. Pero pruebas que de ninguna manera podían ser falsas, o simples errores de interpretación... no, eso no. Muy pocas veces. Y he visto a Maddy, por supuesto.

Negué con la cabeza.

—Yo no sé, bueno, no sabía absolutamente nada de esto. No sé cómo se puede falsificar algo, lo que sea, ni qué buscar. No sabía ni una palabra de fantasmas. Sinceramente, no tengo ni idea de por qué me contrató Alistair, precisamente a mí.

—¿De verdad no lo sabes? —preguntó Matthew.

—Bueno, me llamaron por teléfono de la agencia y me dijeron que necesitaba urgentemente a alguien, por supuesto. Y yo estaba disponible. Además, supongo que no es que sea un área de trabajo demasiado... demandada ni popular. Alistair me dijo algo acerca de que sabía que era muy sensible, pero tengo que confesarte que no me lo creí.

Matthew gruñó.

—A Alistair siempre le han gustado las mujeres guapas.

Me ruboricé enormemente bajo el ya potente sol de la mañana. No me atreví a mirarlo. Nadie me había dicho nunca antes que fuera guapa, pero que, encima, me lo dijera Matthew... y eso que no era un cumplido, ni mucho menos, sino casi un reproche. Intentando mantener la ligereza de la conversación, me atreví a mirarlo con el rabillo del ojo antes de decir nada.

—Señor Ryder, ¿quiere usted decir que no tengo otras cualidades?

—Pues claro que tienes otras cualidades —dijo.

—¿Cómo cuáles? —dije, manteniendo el tono burlón.

—Unas piernas largas y bien torneadas —dijo con seriedad casi mortal—. Ojos grandes y oscuros. Una boca interesante. Pechos bonitos.

Si antes me había ruborizado, ahora estuve a punto de entrar en combustión espontánea. Me di la vuelta y lo vi mirándome de arriba abajo mientras caminaba, con esos ojos suyos tan extraordinarios. Creí notar un brillo de humor en ellos, pero pensé que no me estaba tomando el pelo.

—Bien —dije un tanto insegura—. La verdad es que se trata de... una lista interesante. Pero no creo que Alistair me contratara fundamentándose en ella. No puedo ni compararme con la señora Barry.

—¿Evangeline? —Su sorpresa parecía genuina—. Sí, supongo que es bastante guapa. Pero la verdad es que no sé por qué Alistair está tan colado por ella.

—¿Es que estás ciego? —dije—. ¡Pero si es clavadita a Norma Shearer!*

—Mmm. —Pareció reflexionar sobre lo que le había dicho. Llegamos a lo alto de la colina y entramos en el centro de Waringstoke—. Puede.

—Fíate de mí, es verdad. —Había visto todas las películas de Norma Shearer, así que me consideraba una auténtica experta en el tema.

—Bueno, podría ser. —Matthew se metió las manos en los bolsillos—De todas formas, te voy a decir una cosa. Incluso cuando estaba en las trincheras, durante la guerra, y no habíamos ni olido a una mujer en lo que nos parecía que eran años... ninguno de nosotros fantaseaba con la idea de ver desnuda a Norma Shearer.

Cuando me volví a mirarlo, tengo que confesar que, con la boca abierta, soltó una carcajada, que sonó tan áspera como su voz. Intenté mantenerme seria, pero no pude evitar esbozar una sonrisa. Después de todo, era la primera vez que lo veía reír.

---

* N. del Trad.: Actriz de cine canadiense, ganadora de un premio Oscar, que alcanzó gran fama entre los años veinte y cuarenta del siglo XX.

CAPÍTULO 25

La casa de Roderick Nesbit estaba bastante deteriorada, y a esas horas en completo silencio. Se encontraba en un claro lleno de malas hierbas, al final del pueblo, justo al lado del bosque. Las ventanas estaban muy sucias, lo que hacía que pareciera que la casa nos miraba con ojos ciegos; la pintura estaba desconchada y las paredes medio en ruinas. En la parte trasera había una pila de leña, y junto a ella una pequeña cabaña medio derruida, pues parte del techo se había venido abajo.

Matthew llamó a la puerta y aguardamos. Aunque no se oía nada en la casa, daba la impresión de que había alguien dentro. Matthew volvió a llamar.

Cuando ya estábamos a punto de abandonar, y para nuestra sorpresa, la puerta se abrió sin que nadie preguntara nada y apareció en el umbral un hombre alto y delgado con un jersey de *tweed* muy raído y unas viejas zapatillas de cuero. Llevaba barba y aparentaba unos cuarenta y cinco años.

—¿Sí? —Por encima de los inquisitivos ojos del individuo se abría una frente surcada de arrugas, debidas al gesto, no a la edad.

—¿Roderick Nesbit? —inquirió Matthew.

Por un momento, el gesto del individuo pareció denotar miedo, pero de un tipo abyecto y despreciable.

—¿Quién lo pregunta?

Matthew se encargó de presentarnos a ambos, y el miedo dio paso a la irritación, que se manifestó en la rigidez de la mandíbula.

—No tengo nada que hablar con ustedes.

—Por favor —rogué—. Nos gustaría que nos contara algo acerca de Maddy Clare.

Se volvió hacia mí y fue como si su inquisitiva mirada me abrazara, de arriba abajo, desde la pequeña pamela floreada hasta los zapatos de verano. Su tono de voz se volvió burlón y desdeñoso.

—Estoy seguro de que no sé de quién me habla.

—Pues me extraña, porque sí que debería saberlo —dije con audacia—. Por algo fue a su funeral, ¿no?

Se produjo una larga pausa, durante la que no dejó de mirarme.

—Bien. Pues entonces pasen.

Era una casa de solterón empedernido, como la de Jarvis. Pero con una diferencia sustancial: si Jarvis vivía en un caos típico del hombre solo, lo de Roderick Nesbit podía calificarse de miseria, sin más. El papel que cubría la pared estaba hecho jirones, los zócalos del suelo rezumaban suciedad de años, y así todo. Nos llevó a un pequeño cuarto de estar en el que solo había un sillón desvencijado junto a una chimenea apagada y sin leña. El cuadro lo completaba un espejo, opaco ya y lleno de polvo, con un marco que alguna vez fue dorado, recargado y de mal gusto.

—Pierden el tiempo —dijo el señor Nesbit—. Apenas conocía a la chica.

—Entonces, ¿por qué fue a su funeral?

El señor Nesbit se sentó en el sillón. No nos invitó a que nos sentáramos; de hecho, no podía, pues había ocupado el único asiento de la habitación. Se apoyó en los polvorientos brazos y miró hacia la chimenea con gesto ausente.

Cuando me fui acostumbrando a la oscuridad, pude captar más detalles. El señor Nesbit no es que estuviera delgado, no. En realidad, estaba cadavérico: le colgaba la ropa, como si estuviera a punto de caérsele, y por debajo de la barba solo tenía piel y hueso. También tenía los ojos inyectados en sangre y las venillas azules en la nariz y las mejillas, típicas de un bebedor empedernido.

—Simplemente lo sentí por ella, eso es todo —dijo, y su actitud defensiva pareció derrumbarse, como si le costara demasiado esfuerzo mantenerla—. Supe que se había suicidado. No era más que una criada, ya lo sé. Pero los sirvientes también son personas, ¿no creen?

—¿Cómo se enteró de lo que había pasado? —preguntó Matthew en voz baja.

Elevó uno de sus escuálidos hombros con gesto despreocupado.

—Lo supo todo el mundo en el pueblo. Trabajo arreglando cosas para todo el que me llama, soy muy manitas, así que entro en casi todas las casas y me entero de muchas cosas. Ese oficial de policía, Moores, quería mantenerlo oculto. Pero en un pueblo como Waringstoke no hay modo de esconder nada.

—¿Conoció a Maddy cuando estaba viva?

Nesbit pestañeó, y vi más nítidamente que tenía los ojos completamente inyectados en sangre. Parecía muy afligido.

—No. Por supuesto que no. Era una criada, ¿no? Y todo el mundo sabía que estaba loca y que no salía de la casa en la que trabajaba.

—Pero usted entra en todas las casas, por su trabajo —adujo Matthew, aunque con voz tranquila y en absoluto retadora—. ¿Nunca le llamaron para arreglar algo en casa de los Clare?

Estaba claro que Nesbit estaba sopesando la posibilidad de mentir, pero se daba cuenta de que Matthew podría preguntar sin problemas a la señora Clare y descubrirlo.

—Puede que sí, de vez en cuando —dijo al fin—. No me acuerdo exactamente.

—Piénselo —insistió Matthew—. Tenemos tiempo.

Una vez más, la expresión de Nesbit lo dijo todo. Si este hombre decidiera alguna vez jugar una partida de póquer, perdería hasta la camisa.

—Pero bueno, ¿qué pasa aquí? —dijo, cambiando de postura en el sillón y fingiendo enfado—. Usted no es policía, así que no tengo por qué responderle. Además, ¿qué pasa si hice algún trabajo para la señora Clare en su casa, una vez o dos? Nunca me encontré con esa criada suya de la que hablan. Simplemente me dio pena. Y... y eso es todo.

Matthew se quedó quieto durante un rato, pensando mientras observaba al individuo casi retorcerse en su asiento.

—Muy bien —concluyó—. Entonces nos vamos. Pero antes tengo que hacerle otra pregunta.

El sufrimiento de nuestro interlocutor era evidente. Estaba claro que pensaba en su botella, estuviera donde estuviese, y en el ansiado momento en el que pudiera volver a refugiarse en ella.

—Pues suéltela —ladró.

Matthew asintió mientras miraba la chimenea, sobre la que colgaba una escopeta larga y polvorienta.

—¿Le gusta cazar? —preguntó.

Nesbit siguió su mirada y, una vez más, su gesto reveló el miedo, pero en este caso fue capaz de mantenerlo bajo control.

—Sí, de vez en cuando suelo salir a cazar.

—Pero, por lo que veo, últimamente no —comentó Matthew—. Hace tiempo que no limpia su arma.

—He estado ocupado —explicó Nesbit—. Intentando buscar trabajo de aquí para allá. Desde que terminó la guerra no resulta fácil. Algunos no podemos pasarnos el día yendo de caza continuamente y todo eso. Algunos no podemos permitirnos una vida ociosa.

—Como Tom Barry —espetó Matthew.

Nesbit se quedó helado. Alzó la cabeza hacia Matthew y no dijo una palabra.

—He oído que usted ya no sale a cazar —insistió Matthew.

—Sí que salgo. —La voz le salió seca, y pronunció las palabras como un autómata—. ¡Claro que salgo! Pero no últimamente, eso es todo.

—Pues es una pena, porque es un pasatiempo muy entretenido —afirmó Matthew.

—Tienen que marcharse —interrumpió Roderick Nesbit—. Ya. Porque si no voy a quitarle el polvo a la escopeta inmediatamente.

—De acuerdo —concedió Matthew.

—Ahora —repitió Nesbit, claramente alterado—. ¡Ahora!

Cuando nos marchamos me pareció oír ruidos. Puede que me lo imaginara. Oí aleteos, como si unos pájaros se estuvieran posando en el maltrecho tejado. Pero cuando miré hacia atrás, no había nada.

* * *

Fuimos al *pub* a comer, y acabábamos de sentarnos a una mesa pequeña de un rincón cuando una gran sombra se cernió sobre nosotros. Era el agente Moores.

—¡Vaya por Dios! —susurró Matthew—. ¿Qué pasa ahora?

—Me alegro de encontrarles aquí —saludó el agente, sentándose a nuestro lado—. Vengo de la posada, he ido allí a buscarlos. El posadero me ha dicho que habían venido al pueblo. —Nos miró con su habitual intensidad—. Me he tomado un rato para visitar a su amigo el señor Gellis antes de venir. No parece que mejore, ¿se han dado cuenta?

La camarera se acercó a servirnos una cerveza. No habló nadie hasta que la chica se marchó, y después fue Matthew el que rompió el silencio, mirando con calma al agente Moores por encima del borde de la jarra.

—¿Qué está usted insinuando?

—No demasiado —dijo Moores—. Solo que parece que no les importa dejar a un hombre solo en su habitación mientras pierde el juicio. Por cierto, tengo que decirles que el posadero tampoco es que esté muy contento. Está planteándose poner a su amigo de patitas en la calle, y a ustedes dos también.

Matthew suspiró.

—He estado haciendo gestiones para que reciba la atención que necesita.

Miré a Matthew, bastante sorprendida. No me había dicho nada. ¿A qué gestiones se estaba refiriendo? El agente Moores no parecía excesivamente convencido.

—Su amigo debería ingresar en un hospital —dijo.

—Puede que tenga razón —convino Matthew—. Pero sin el acuerdo de sus abogados, yo no tengo la capacidad legal para ingresarlo en ningún sitio.

—¡Maldita sea, muchacho! ¡Ese hombre está enfermo!

Matthew dejó la jarra sobre la mesa con bastante fuerza.

—Y ya le he dicho que voy a encargarme de ello —dijo en voz baja y con frialdad—. Agente, si quiere que envíe a mi amigo al primer siquiátrico que encuentre solo porque el posadero se sienta incómodo, haga el favor de pensárselo dos veces. Alistair tiene que recibir los cuidados adecuados. Profesionales. No necesito su consejo, ni el de nadie. Yo me encargo —concluyó, masticando las palabras.

—Por favor... —intervine, dirigiéndome a ambos e invitándoles a suavizar el tono.

—Las cosas se están precipitando, muchacho —dijo el agente Moores, utilizando un tono muy semejante al de Matthew, seco y frío—. Este es un pueblo muy pequeño, en el que vive gente sencilla y buena. Y desde que ustedes y su amigo llegaron no ha habido más que problemas.

—No sé de qué está hablando —espetó Matthew, sin ceder ni un ápice.

—Por favor —insistí. Algo en la animosidad de la mirada del agente me ponía la carne de gallina—. ¿Para qué ha venido a vernos, agente?

Me miró cortante.

—Se lo voy a decir —espetó—. De hecho, les haré una pregunta. ¿Dónde estuvieron anoche?

Durante un segundo, me quedé tan trastornada que no pude ni hablar. Seguramente se me notaría en la cara, pero, afortunadamente, el agente miraba a Matthew con cara de pocos amigos. ¿Cómo podía haberse enterado de mi huida sonámbula por el bosque?

—¿De qué está hablando? —dije por fin.

—Está muy claro —dijo Moores—. Anoche. ¿Dónde estuvieron?

—En... la posada —tartamudeé, intentando recuperar la compostura lo mejor que pude—. Durmiendo. —En la posada nadie podía haber visto nada, pues en mitad de la noche no había ningún empleado. ¿Habría alguien fuera? ¿O nos habrían visto desde una ventana?

—¿Toda la noche? —espetó el agente, dirigiéndose a mí—. ¿Solos? —Miró a Matthew—. ¿Los dos?

—¡Vamos a ver! —saltó Matthew—. ¿Qué clase de pregunta es esa, demonios?

—Una pregunta clara que merece una respuesta igual de clara. ¿Puede alguien responder por ustedes dos respecto a la noche pasada?

—¿Pero por qué? —pregunté.

—Porque Bill Jarvis no se ha presentado a trabajar esta mañana —contestó rápidamente Moores—, y hay que considerarlo desaparecido. Y he averiguado que ayer mismo fueron ustedes a su casa, los dos. Por eso.

Se produjo un espeso silencio. Finalmente, Matthew lo rompió:

—¿Desaparecido?

—Sí, desaparecido —repitió Moores—. Por los indicios, me da la impresión de que salió en algún momento de la noche. La cama estaba deshecha. No resulta fácil saber si le falta ropa, aunque a mí me parece que no. La cartera y el dinero están en la mesita de noche, y la puerta de la casa no está cerrada con llave. —Nos miró alternativamente a los dos—. ¿De qué hablaron cuando lo visitaron ayer?

Matthew le dio un trago a la cerveza, así que fui yo quien respondió. No me pareció que hubiera ninguna razón para ocultar la verdad:

—Hablamos de Maddy Clare —contesté.

El agente Moores torció el gesto.

—¡Vaya! Ese asunto del fantasma que se traen entre manos.

—Por eso estamos aquí, ¿no? —razoné. Mantuve el tono de voz tranquilo y lo miré a la cara—. Puede que usted no crea una palabra de esto, agente, pero el fantasma de Maddy es completamente real. Teníamos información que queríamos contrastar con el señor Jarvis.

No entró a discutir mi afirmación.

—¿Qué información?

—Habíamos oído decir... que quizá Maddy no estuviera enterrada en la tumba que cavó el señor Jarvis para ella en el cementerio de la iglesia. Que podría haber sido enterrada en otra parte.

Me pareció que palidecía.

—Eso es una estupidez.

Al ver su reacción, decidí arriesgarme.

—Supongo que habría bastado con preguntarle a usted.

—No veo por qué —gruñó Moores—. Apuesto lo que sea a que a Bill le pareció muy bien que fueran a visitarle un domingo y le acusaran de haber enterrado un féretro vacío.

—De hecho —intervino Matthew con tono tenso y falsamente calmado—, nos dijo que le preguntáramos a usted.

El agente suspiró frustrado y miró hacia otra parte.

—¿Es cierto? —pregunté suavemente—. ¿Fue usted quien cortó la cuerda de Maddy el día en que se ahorcó?

El agente Moores se mantuvo en silencio durante un buen rato. Parecía como si luchara consigo mismo.

—Por aquí no se producen muchos suicidios. Fue un día horrible.

—No nos lo había dicho hasta ahora —afirmó Matthew con cierto tono de reproche.

—No.

—¿La conocía?

Moores negó con la cabeza.

—Por supuesto que no. Por lo que me han dicho, nadie la conocía.

—Pero usted sabe que está enterrada en el cementerio de la iglesia, ¿verdad? Usted la vio en el féretro.

—Sí, supongo que sí. —Se volvió de nuevo hacia nosotros y nos miró de nuevo con cara de pocos amigos, aunque en este caso el enfado estaba matizado por la pesadumbre—. Fue un caso muy triste, y no puedo negar que no me gusta nada hablar de él. Tampoco niego que, de vez en cuando, me pregunto de dónde vino la chica, y qué fue lo que le pasó. Pero eso no significa que me crea que ha regresado de entre los muertos, ni que hubiera hechizado el granero de Falmouth House. No creo en fantasmas, ni en demonios, ni en lo que sea que ustedes estén buscando.

Había ido elevando la voz conforme hablaba, y miré a mi alrededor. Casi todos los demás clientes del local no nos quitaban ojo. Me afectó mucho darme cuenta de que éramos extraños, y de que esas personas nos consideraban unos chalados o, casi peor, unos farsantes. Aparte de la señora Clare, todo el mundo en Waringstoke nos consideraba unos personajes siniestros. El enfrentamiento público con Tom Barry tampoco había ayudado. Ni siquiera Evangeline Barry había reconocido por completo que creyera en el fantasma de Maddy; simplemente se había mostrado preocupada por la posibilidad, y lo que podría significar para ella por razones que todavía estaban por discernir. No teníamos aliados. Estábamos solos.

—Agente —empezó Matthew, con su habitual gesto de pasarse la mano por el pelo—, puede no creer en lo que hacemos, o pensar lo que le parezca al respecto, pero eso no significa que hayamos venido a molestar, poner en peligro o secuestrar a la gente del pueblo. Usted mismo ha dicho que no está seguro de si falta o no ropa de Jarvis. ¿Qué le hace pensar que haya podido pasar algo distinto a que fue a dar un paseo por el bosque y se tropezó, o se hizo daño de alguna manera, él solo?

—Pues que se llevó el arma —respondió Moores—. La hemos encontrado, cargada y preparada, a menos de un kilómetro de su casa, en unos matorrales cerca del final del bosque. —Se echó hacia atrás, atento a nuestra reacción—. Ni les cuento lo mucho que me preocupa esa arma —dijo, pronunciando despacio—. Bill Jarvis la mantenía en perfectas condiciones, y la utilizaba solo para cazar. Me confunde y me preocupa profundamente pensar qué pudo llevarle a sacarla de su funda y cargarla, es decir, tenerla preparada para disparar. Y lo que es peor, ni me puedo imaginar qué pudo hacer que Bill soltara ese rifle tan apreciado, dejándolo sobre unos matorrales húmedos, y se marchara. Me reconcome. Hubo algo que hizo que lo cargara y, después, que lo soltara.

Sentí frío por dentro. De repente me acordé de los cuervos que habíamos visto sobre los árboles cuando nos marchamos de la casa de Jarvis.

Era muy fácil de deducir. Maddy junto a la puerta de la habitación de Bill Jarvis, igual que había estado al lado de la mía; el frío que la acompañaba, el ruido. ¿La habría visto, o la habría oído? ¿Habrían cubierto por completo los cuervos su tejado, igual que el del granero? ¿La habría perseguido fuera de la casa, pensando que se trataba de un intruso? Y, de ser así, ¿qué le habría inducido a tirar el arma? ¿Y adónde habría ido?

¿O no tendría nada que ver con Maddy y se trataría de otra cosa? ¿Algo que había perpetrado alguien de Waringstoke?

—Entonces somos sospechosos —dijo Matthew—, aunque usted aún no sabe siquiera si ha habido algún delito. —Si sus pensamientos se estaban desarrollando en la misma línea que los míos, desde luego lo disimuló perfectamente.

El agente Moores no mordió el anzuelo.

—En este momento son las últimas personas que han visto vivo a Bill Jarvis. Hasta que no regrese a su casa y declare que todo ha sido un malentendido, se trata de una persona desaparecida en extrañas circunstancias. Y sí, ustedes dos son sospechosos. Tengo que pedirles que no se vayan del pueblo durante unos días.

—Eso ya nos lo había pedido —dijo Matthew torciendo el labio un tanto burlonamente—. ¿No lo recuerda? Después de que ardiera el granero de la señora Clare.

—Lo cual deja más claro aún lo que les he dicho. —El agente Moores echó la silla hacia atrás y se levantó—. Parece que los problemas les acompañan allá donde van, y no crean que no me doy perfecta cuenta de ello. Les sugiero que vuelvan a la posada y se sienten tranquilamente a hacer compañía a su amigo hasta que lo hayamos aclarado todo. Si pasa algo más, no puedo responder de las consecuencias. Tendría que arrestarles.

Sentí escalofríos de nuevo.

—Lo entendemos —dije.

—Que les aproveche la comida. —Se volvió y se marchó.

—Bueno —dije tras un momento de silencio, mientras Matthew, claramente enfadado, daba un gran trago a la cerveza—. ¿Vamos a reconsiderar nuestros planes para esta noche?

Dejó la jarra, esta vez con suavidad.

—Pues no lo sé. ¿Qué hacemos?

Nos miramos sin hablar, cada uno pensando sobre el asunto. No vi ningún miedo en sus ojos oscuros.

—Si nos arrestan no podremos ayudar a Alistair —argüí.

—Muy bien. Pues acabemos con esto sin dejar que nos arresten —replicó.

Inspiré profundamente y tragué saliva. Tenía razón. Teníamos que encontrar como fuera el lugar en el que Maddy fue enterrada, con o sin permiso del policía. Lo único que teníamos que hacer era asegurarnos de tener cuidado.

—¿Estás de acuerdo? —preguntó con delicadeza.

—Sí —murmuré.

—Muy bien. Pues lo haremos después de que anochezca —sentenció.

CAPÍTULO 26

Alrededor de la medianoche me encontraba en lo alto de una cuesta, con los árboles por detrás, descorazonada y jadeando de puro agotamiento.

—En fin, ya está bien —dijo Matthew, que estaba a mi lado, al tiempo que se metía las manos en los bolsillos.

Delante de nosotros, más allá de un terreno con la hierba perfectamente cuidada que se extendía por el final de la ladera, se elevaba una mansión gris, alta y elegante. La casa de los Barry era antigua, al menos en lo que se refería a su estructura, construida por manos expertas, y había sido ampliada y pintada recientemente; no me cabía la menor duda de que en su interior se habrían instalado todos los adelantos más modernos. El antiguo granero y las cuadras ya no estaban, de modo que el edificio que se podía ver ahora resultaba magnífico en todos los sentidos, y con toda seguridad era lo suficientemente alto como para resultar visible por encima de las copas de los árboles.

La chimenea, que ahora no echaba humo, era de pizarra negra.

—Creo que deberíamos estar agradecidos —dijo Matthew.

En mi cansado cerebro se entremezclaban el alivio y la decepción. Maddy no había sido enterrada aquí y, consecuentemente, Evangeline no había estado involucrada en aquel asunto. Estuviera donde estuviese el lugar que Maddy insistía en mostrarme, no tenía nada que ver con Evangeline.

Pero, por otra parte, estábamos como al principio, sin avanzar ni un milímetro. Dando vueltas a ciegas en la oscuridad, sin habernos acercado siquiera un paso en lo que se refería a averiguar qué le había pasado a la chica, ni cómo proporcionarle lo que tanto deseaba. De manera que seguiría poseyendo a Alistair de una manera cada vez más y más intensa, lo que acarrearía gravísimas consecuencias.

El hecho de pensar en Alistair hizo que me diera la vuelta, dirigiéndome de nuevo hacia el bosque. No se veían luces en las ventanas, pero no había forma de saber si había alguien observando desde el interior de la casa.

—Tenemos que irnos antes de que nos vean.

—¿Todavía estás enfadada conmigo? —preguntó Matthew, echando a andar a su vez.

Me limité a negar con la cabeza, incapaz de pensar siquiera en lo que podría decir.

—Sarah —dijo—, tienes que entenderlo. Es la única manera.

Seguí andando. Habíamos llegado a la casa de los Barry dando un rodeo, para que no nos viera nadie de Waringstoke. Caminamos por el borde del bosque, y procuré no pensar en mi pesadilla. Me sequé las manos en la falda y miré al suelo.

Matthew se había puesto en contacto con un antiguo coronel al que había conocido en el ejército, y que ahora colaboraba con una asociación de caridad que ayudaba a los veteranos que lo necesitaban. Regentaban un pequeño hospital para pacientes sin recursos y habían accedido a preparar una habitación para Alistair. Se lo llevarían al día siguiente.

La idea me sublevaba, así que no paramos de discutir en toda la tarde, dándole vueltas y vueltas a la situación, hasta que por fin llegamos a casa de los Barry y, de mala gana, dejé de hablar del asunto.

—¡Es una institución de caridad! —exclamé, volviendo al tema.

Matthew se dio cuenta de que estaba retomando la discusión que habíamos dejado antes.

—Hasta que discurra una forma legal de utilizar sus fondos, no hay más remedio que llevarlo a un hospital de caridad. Al menos por ahora.

—Si se tratara de mí, sería lógico. Pero en el caso de Alistair no lo es. Debería poder ir a alguna institución que no fuera mísera. ¿Qué pueden hacer por él? Lo dejarán en una habitación, esperando que mejore y sin que nadie se haga cargo ni lo atienda en condiciones. ¿Cómo vamos a ir a visitarlo? ¿Cómo vamos a saber el tipo de atención que recibe? ¿Cómo vamos a enterarnos de si lo maltratan? ¿Y cómo vamos a... resolver este problema, si Alistair ni siquiera está en Waringstoke? Maddy está unida a él, viene y va...

—Sarah, el posadero iba a llamar al agente y se lo iban a llevar. Dice que no puede tener un loco alojado en la posada. ¿Qué querías que hiciera?

—¡Pero no está loco! —exclamé, reteniendo las lágrimas—. Ni siquiera sufre una conmoción. Está poseído, y los únicos que podemos ayudarlo somos tú y yo.

—Si no somos capaces de hacer que coma y beba, morirá antes de que logremos hacer nada. Necesitamos ayuda, Sarah.

No dijimos nada más hasta llegar a la posada. Ya era casi la una de la madrugada, y entramos en silencio a la zona de los alojamientos, pues no queríamos que nadie supiera que habíamos salido. Caminamos uno detrás del otro hasta la puerta de la habitación de Alistair. Se oía un ruido sordo en el interior. Matthew me miró e, inmediatamente, abrió la puerta.

Alistair yacía en una cama estrecha, sin afeitar, con los ojos abiertos mirando al techo. Tenía la frente perlada de sudor y la ropa empapada. Gemía en tono bajo, y supimos que era la queja de una persona sometida a un dolor insoportable.

Matthew se acercó a la cama y le habló con suavidad y ternura. Alistair negó con la cabeza. Su amigo vertió un poco de agua en un vaso e intentó que Alistair diera un trago, pero él se mantuvo rígido, con la mandíbula muy apretada y las manos a los lados, temblorosas, hasta que le dio un manotazo, intentando arrojar el vaso al suelo.

—¡No me toques! —le gritó a alguien a quien no podíamos ver, mientras Matthew procuraba tranquilizarlo—. Te voy a matar. No me toques. ¡No me toques...!

Matthew se volvió hacia mí con gesto de tristísima impotencia. Me había quedado en el umbral, incapaz de moverme siquiera.

—Sarah —dijo—. Estás llorando.

Asentí. Lo sabía, podía sentir la humedad en las mejillas. Miré para otro lado, pues no quería sentir el desprecio por mi debilidad en la mirada de Matthew.

—¡Si tuviéramos un poco más de tiempo! —dije—. Un día más, solo pido un día más. —Me limpié las lágrimas con el dorso de la mano—. Me voy a mi habitación.

Me senté en el borde de la cama, en bata, preguntándome si sería capaz de dejar de llorar, mirando el camisón que había manchado completamente de barro la noche anterior y preguntándome qué me iba a poner para acostarme. En ese momento, oí una llamada suave en la puerta.

—Soy yo.

Dejé el camisón sobre la cama y me acerqué a la puerta. Allí estaba mirándome con esos irrepetibles ojos oscuros. No vi desprecio, pero sí otro sentimiento, otra urgencia, que pude reconocer.

—¡No! —dije, y empujé la puerta con todas mis fuerzas.

La contuvo con una sola mano.

—Sarah.

—No —repetí.

—Solo quiero hablar contigo. —Su tono de voz era amable.

Dudé por un momento, y después di un paso atrás, maldiciéndome a mí misma por ser tan estúpida. Me era imposible resistirme a Matthew cuando utilizaba ese tono de voz.

—Pues habla —espeté, intentando hacerme la dura.

Suspiró, entró y cerró la puerta.

—Él no querría ir al hospital. ¿Acaso crees que no lo sé?

Intenté no mostrarme comprensiva por la postura que estaba tomando Matthew respecto al destino de Alistair.

—Tú mismo has dicho que ya ha pasado un tiempo más que suficiente en hospitales.

—No estoy en condiciones de tener en cuenta sus preferencias. Lo único que puedo plantearme es mantenerlo vivo.

Había dejado de llorar. Y estaba harta de discutir.

—Se suponía que esta noche íbamos a resolverlo. Le hemos fallado, Matthew. Hemos fracasado.

—No, no hemos fracasado —negó en voz baja al tiempo que daba un paso hacia mí—. Todavía hay tiempo.

—No, no lo hay.

—Voy a conseguir que lo haya —dijo—. Te voy a decir qué es lo que voy a hacer. Llamaré al coronel para que nos dé un día más, para que espere otro día antes de venir a por él. —Me acarició la barbilla—. Es todo lo que podemos conseguir. ¿Te parece mejor?

Suspiré.

—¡Para! No puedo soportar que seas amable.

Soltó una risa ahogada.

—Precisamente era eso lo que esperaba.

Levanté los ojos y no vi ni un atisbo de cinismo en su mirada, ni que tuviera la más mínima mueca burlona en los labios. Me miraba con deseo, con un deseo desnudo que hizo que me hirviera la sangre en las venas.

—Y por lo que se refiere a lo otro... —musitó.

Respiré hondo.

No terminó la frase. En vez de seguir hablando, me sujetó por los hombros, después me acarició el cuello y me agarró la barbilla con enorme suavidad. No pude evitar inclinarme hacia él. Me apetecía mover la mejilla sobre su mano, como hacen los gatos. Me acarició las clavículas con los pulgares y noté que sus ojos se oscurecían. Posé las palmas en su pecho. Continuó merodeando, sin besarme todavía. Quería gritar de pura frustración, por la agonía de haberlo estado mirando durante los dos últimos días, bebiéndome sus movimientos y su voz, incluso cuando no me hacía caso o me despreciaba.

Me daba igual...

Finalmente me besó. Pensé que el beso sería brusco y ansioso, como el de la otra noche, pero no fue así; fue urgente, es cierto, pero a la vez suave y cálido. Nuestras lenguas se encontraron, y abrí más la boca. Me mordisqueó el labio inferior con mucha suavidad y, en cuanto lo hizo, me fundí literalmente, caliente y febril, rodeándole el cuello con los brazos e intentando que se acercara más. Me recorrió la espalda con las manos y después me apretó la cintura y las caderas. Empezó a besarme el cuello, y noté su ronco aliento sobre la piel. Cerré los ojos y jadeé.

Noté que algo me apretaba la parte de atrás de las rodillas, y me di cuenta vagamente de que estaba en la cama, tumbada de espaldas. Me liberé como pude del abrazo de Matthew y doblé primero una pierna y después la otra, hasta ponerme de rodillas sobre el borde de la cama, besándolo mientras él seguía de pie. Ahora me encontraba a su nivel. Le acaricié el pelo con las manos y volví a besarlo.

Cuando se separó, sus ojos brillaban con un fuego oscuro. Tiró de la bata. Yo, a mi vez, tiré de su camisa hacia arriba desde la cintura, pero me sujetó las manos.

—No —protestó.

—Sí —dije yo, tirando otra vez de su camisa. ¡Por Dios! ¿Acaso pensaba que iba a preocuparme por unas cuantas cicatrices? Estaba loca por tocarlo, pero volvió a apartarme las manos.

—¡Por favor, no! No hagas eso.

Le di un mordisquito en el cuello, tocándoselo además con la lengua, y gruñó.

—Quiero hacerlo.

Se distrajo y permitió que le levantara la camisa por encima del abdomen que era tan duro y musculoso como había imaginado, pero inmediatamente volvió a apartarme las manos.

—No quiero quitarme la camisa.

—Pues yo sí que quiero —dije, pero cuando volvió a apartarme las manos, me retiré. Incluso cuando ambos ardíamos de deseo el uno por el otro, parecía que no podíamos dejar de discutir. Respiré hondo, sabiendo que estaba arrebolada y que tenía los labios muy rojos después de besarlo.

—De acuerdo entonces. Déjate puesta la camisa, pero yo tampoco me voy a quitar la bata.

En el escarceo anterior había desabrochado el ceñidor de la bata, aunque no del todo, por lo que seguía cerrada. Pero a través del estrecho hueco podía darse cuenta de que no llevaba nada debajo. Me di cuenta de que sus ojos no se apartaban de mí.

—Sarah... —dijo.

—No. —Me apreté los dos lados de la bata mientras me miraba, y amagué con volver a atar el ceñidor.

—Sarah. —Me miró con la peor de sus caras. Respiraba pesadamente, como los toros—. ¡Quítate la maldita bata!

No aparté la mirada.

—Solo si tú te quitas la camisa.

Cerró los ojos. Parecía como si estuviera discutiendo consigo mismo, muy dentro, sobre algo que yo era incapaz de escuchar.

—Es repugnante —dijo finalmente, con voz de desprecio por sí mismo.

—Te olvidas de que ya te he visto —repliqué. Y como no podía soportar ese desprecio, deslicé las palmas bajo la camisa, sobre el estómago, y le acaricié el vello del pecho—. Quítatela —le susurré al oído. Mordisqueé el lóbulo de la oreja, incapaz de parar de sentir su sabor—. Por favor.

No se la quitó, pero esta vez sí que me permitió que yo lo hiciera, aunque eso sí, con el cuerpo y la mandíbula muy tensos. Desabroché los botones del cuello y tiré de la camisa para sacársela por la cabeza. Era fuerte, tenía los músculos desarrollados y potentes, el pecho bien definido, la musculatura de los brazos como cabos de barco; estaba exactamente igual que lo recordaba tras la breve y furtiva mirada de hacía unos días. Pero ahora no solo podía verlo; ahora podía sentirlo, notar el calor sedoso de su piel, oler el deseo que irradiaba, el sudor del esfuerzo tras la caminata de hacía un rato. Mirándolo de frente, solo podía atisbar una pequeña parte de la cicatriz, a la altura del hombro, y otra bajo el pecho, y también la tersa piel de la parte de atrás de los brazos.

Pero no le apetecía nada que lo mirara. Una vez que había cumplido su parte del pacto, me agarró la bata y estuvo a punto de desgarrármela al quitármela. Después la lanzó al suelo. Quedé absolutamente expuesta; me alejé un poco de él, deslizándome hacia un lado de la cama, pero me siguió. Se puso de rodillas sobre el colchón y me agarró, sin demasiados miramientos esta vez, estrechándome con fuerza entre sus brazos. Noté los pechos pegados a él, y todos los pensamientos me abandonaron cuando me besó, con mucha más pasión que hacía un momento.

No obstante, las cosas fueron muy distintas a cómo se había desarrollado nuestro primer encuentro. Noté perfectamente la diferencia en su comportamiento, menos brusco, más cuidadoso en las caricias, sobre todo en los pechos, la espalda y la parte de atrás de los muslos; incluso cuando me separó las rodillas. Prácticamente me devoró la boca, pero esta vez, sin dejar de mover la lengua con avidez, era como si pidiera permiso para ir explorando, cada vez más adentro. Estaba claro que quería complacerme. Froté el cuerpo contra el suyo, y sentí una descarga eléctrica en ambos pezones. Yo también quería ser complacida.

Me empujó un poco más hacia atrás y sentí algo duro en la espalda. Era el cabecero de la cama, y cuando Matthew se dio cuenta, me levantó las caderas hasta que se adaptaron, aunque de forma algo precaria. Volvió a besarme el cuello y deslizó la mano entre los muslos.

Hice un ruido involuntario, a medio camino entre un gemido y un suspiro, aunque él debió de encontrarlo erótico, porque noté que respiraba entrecortadamente y entre dientes. Cerré los ojos y me dejé llevar. Su mano era un tanto áspera y las caricias no resultaban perfectas, pero eso no me importó en absoluto. Me apreté contra él sin ninguna vergüenza, y respondió mordisqueándome el cuello y la oreja. Nunca en mi vida había sentido algo tan increíble, y cada vez me iba pareciendo mejor, mucho mejor, más intenso. Dejé descansar la cabeza contra la pared. Apenas podía recuperar el resuello.

Me di cuenta, aunque de manera fugaz, de lo lasciva que debía de parecer, apretada contra el cabecero, con Matthew arrodillado entre las piernas. Pero estaba demasiado cansada como para pensar en ello, demasiado cansada para hacer cualquier cosa que no fuera simplemente sentir. Le agarré con fuerza los hombros y pude sentir sus músculos, duros, tensos y potentes.

No sé cómo, fui capaz de susurrar:

—Matthew —dije con voz entrecortada—. ¡Matthew...!

Me inundó una oleada de energía y grité al tiempo que sentía el placer, apretando aún más el cuerpo contra el suyo, aunque me pareciera imposible. Lo apreté con las rodillas y le clavé los dedos en los hombros. También estampé la cara contra el cuello y jadeé sobre su piel, que sabía algo ácida.

—¡Dios! —exclamó con voz ronca, al tiempo que, con poca pericia, intentaba desabrocharse los botones de los pantalones. Intenté ayudarle y nuestras manos se entrelazaron torpemente en la cintura. Me agarró con fuerza, alzó las caderas sin más preámbulos y me penetró.

Fue como si el placer me diluyera los huesos. Me fundí contra él, saciada, pero, al mismo tiempo, deseando más. Me apretó con fuerza, a espasmos, y en cada envite notaba el cabecero contra la espalda. La sensación era indescriptible, maravillosa. Alcé las piernas y le rodeé las caderas, sintiendo sus músculos en la parte de atrás de las rodillas. Gritó de forma ahogada algo ininteligible y apretó con más fuerza todavía.

Mientras me penetraba le acaricié la espalda, disfrutando también al sentir el trabajo de los músculos bajo las palmas de las manos, la espalda, los hombros, la piel con cicatrices de la parte baja del cuello. También le introduje los dedos entre el oscuro cabello. Y de repente se detuvo, muy dentro de mí, se retiró de inmediato y lo oí soltar un gruñido doloroso y profundo, que pareció salir directo del pecho. Inmediatamente después nos quedamos quietos, jadeando el uno junto al otro.

Me temblaban los músculos y el cabecero me hacía algo de daño en la espalda, pero me daba igual. Un momento después, Matthew me agarró por la cintura, suavemente, y me colocó sobre la cama, liberándome de la extraña postura en la que había quedado. Una vez acostada, se apoyó en los codos y se colocó sobre mí. Muy despacio, separé los muslos de sus caderas.

Me miró; el pelo le caía sobre la frente. Había perdido el aliento. Me devoraba con los ojos, aunque no sabía exactamente dónde miraba.

—¿Estás bien? —preguntó.

Le pasé el índice por el labio inferior. Era extraordinariamente guapo. Me pregunté si se marcharía.

—Sí.

Al parecer le sorprendió la caricia. Me pareció que iba a apartarme el dedo, pero no lo hizo. Por el contrario, se inclinó y me besó con labios cariñosos.

—Pareces extasiada —dijo cuando dejó de besarme.

No pude evitar sonreír, supongo que de manera bastante bobalicona.

—Lo estoy.

Se separó de mí y se levantó. Me acercó una toalla, igual que había hecho la otra vez. Y después observé consternada cómo recogía del suelo la camisa y la estiraba, preparándola para ponérsela.

Ahí estaba la respuesta a mi pregunta: se iba a marchar. Me senté sobre la cama y alcé las rodillas. Me daban ganas de gritarle como una verdulera, y después de suplicarle llorando a moco tendido. No sabía qué hacer, y me limité a cubrir mi desnudez con la sábana.

Antes de que pudiera decir nada, se volvió hacia mí, solo con la camisa puesta, apartó una de las esquinas de las sábanas y se metió en la cama a mi lado. Al ver mi gesto, que probablemente era de consternación, de repente vi en su cara un enorme agotamiento.

—Sarah —dijo—, déjalo estar.

—¿Te vas a marchar? —pregunté.

—¿Cómo dices? —Me miró con el ceño fruncido. Me pregunté si, independientemente de lo íntimo de nuestra relación, nunca dejaría de hablarme con segundas intenciones. Se miró la camisa y me di cuenta de que por fin comprendía lo que estaba pensando yo. Me tomó de las muñecas con lentitud y suavidad, me apretó contra la cama y se tumbó sobre mí. Inmediatamente me empezó a besar el cuello, como si volviera a tener hambre de mí. Noté la suavidad de la camisa acariciándome los pezones, y de nuevo perdí el aliento.

—No me voy a marchar —susurró.

Me mordí el labio, y no pude evitar que las lágrimas corrieran a raudales por las mejillas. Lo único que había hecho era ponerse la camisa, eso era todo. Se la había quitado porque yo había insistido, pero sin ella se sentía muy a disgusto, así que se la había vuelto a poner para estar en la cama conmigo.

Cubrió nuestros cuerpos con las sábanas y la oscura habitación desapareció. Allí estábamos los dos, solos y juntos, y el miedo terrible y los problemas de la situación que estábamos viviendo se esfumaron. Me sentía a salvo junto a él. Solo sentía la calidez, la fuerza de su presencia, la aspereza de la barbilla, la presión de las manos, grandes y fuertes, contra mis muñecas. Lo respiraba. Pensé que estaba más allá del agotamiento, pero lo que hizo fue hacerme de nuevo el amor hasta que llegué al éxtasis bajo él. Mi cuerpo sentía sin control, por su propia cuenta, tan libre como el agua que cae sobre las rocas de una catarata.

Y después nos dormimos. Cuando desperté, se había ido, y Maddy Clare estaba conmigo en la habitación.

CAPÍTULO 27

Lo primero que noté fue un olor metálico, mientras salía lentamente de un sueño muy profundo. Noté el soplo de aire frío, ya familiar, sobre la cara y el cuello, aunque tampoco podía estar segura del todo. Abrí los ojos y descubrí que estaba tumbada de espaldas, todavía desnuda, apenas cubierta por la sábana y una manta, mirando al techo, y que no me podía mover. Sobresaltada, supe que Maddy me tenía cautiva.

Intenté mover la boca para hablar.

—Maddy.

Noté un movimiento en el rincón más oscuro de la habitación, y oí una especie de crujido. Moví los ojos para intentar verla, pues era incapaz de levantar la cabeza.

—Maddy. —Como las otras veces, no sabía si estaba hablando en voz alta, o simplemente pensando. Parecía un sueño, pero sabía perfectamente que no lo era. Podía escuchar mi propia voz, pero no sentía el movimiento de la mandíbula, ni podía mover la lengua. El corazón me empezó a latir fuerte de puro miedo. Su malevolencia llenaba la habitación como un miasma, asfixiándome como un olor fétido. Algo iba mal.

Es difícil de describir el miedo que me inspiraba, la sensación de helada incapacidad que tenía ante su poder. Sabía que podía hacer lo que quisiera conmigo y que no habría sido incapaz de evitarlo. Pero aún era peor la absoluta seguridad de que me haría algo malo, de que cualquier paso en falso, cualquier palabra inadecuada, sería fatal, y, aunque no sabía cuáles, tendría consecuencias terribles. De todas formas, no podía verla. ¿Qué quería? ¿Podría conseguir lo que fuera que quisiera de mí? Mi mente trabajaba a toda velocidad, pero me sentía atrapada, inerme, y contaba los segundos como si fueran los últimos de mi vida.

Volví a oír el sonido, esa especie de arañazos en la pared, y después se acercó. Hasta podía oír su respiración. Volví a sentir el frío en el cuello y en el pecho. Intenté verla, pero apenas pude notar una tenue sombra con el rabillo del ojo.

—Maddy, por favor.

Noté peso a los pies de la cama. Primero a un lado de los pies, y después al otro. Se había subido a la cama. Pero seguía sin hablar. Empecé a llorar, sin poder evitarlo. Las lágrimas mojaron la almohada.

—¡Por favor!

Un crujido, el roce de la tela. Me la podía imaginar, agachándose sobre la cama, sobre mí. No sentí el peso de sus rodillas sobre el colchón. Así que estaba en cuclillas sobre mí, mirándome, lo mismo que yo miraba hacia el techo.

Durante un buen rato no hizo nada, ni se movió. Estuve a punto de volverme loca de miedo. Le recé a un Dios del que hacía mucho tiempo que me había olvidado por completo. Le rogué que me ayudara. No obstante, Maddy seguía sobre mí; ahora notaba el frío en los huesos. Noté que estaba de muy mal humor, y no paraba de respirar, constantemente. Pensé que, durante esos largos e interminables momentos, estaba pensando si matarme o no.

Y por fin habló.

«Tengo hambre», dijo en mi mente.

Respiré con dificultad. Lo único que podía hacer era adaptarme a su incoherencia y suplicarle.

«Siempre tengo hambre», insistió, como si no se hubiera dado cuenta de mis súplicas. «Siempre, desde los primeros días. Hambrienta como ellos, como todos ellos. Nunca es suficiente. ¡Sí! Si quieres que acabe, Maddy, tienes que aprenderlo. Tienes que irte. Tienes que hacer lo que ellos dicen. Bajar los ojos siempre. Y eso fue lo que hice. Y me fui antes de que me echaran. Las niñas pequeñas no importan. Las criadas pequeñas no importan. Las pobres niñas pequeñas muertas no importan. Y ahora tengo hambre otra vez».

—¿Qué quieres de mí? —le pregunté.

Respiró un rato más, siempre sobre mí. Era una especie de torturado silbido que surgía de su garganta deshecha.

«Te vi con el otro», dijo por fin. «Eres una buena chica, a veces. Encuentras cosas. Pero no has encontrado el sitio. Todavía no».

—¡Por favor! —le rogué, sabiendo que estaba suplicando por mi vida—. Por favor, lo estoy intentando. —¿A quién se refería al decir «el otro»? ¿Habría puesto los ojos en Matthew?—. ¡Déjale en paz! ¡Por favor!

Se rio, y esa risa resultó incluso más terrorífica que su furor.

«No me gusta tu áspero», dijo por fin. «Me gusta el mío. Quiero quedarme con el mío. Pero el otro se vendrá conmigo. Sí, se vendrá». Su voz se convirtió en un sonsonete enloquecido dentro de mi cabeza. «Sí, se vendrá... Sí, se vendrá...».

—¿Qué vas a hacer? —grité.

«Niña estúpida...», dijo con un tono casi de lástima. «Ya lo he hecho. Pero el hambre me sigue devorando. Así que vas a volver a ayudarme, para que lo haga otra vez».

¡Por Dios bendito! Pero ¿de qué estaba hablando? Tenía que hablar con Matthew, avisarle. Tenía razón, era obligatorio llevarse de aquí a Alistair, pero... ¿lograríamos librarle de ella alejándolo? Respiró pesadamente en el lugar en el que estaba, encima de la cama y prácticamente sobre mí, y solo pude hacerle una pregunta, una pregunta que llevaba torturándome desde el principio.

—¿Por qué yo?

Otra vez pasó mucho tiempo, y pensé que no me respondería. De momento, había terminado conmigo; había decidido no matarme, o por lo menos eso deducía de sus palabras, y, desde ese punto de vista, ya no tenía interés para ella. Me di cuenta de que se iba a marchar. Cuando lo hiciera, saltaría de la cama y me reuniría con Matthew lo más deprisa que pudiera.

Pero me sorprendió, porque se dirigió a mí una vez más.

«Todo estaba oscuro hasta que tú llegaste», dijo. «La memoria es como un puño. Pero ahora ya sé. Ahora ya recuerdo el sabor de la sangre».

Volvió a permanecer callada durante unos instantes, que se me hicieron larguísimos, y noté que el furor disminuía, aunque mínimamente, siendo sustituido por una oleada de pensativa tristeza.

«Encuéntralo y lo tendrás de nuevo», prometió, antes de marcharse definitivamente.

❋❋❋

Abrí los ojos. La amarilla luz del sol entraba por la ventana.

Algo atontada, levanté la cabeza. Todavía estaba en mi habitación, sobre la cama. Me acordé de repente... ¡Maddy había estado agachada sobre mí, sin dejar que me moviera! ¿Qué había pasado? Entraba mucha luz. ¿Qué hora sería? Agarré el reloj de la mesita de noche y solté un pequeño suspiro de susto. Ya eran casi las once de la mañana. Había dormido como lo hacen los muertos.

Me pasé la mano por el pelo. Era imposible que hubiera dormido tanto. ¡Estaba demasiado aterrorizada como para dormir! Recordé la urgencia, llena de horror, de buscar a Matthew para avisarle. Era simplemente imposible que me hubiera quedado dormida después de esa indescriptible aparición.

Me llevé las manos a la cara, y lo vi claro. ¡Maddy me había hecho dormir! ¿Por qué? ¿Qué era lo que quería hacer sin que yo me diera cuenta?

Me vestí, me lavé más rápido que en toda mi vida y corrí a la habitación de Matthew. Como no me abría, empujé la puerta suavemente. No estaba cerrada con llave.

Matthew estaba echado en la cama, boca abajo, con un brazo sobre las almohadas. Dormía profundamente. Me costó varios minutos despertarlo; parecía drogado, lo mismo que me había pasado a mí, que solo había logrado librarme de esa sensación de atontamiento debido al tremendo pánico que me invadía. Lo sacudí una y otra vez hasta que, a regañadientes, se dio la vuelta y me miró

—Matthew, por favor. ¡Es Maddy! ¡Nos está obligando a dormir! Ha venido a mi habitación esta noche. Está haciendo algo.

Pestañeó varias veces y frunció el ceño.

—¿De qué estás hablando?

—¡Levántate! —le urgí—. Vamos, Matthew, levántate. Maddy nos está obligando a dormir. ¡Son las once de la mañana!

Noté que empezaba a tomar conciencia de la situación. Hizo un esfuerzo por incorporarse y soltó un juramento.

—Vístete.

—En el salón privado —dijo, ya despierto—. Nos vemos allí dentro de cinco minutos.

Salí rápidamente al pasillo y me quedé petrificada. Una mujer estaba saliendo de la habitación de Alistair. Tendría treinta y tantos años. De brazos fuertes y caderas anchas, el pelo recogido en un moño, y con una bata de enfermera. Cerró la puerta con cuidado.

—Perdone, señora —dije mientras me aproximaba a ella— ¿Quién es usted?

Si se dio cuenta de la rudeza con la que hablé, no lo demostró.

—Soy la enfermera, señorita —dijo, mientras me estudiaba, con cierta discreción, pero de arriba abajo—. He empezado esta mañana.

Me quedé mirándola, absolutamente sorprendida.

—¿La enfermera?

—Sí. —Señaló la puerta de Alistair con un movimiento de cabeza—. El joven de esa habitación está enfermo. Muy enfermo, si se me permite decirlo, pero le voy a atender.

—Ya... ya lo sé —dije—. Soy empleada suya. Sé que está enfermo. —Esto no podía ser cosa de Matthew, pues habíamos discutido la noche anterior respecto a la posibilidad de mandarlo al hospital de caridad—. Discúlpeme, pero no tenía la menor idea de que nadie hubiera contratado una enfermera para atenderlo. ¿Quién la ha llamado?

—Bueno, señorita, trabajo para una agencia. Y respecto a quién ha escrito para solicitar mis servicios, lo cierto es que no lo sé. Normalmente no me lo dicen. En general suele ser la familia del paciente, aunque en el caso de este pobre chico, me da la impresión de que se ha puesto así mientras estaba de vacaciones —conjeturó, señalando de nuevo la puerta—. ¿Así que no fue usted quién solicitó mis servicios a la agencia?

—No —confirmé, sintiéndome estúpida.

—Pues entonces habrá sido la familia —arguyó, encogiéndose de hombros—. Probablemente estén preocupados por él. Es terrible que a uno se le vaya la cabeza estando de vacaciones... La verdad es que he visto casos, pero ninguno tan serio como este. —Extendió la mano hacia mí, de una forma muy masculina—. Nan Chambers, señorita, aunque puede llamarme simplemente Nan.

Le estreché la mano y me presenté. Puesto que ambas éramos empleadas, supongo que decidió que estábamos al mismo nivel. El caso es que se relajó un poco y me habló en tono confidencial.

—Iba a traerle un poco de té —dijo, negando con la cabeza—. He visto muchos tipos de enfermedades... y no todas físicas, no sé si me entiende. —Levantó las cejas haciendo un gesto muy significativo—. En este trabajo se ven muchísimas cosas. Pero esta es de lo peorcito. El pobre chico cree que todavía está en la guerra. ¡Las cosas que dice, madre mía!

Me pasé la mano por el pelo, pero más por pena que por otra cosa.

—Necesita té, y también algo de pan, o algún dulce; si es que consigo hacer que se lo tome, claro. Y también habría que cambiar las sábanas. De momento, no me permite darle de comer ni de beber, ni ayudarlo a asearse, pero no sabe lo fuerte que soy. Ya he tenido que lidiar con gente muy difícil otras veces. Necesita descansar, y que lo cuiden bien. A la gente en su situación eso suele ayudarles, quiero decir, saber que hay alguien cerca. Algunos... —Hizo un gesto de duda—. Bueno, haré lo que esté en mi mano, es todo lo que puedo decir.

Suspiré.

—Nan, me da la impresión de que eres muy competente, y estoy segura de que quien te ha enviado lo ha hecho con la mejor intención, pero creo que debo avisarte... de que puede que no vayas a estar aquí mucho tiempo. El dueño de la posada quiere que el señor Gellis se vaya del establecimiento.

—No querida, no, estás equivocada. Acabo de hablar con él hace un momento. Me ha dicho que, mientras mantenga al paciente tranquilo, él no tiene ningún problema, y que puedo quedarme todo el tiempo que haga falta.

Diez minutos más tarde ya se lo había contado a Matthew, que reaccionó con perplejidad.

—No lo entiendo —dijo. Estábamos sentados a la mesa del salón privado—. Alistair no tiene familia. Entonces, ¿quién ha hablado con el posadero? Ni siquiera sé quién va a pagar la cuenta, eso entre paréntesis.

—Matthew, la cuenta ya está pagada, aunque no me preguntes cómo ni quién lo ha hecho. Y eso plantea otra pregunta, la pregunta clave: ¿quién está al tanto? ¿Y quién le ha escrito para contarle la situación?

Bajó la frente hasta la altura de la mano y se la frotó. Aunque se había vestido y lavado muy deprisa, lo mismo que yo, se las había arreglado para ponerse una camisa blanca limpia, aunque con el botón del cuello sin abrochar. Pude ver que aún tenía gotas de agua en el pelo. Pese a los problemas que teníamos, empleé unos instantes en mirarlo a fondo, en un momento en el que él no me estaba mirando a mí. Me dio la impresión de que podría mirarlo muchos años seguidos sin cansarme de hacerlo.

—No tengo ni idea de quién ha intervenido —dije por fin—, pero lo agradezco. Me siento mejor sabiendo que Nan está aquí. Y tenemos otros problemas que resolver. —Le expliqué la visita que me había hecho Maddy, y reviví con horror todos los terribles detalles de la misma mientras lo hacía. Cuando terminé me quedé mirando completamente insensible la taza de té, ya frío.

Matthew reflexionó sobre ello, y me pareció que se sentía tan mal como yo.

—Jarvis —dijo por fin—. Es de él de quien te ha hablado. «Ya lo he hecho». Es decir, que le ha hecho algo. Seguramente lo ha matado, aunque no sé cómo, y prefiero no saberlo...

Cerré los ojos.

—Eso significa... que él fue uno de los hombres que la atacaron.

—O al menos eso es lo que ella cree.

Negué con la cabeza.

—¿Piensas sinceramente que podría equivocarse en eso?

—No sé absolutamente nada —replicó—. Se supone que ni siquiera debería de existir.

Se me revolvió el estómago. Había estado en ese mohoso cuarto de estar con Jarvis, lo había mirado a los ojos, le había escuchado mentir... un hombre que había abusado de una niña indefensa y que la había dado por muerta.

—Dice las cosas de una forma muy vaga, apenas inteligible —dije, intentando no creer—. Igual no estaba hablando de Jarvis.

—Todo encaja. —Matthew alzó la cabeza y me miró—. Ha estado siguiéndote desde que ardió el granero. Te ha dicho que ha estado observándote.

—¡Los cuervos! —exclamé.

—Sí. Y dijo que anoche «te vio con el otro».

Me sentí acalorada y aturdida.

—Pensé que se refería a ti.

Se produjo un espeso silencio, durante el que ambos recordamos nuestro encuentro amoroso de la noche anterior.

—Supongo que, si nos hubiera estado observando, lo habríamos notado, ¿no te parece? —dijo él en voz baja.

Me mordí el labio y no dije nada.

—No se refería a mí —insistió.

Respiré hondo y asentí. Estaba pensando en los pájaros que había oído el día anterior, cuando nos marchamos de la mísera casa de Roderick Nesbit.

—Tenemos que ver qué pasa con Nesbit.

—No —dijo pensativo—. Tú tienes que ver qué pasa con Nesbit.

—¿Y tú adónde vas a ir?

—Según Maddy había tres. —Se pasó la mano por el pelo, despeinándoselo. Su mirada me sobrepasó, sin dirigirla a ningún sitio en concreto—. Jarvis era uno de ellos, entonces. Y posiblemente Roderick Nesbit otro.

—¡Por Dios! —dije al caer en la cuenta de que, una vez más, había estado delante de uno de los despiadados atacantes de Maddy—. ¿Eso es lo que crees?

—Si es así, Maddy ya lo habrá encontrado. Así que no harás ningún mal yendo a verlo.

Se me heló la sangre. Miré a la cara a Matthew y no pude evitar preguntarle.

—¿Acaso te molesta? Me asquea muchísimo que esos hombres fueran capaces de hacerle eso a Maddy. Pero, de todas maneras, cuando pienso en ella, en su frialdad, en su locura, no sé qué pensar de todo esto. ¿Se merecen la venganza que se quiera tomar con ellos? ¿Se puede decir que alguien se merezca eso, haya hecho lo que haya hecho?

Matthew se puso de pie y se acercó a la ventana.

—Esta historia, toda ella, es una absoluta locura. —Se cruzó de brazos—. No sé qué le habrá hecho Maddy a Jarvis. Puede que nada, y que no tengamos ninguna razón para estar preocupados. Pero si le hizo algo, si la mató... —Hizo una larga pausa, y pude notar la tensión de los hombros—. He visto matar a muchos hombres. Hombres buenos, normales, que no se lo merecían. Así que no me importa lo que les pueda ocurrir a unos violadores. Igual piensas que eso es cruel, o inhumano. —Se volvió a mirarme. La tensión le transfiguraba el rostro—. Pero tampoco me preocuparía demasiado. Para salvar a Alistair, tenemos que encontrar la tumba de Maddy, su primera tumba. Tenemos que averiguar dónde la enterraron aquel día. Eso es lo que vas a sacarle a Nesbit... si es que aún está vivo.

—¿Y tú? —pregunté quedamente.

—Hay una persona clave en todo esto con la que todavía no hemos hablado, al menos de lo que nos interesa. Voy a ver a Tom Barry.

A pesar de mí misma, sentí una oleada de terror frío.

—¿Estás seguro?

Matthew se encogió de hombros.

—Tiene sentido. Barry es amigo tanto de Jarvis como de Nesbit. O es el tercer hombre, o por lo menos dispone de información que nos podría conducir a él. Tengo la intención de sacarle la verdad, todo lo que sepa. Y no podría hacerlo si vinieras conmigo y trajeras a Maddy.

—No quieres que le haga daño —dije.

—No. —Se acercó a mí, absolutamente resuelto y seguro de lo que estaba diciendo—. Ya ha eliminado a Jarvis, al que podríamos haber seguido interrogando para sacarle más información. Y puede que también haya encontrado a Nesbit. No quiero que siga nuestros movimientos hasta que no lo hayamos averiguado todo. —Me puso la mano sobre el hombro, y sentí la calidez a través de la tela. Me miró a los ojos intensamente—. Podemos hacerlo, Sarah.

Asentí.

—Sí, podemos. Y también podemos dejar a Alistair con Nan, estará en buenas manos. —Me levanté y le acaricié la solapa, ligeramente. Era solo una excusa para tocarlo—. Perdió un sobrino en el Somme, ¿sabes?

—Excelente —dijo—. Por eso piensa que Alistair es un héroe de guerra.

Ahora le acaricié la cara, pasándole los dedos por la áspera piel de la mejilla.

—Lo es.

Matthew se retiró.

—Pues entonces vamos. Es muy tarde.

CAPÍTULO 28

En los alrededores de la pequeña casa de Roderick Nesbit no se oía ni un ruido. Las persianas estaban bajadas para cortar los potentes rayos del sol de junio. Avancé entre los matorrales y las malas hierbas del patio delantero, rompiendo mínimamente el silencio. Era un silencio inquietante, pesado; me pareció un presagio de enfermedad, incluso de muerte. Me quedé de pie frente a la puerta de entrada, sin poder articular palabra, como si se me hubiera atrofiado la garganta. Me sentía indefensa, igual que el día que me había acercado a la casa de mis padres con la cesta de fresas. El silencio era muy semejante.

Levanté el puño para llamar con los nudillos, pero el mismo instinto que me hacía odiar el silencio que me rodeaba me impidió hacerlo. Tras un breve momento de duda, coloqué la palma de la mano sobre la superficie y empujé. La puerta se abrió sin dificultad. No estaba cerrada con llave, ni siquiera con el resbalón.

El interior estaba oscuro y gris, en contraste con la brillantez del soleado día de principios de verano. Entré en la habitación principal, en la que habíamos hablado con Roderick Nesbit el día anterior, y dejé que mis ojos se acostumbraran a la oscuridad. La sala seguía sucia, desordenada y polvorienta y, por supuesto, silenciosa.

No oí ni el más mínimo movimiento, ni ninguna voz dentro de la casa. Crucé el corto pasillo, pasé junto a las escaleras y llegué a la cocina, que daba al patio trasero. Se trataba de la típica cocina de soltero, con un horno pequeño, una tetera y algunas estanterías, la mayoría vacías. Sobre la mesa de recia madera descansaba un plato grasiento con los restos de una chuleta de cerdo y unos cuantos guisantes. Sin duda la cena de la noche anterior, que se había interrumpido.

Seguía sin oírse ruido alguno. Pensé en llamar a Nesbit, pese a que habría tenido que forzar la voz, pero en ese momento me di cuenta de que la puerta trasera estaba abierta, igual que lo estaba la delantera.

El escenario se parecía mucho al que había descrito el agente Moores a propósito de lo que había ocurrido en casa de Jarvis: la casa silenciosa, la interrupción de la vida normal. Regresé a la sala de estar y miré a la pared de encima de la chimenea. El rifle de Roderick Nesbit no estaba.

Tragué saliva, respiré hondo y volví a la cocina. Empujé la puerta que daba al jardín de atrás y salí fuera. Tuve que entornar los ojos por el contraste entre la penumbra interior y la brillante luz exterior. En esta zona se habían recogido muchos matojos y malas hierbas, que estaban acumuladas en un rincón de la tosca valla de piedra. No obstante, no se había plantado nada, y las flores silvestres seguían creciendo sin control, igual que el jardín delantero. Había una pequeña caseta a la izquierda, y delante de ella una pila de leña.

Me quedé un momento allí de pie, desconcertada, escuchando la brisa entre los árboles y los cantos de las alondras. Un breve sonido metálico hizo que se me llenaran las palmas de las manos de sudor, y se me revolvió el estómago. Era el ruido del rifle.

—¿Señor Nesbit? —dije en voz baja, volviéndome hacia la pila de troncos y caminando despacio hacia ella—. ¿Está usted ahí?

No oí voz alguna, pero sí el roce de la ropa y el crujido de un zapato en la tierra. Así supe que allí había alguien.

Me acerqué.

—¿Señor Nesbit?

Esta vez no oí el ruido del rifle. No podía saber si lo que había hecho antes era quitar el seguro o ponerlo. Ahora estaba lo suficientemente cerca del montón de leña como para poder mirar alrededor. Avancé otro paso y me asomé por encima de la madera.

Estaba allí sentado, con la espalda apoyada sobre la pila de troncos y con el rifle en el regazo. No me miraba a mí, sino al frente. Era Roderick Nesbit, pero fuera lo que fuese lo que le hubiera ocurrido desde que lo había visto la última vez, parecía haber envejecido veinte años como poco. Tenía el rostro demacrado, como el de un viejo.

—Váyase —susurró.

No le hice caso, y me acerqué un poco a él.

—¿Se encuentra bien?

—¡Shh! —Me miró por primera vez desde que había llegado, y noté que tenía los ojos hundidos, probablemente de cansancio por permanecer mucho tiempo despierto—. Cierre la boca y váyase. Si no, la va a oír. Pensé que usted era ella. Tiene suerte de que no haya disparado.

Me agaché para acercarme más a él. Me latía el corazón a una velocidad desbocada.

—¿Quién va a oírme?

Se quedó mirándome.

—¿Quiere hacerme creer que no lo sabe? Ha sido usted quien la ha traído.

Me llevé la mano a la boca. Así que estábamos en lo cierto. Maddy había venido. No obstante, no sentía su presencia, ni tampoco podía notar el olor metálico, salvo el que despedía el rifle que tenía Nesbit, que era completamente diferente. Esperé a recobrar el aliento y a digerir todas las implicaciones del asunto.

—Entonces usted también lo hizo. Fue uno de ellos.

Cerró los ojos y echó la cabeza hacia atrás, apoyándola de nuevo contra la madera, pero no dijo nada.

—Está usted en peligro —dije, poniéndole la mano sobre el brazo. Lo llevaría al agente Moores, para poder cerrar por fin el caso de Maddy Clare—. Venga conmigo.

Ni se movió ni abrió los ojos.

—Señor Nesbit —dije, al tiempo que le sacudía el brazo—. No lo entiende. El peligro...

Emitió una especie de risa, aunque sin el más mínimo atisbo de humor.

—Sí, claro, el peligro. Eso es lo que ella quiere, ¿verdad? Que salga corriendo. Para que piense por un momento que tengo alguna posibilidad de escapar de ella. —Abrió los ojos y miró hacia delante con gesto de cansancio infinito—. Vino a mí ayer por la noche. Oí un ruido raro mientras cenaba. Miré hacia arriba y... ¡Madre de Dios! —Soltó el rifle, alzó la mano y se la llevó a la cara, tapándose los ojos—. No sé. Toda la noche. Supe que era ella en cuanto la vi. ¡Por Dios bendito! Lo he intentado todo. Confesar, pedir perdón. Ponerme de rodillas. Le pedí a Dios que ella dijera algo, lo que fuera, en lugar de mirarme con esos ojos...

—Señor Nesbit, tiene usted que marcharse. Quiere venganza.

—Pues entonces que la tenga. —Volvió a tocar el rifle con los dedos—. Pero tendrá que venir a por ella. Seguramente es lógico que quiera vengarse de mí, no se le puede echar en cara, pero lo que no voy a hacer es huir como un conejo asustado. Salí de casa a media noche, cuando ya no podía soportar más permanecer dentro, pero decidí no huir. ¿Adónde podría escapar sin que ella viniera detrás de mí? Yo estoy aquí, pero ella todavía no ha salido de la casa, aún no. Cuando lo haga, estaré preparado para recibirla.

Estaba en cuclillas a su lado, y me arrodillé para relajar los músculos. Intenté pensar. Estaba fuera de sí, así que no podía utilizar la fuerza. Iba armado, por lo que lo que debía intentar hacer era calmarlo, aplacarlo. Por otra parte, ¿cómo iba a poder reducirlo, yo, una mujer, contra él, un hombre fuerte y acostumbrado al trabajo duro? Mi única posibilidad era ir a buscar al agente Moores y traerlo antes de que fuera demasiado tarde. El escéptico policía se lo tomaría como una locura más, pero me daba igual.

La otra opción era intentar que Maddy se marchara. ¿Y no me había dicho cómo hacerlo?

—Señor Nesbit —dije, procurando evitar que me temblara la voz—. Puedo ayudarle. No es a usted a quien quiere Maddy. Está buscando algo, algo de lo que no puede acordarse, algo que sucedió... aquel día.

Me miró con los ojos muy abiertos de puro asombro y horror.

—¿Ha hablado con usted? ¿Se lo ha contado?

—Sí. —Volví a agarrarle el brazo—. Aquel día ustedes... la enterraron. ¿Dónde? ¿Dónde está esa tumba? Si la encuentro, quizá podría alejarla y librarle de ella... Voy a llamar al agente Moores para que lo proteja. —Era un plan muy difícil de cumplir, y me obligué a mí misma a no pensar en sus aspectos prácticamente imposibles, como por ejemplo la clase de protección que podría proporcionar el agente Moores frente a Maddy Clare. Mi única esperanza era aplacar a Maddy dándole lo que me había pedido, y esperar que la protección no resultara necesaria.

No me estaba haciendo caso. Seguramente se estaba acordando del siniestro momento y de la tumba.

—¡Por Dios, sí! La enterramos. No fue idea mía, tiene que entenderlo. Nada de aquello fue idea mía, nunca, ni por un momento. Bill Jarvis era un abusón, un maltratador, lo conocía desde que coincidimos en la escuela. ¡Dios, cómo se reía de mí! —Una sonrisa torcida y aterradora surcó su gesto—. Bueno, seguro que ahora ya no se ríe de nadie, esté donde esté. Eso ya es algo.

Escuché en silencio. No quería hacerlo, pero en cierto modo sabía que debía. Tenía que saberlo todo, por fin.

—La encontramos en el bosque. —Seguía mirando hacia ninguna parte, solo hacia dentro, en su memoria—. Habíamos salido a cazar, y ella estaba allí. Había tomado un atajo por el bosque, por el sendero que va junto al arroyo. Ese día apenas encontramos nada a lo que disparar. Y, por supuesto, bebimos, y mucho, como casi siempre. Tenía que mantener el ritmo, siempre tenía que hacerlo, porque si no ellos se reían de mí. Ya estaba casi harto del todo. Y de repente apareció esa chica, tan guapa, con el pelo largo y oscuro. Hagamos un poco de deporte, dijeron. ¿A quién se lo podría contar? ¿Quién iba a creerla? Así que la... —Titubeó y se llevó la mano a los ojos por un momento, como si sintiera un gran dolor por todo el cuerpo—. Al final yo también me dejé llevar. ¡No quería hacerlo, lo juro! Creo que, cuando nos vio, adivinó nuestras intenciones. Intentó huir corriendo, pero no llegó muy lejos. Tenía un pequeño saco con sus escasas pertenencias, y lo tiró mientras corría. Nunca lo encontramos. Era lo único que llevaba. He vuelto al bosque muchas veces, de noche, para buscarlo. No sé por qué. Pero no lo he encontrado.

Respiró hondo y volvió a estremecerse de dolor, pero ya había empezado y quería terminar.

—No fui yo quien la mató. No, no fui. Fue algo completamente inesperado. Me parece que hasta Bill se quedó un poco conmocionado, pese a su estupidez, cuando vimos lo que estaba pasando. Pero la estranguló para que no pudiera hablar, eso dijo él. Y cuando se quedó quieta, nos ordenó que la enterráramos.

Me tragué el horror que me inundaba.

—¿Quién era? —pregunté en el tono más tranquilo que pude, y en voz baja—. ¿Quién era el tercer hombre? ¿Y dónde la enterraron?

Torció el rostro una vez más con esa sonrisa siniestra.

—Pensaba que ya lo sabía. Fue Tom Barry el que la estranguló, él fue el que lo empezó y lo terminó todo, el que nos arrastró. Y la enterramos en el bosque de la propiedad de Tom Barry, a unos dos metros del pozo que hay detrás de su casa.

Se me encogió el estómago.

—No. Eso no es posible. No estaba allí. Estaba en otro sitio. La chimenea...

—¿Qué chimenea?

—La que se veía desde donde Maddy fue enterrada. Había una chimenea de ladrillo rojo. Pero la de la casa de Tom Barry es gris.

Me miró durante un momento con gesto de asombro y hasta me pareció que de respeto.

—¡Es verdad que habla con ella! —exclamó—. Usted es de verdad lo que dicen que es... Hace cinco años Tom hizo reformas en su casa, entre ellas la de la chimenea. La antigua estaba muy deteriorada, casi en ruinas.

Las blancas y frías rozaduras que tenía en los brazos empezaron a palpitarme.

—Y la antigua chimenea sí que era de ladrillo rojo —afirmé; no tenía necesidad de preguntarlo.

—Sí —confirmó—. Lo era.

El marido de Evangeline Barry era el tercer hombre. Y Matthew estaba con él en ese mismo momento, en su propia casa. ¿Lo sabría? ¿Lo habría averiguado o deducido ya? ¿Estaría en peligro?

—Le odio —afirmó Roderick Nesbit como si hablara en sueños—. Con todas mis fuerzas. Pero, cuando me ha llamado, siempre he acudido, he sido uno de sus acólitos; siempre Bill y yo. Tom tiene algo que te lleva a hacer lo que él quiera, por mucho que te repugne. Aunque te insulte, aunque te llame gilipollas, o maricón, o cobarde. Pese a todo, haces lo que te dice que hagas. Me alisté por su causa, ¿sabe? Después de lo que pasó aquel día en el bosque, no podía soportarlo. Hasta pensé en suicidarme. Pero lo que hice fue alistarme, para alejarme de él, y porque él no podía. Tenía mal las rodillas. Al menos tuve la satisfacción de poder decir que yo iba a luchar mientras él se quedaba en casa. ¿Quién era el maricón y el cobarde? Pero al otro lado del mar vi cosas que me rompieron el alma, que la redujeron a cenizas. Volví sin nada dentro. Y él seguía aquí, derrochando el dinero y haciendo lo que le daba la gana.

Las cosas se iban poniendo en su sitio dentro de mi mente, y a tal velocidad que apenas podía procesarlas.

—Usted la vio —dije—. Fue usted. Usted la vio durante su último año en casa de la señora Clare.

—¡Por Dios! —Soltó un grito ahogado—. Después de todo aquello, de todo lo que había sufrido, de que llevara a cuestas esa cruz, ¡resultó que no estaba muerta! Fui a casa de la señora Clare a arreglar el marco de una ventana que se había roto. Me dijo que ella y la señora Macready iban a estar fuera, y que la arreglara mientras volvían. Di la vuelta a la casa y allí, en la senda que va al granero, ¡allí estaba la chica! Llevaba un cubo de metal en la mano. Ella me vio a mí también, al mismo tiempo, y su mirada... parecía que se había abierto una puerta hacia su interior, y que algo le estaba rompiendo el corazón en pedazos.

—Pensábamos que sufría una pérdida de memoria —dije—. Podía sentir los efectos del trauma que había sufrido, pero no recordarlo.

—¿De verdad? —Miró hacia arriba, como si acabara de descubrir el sol de junio que brillaba en el cielo—. Entonces eso lo explicaría. Nunca salió de la casa en todos esos años. Ninguno de nosotros la vio, y ella tampoco a nosotros. Y tampoco teníamos la menor idea de las andanzas de los criados, por supuesto. Estábamos convencidos de que había muerto.

—Pero el día que lo vio a usted...

—Lo recordó, estoy seguro. En cuanto me vio todo volvió a su mente, claro como el día, lo noté en su cara.

—¿Parecía enfadada?

—No, ¡qué va! Lo que estaba era aterrorizada. Soltó el cubo y se cayó, como si las piernas hubieran dejado de sostenerla. Me miró horrorizada. Soltó una especie de grito agudo. Yo también estaba muy asustado. Creo que dije algo estúpido, que siseé para que se callara. E inmediatamente se marchó. Se levantó y salió corriendo hacia la casa como alma que lleva el diablo. Yo también me fui. Ni siquiera arreglé la maldita ventana.

—¿Les contó a los demás que la había visto?

—Sí. Bill quería comprobarlo por sí mismo. Tom… yo diría que Tom ya estaba pensando en lo que podría pasar, y en qué se podría hacer. Tenía miedo de que acudiera a la policía. Pero al día siguiente la noticia de que la criada de la señora Clare se había colgado corrió como la pólvora, así que ahora sí que estaba muerta de verdad. Pero tampoco fue así, ¿verdad? Y es que puede que haya muerto, pero no se ha ido…

—Señor Nesbit —dije con voz casi suplicante—. Tiene que venir conmigo, de verdad. Tenemos que buscar al agente de policía. Podemos terminar con esta pesadilla.

Ahora estaba muy serio, y agarró con más fuerza el rifle que seguía teniendo en el regazo.

—Vaya usted, señorita. Será mejor. Ahora está jugando conmigo al ratón y al gato, pero pronto aparecerá. Puede cumplir su venganza, pero, se lo juro por Dios, tendrá que pelear. No me voy a ninguna parte.

Me puse de pie. No podía perder más tiempo. Matthew estaba en peligro, y tenía que encontrar al agente Moores. Miré a mi alrededor, al patio pacífico, tranquilo y lleno de hierbas. Parecía una tarde de verano como otras, en la que las abejas no paraban de ir de flor en flor y zumbar. Todavía no había rastro de Maddy.

—Lo siento —dije antes de irme.

—Todos lo sentimos —dijo a mi espalda—. Todos nosotros.

CAPÍTULO 29

En ese momento, uno de los más tranquilos del día, no había nadie en la calle principal de Waringstoke. Daba igual. Me acerqué casi corriendo a la oficina de correos porque, tras pensarlo de forma casi agónica, decidí que lo primero que tenía que hacer era llamar al agente Moores, antes de emprender acción alguna. La oficina de correos era el lugar más cercano en el que había teléfono.

Evangeline Barry salía de la oficina justo cuando yo estaba entrando. Se detuvo al verme, con gesto de alarma.

—Señorita Piper, ¿va todo bien?

Me paré en seco. Estaba tan guapa y tan perfecta como siempre; se había arreglado el pelo hacía poco y vestía un echarpe suave, elegante y seguro que escandalosamente caro, sobre un vestido de manga corta gris claro. Pensé en el momento que se acercó a mí cuando estaba en el probador, y el pánico que había en su tono de voz.

—Usted dirá —espeté—. ¿Lo sabía?

Se quedó con la boca abierta y no dijo una palabra.

—¿Lo ha sabido durante todo este tiempo? —continué elevando la voz, y me di cuenta de que debía mantener el control, aunque en cierto modo casi había perdido esa capacidad—. ¿Cómo podía no saberlo? ¿Su propio marido? ¿Cómo ha sido capaz de dejarla sufrir de esa manera? ¿Pensaba usted que estaba muerta, como ellos tres?

Abrió mucho los ojos, absolutamente alarmada y, probablemente, también asustada.

—¡Baje la voz, por el amor de Dios!

—¡Usted lo sabía! No es posible... —dije conmocionada; y es que, a pesar de lo claro que lo tenía, todavía confiaba en que no fuera cierto—. Igual hasta fue cómplice.

—¡Cállese! —Me agarró de los hombros con tanta fuerza que hasta me hizo daño—. Se lo pido por favor. ¡Alguien podría oírla y se lo dirían a él de inmediato! Me mataría si se enterara de que lo sé. No lo conoce. ¡Me mataría! Le juro por Dios que lo haría.

La miré sin entender.

Tiró de mí, arrastrándome hasta un callejón cercano a la oficina de correos, y allí me soltó. Cuando me miró su gesto era de pura desesperación.

—Tom le hizo algo a esa chica, ¿verdad? —preguntó—. Algo terrible...

La miré a los ojos, observé su gesto, y si no estaba siendo sincera, pensé que era mejor actriz que Greta Garbo.

—La atacó en 1914 —dije, hablando con precaución y en voz baja—. Él, Bill Jarvis y Roderick Nesbit. Ellos... —Casi se me cerró la garganta antes de seguir—. Ellos la violaron en el bosque, su marido la estranguló y la dieron por muerta. Roderick Nesbit me lo ha contado todo.

Echó la cabeza hacia delante y escondió la cara entre las manos, con las palmas pegadas a los ojos.

—¡Oh, Dios mío! —dijo en un lamento. Y lo repitió, como si no fuera capaz de parar ni de decir otra cosa—. ¡Oh, Dios mío! ¡Oh, Dios mío! ¡Oh, Dios mío...!

—Usted sospechaba lago —dije.

—No, al menos hasta hace un año —dijo, aún con la cara entre las manos—. Cuando se suicidó. Después de aquello empezó a comportarse de una forma muy rara. Empezó a aterrorizarme.

—Eso fue porque, hasta ese momento, había pensado que estaba muerta —dije—. Pero Roderick Nesbit la vio en casa de la señora Clare y le dijo a su marido que en realidad estaba viva. —Me alejé de ella un paso, acordándome de Nesbit y su rifle, acordándome de Alistair y de Matthew—. Su marido es un monstruo, señora Barry. Puede decir que no lo sabe, pero lo es.

—No voy a decir nada de eso, no voy a negarlo —dijo, bajando por fin los brazos. Cuando me miró el dolor que vi en sus ojos era completamente real—. No se puede hacer siquiera a la idea, señorita Piper, es usted muy joven. No tiene la menor noción del infierno que ha sido mi matrimonio. —Se enjugó las lágrimas de las mejillas—. En el otoño de 1914 yo estaba en casa de mi madre. Le dije a Tom que me iba a visitarla, pero no tenía intención de regresar. Pasé allí más de cuatro semanas, pero mi madre me convenció de que no estaba actuando de un modo adecuado, de que socialmente sería condenarme al ostracismo, y me envió de nuevo con él. —Miró por encima de mi hombro—. Debió de ocurrir en ese intervalo. Yo estaba completamente arrepentida de mi matrimonio, lo odiaba. De hecho, desde la primera semana. Pero después de que Alistair y usted llegaran al pueblo, todo empezó a cambiar dentro de mí. Me he dado cuenta de que no puedo seguir soportándolo, ni más ni menos, independientemente de lo que diga mi familia, ni de las consecuencias que tenga para mí. Nada será peor que seguir viviendo este infierno. Y Tom... —Negó con la cabeza—. Cuando Tom oyó que habían venido a exorcizar al fantasma de esa chica, primero se lo tomó a broma. Los tildó de estafadores, o de locos, o de las dos cosas. Pero después se enfureció, y dijo que había que parar lo que estaban haciendo, fuera como fuese.

El hombre que observaba desde el bosque. El allanamiento de mi habitación. Todo había sido cosa de Tom Barry.

—Y usted pensó...

—Empecé a sospechar que algo pasaba —dijo—. Estaba obsesionado. No paraba de hablar de ustedes y de ese fantasma. De si el fantasma podría hablar con usted, tal como decían los rumores. De lo que podría decirle. Al principio no se lo creía, ya le digo, pero empezó a convencerse. Y yo, por mi parte, empecé a preguntarme por qué le asustaba tanto lo que pudiera revelarle.

—Por eso vino a verme a la tienda de ropa —indiqué, pensando en voz alta y animándola a seguir.

—Soy una cobarde de la peor especie —afirmó, mirando al suelo.

—¿Y qué me dice de la escena en el *pub*? Allí no parecía tener miedo.

Carraspeó ligeramente.

—Cuando estoy con él en público es precisamente cuando más miedo paso. No puedo hacer ni el más mínimo gesto que él pueda interpretar como una deslealtad. Si hago algo que no le guste... —Se mordió el labio—. Me aseguro por completo de no hacer nada que no le guste. No me la puedo jugar...

—¿Y Alistair? —pregunté.

Volvió a mirarme, y se le suavizó el gesto.

—Alistair... —repitió, y el nombre sonó dulce cuando lo pronunció—. Alistair me hechiza con su sola presencia. Me muestra cómo podría haber sido mi vida si las circunstancias hubieran sido distintas. Y si yo hubiera sido valiente. Alistair es el hombre más maravilloso que he conocido, pero no lo merezco en absoluto, ni lo más mínimo.

—Ha sido usted —dije. En cierto modo ya lo sospechaba—. Ha sido usted quien ha contratado a la enfermera, quiero decir. La que ha hablado con el posadero. Quien lo ha organizado todo para que pudiera quedarse. Ha sido usted, ¿verdad?

Una lágrima rodó por su perfecta mejilla.

—Es increíble lo que el dinero puede lograr. Lo único que tengo es dinero, y también es lo único que puedo utilizar. Por favor, dígame que está mejorando.

Ahora me tocaba a mí agarrarla por los hombros.

—Si usted lo ama, aunque solo sea un poco, si alberga usted algún sentimiento por él, ahora tiene que ayudarlo.

—¿Qué quiere que haga? —dijo. Era la primera vez que veía determinación en su gesto.

—Llame al agente Moores —dije—. Cuéntele todo lo que me acaba de contar a mí. ¡Todo! Explíquele que Roderick Nesbit me lo ha confesado todo y que en este momento está en su casa, medio loco. Dígale también que Matthew Ryder ha ido a ver a su marido. Y dígale que yo también voy para allá.

Negó con la cabeza.

—No lo haga.

—Me voy.

Me miró fijamente a los ojos.

—Es peligroso. ¿Es que no me ha escuchado? Sabe que usted ha descubierto algo. Es como un animal acorralado. El señor Ryder y usted pueden resultar heridos, o incluso morir.

Se me encogió el corazón, pero estaba más decidida que nunca. Bajé las manos.

—Voy para allá. Matthew me necesita. Es lo único que puedo hacer. Sé dónde está el lugar en el que enterraron a Maddy después de que su marido la estrangulara, y tengo que llevarla hasta allí. Es la única manera de acabar de una vez con todo esto.

—No sé de qué me está hablando.

Negué con la cabeza. No había tiempo para más explicaciones.

—Como le he dicho, limítese a localizar al agente Moores. Y después vaya a ver a Alistair. Está en la posada. La necesita, siempre la ha necesitado. Ahora me pregunto si no podría haberlo ayudado desde el principio.

Asintió.

—Sí, iré.

Una vez que Evangeline entró a toda prisa en la oficina de correos, volví a plantearme las cosas desde el principio. Todo era muy aleatorio: una chimenea muy deteriorada que había sido reconstruida y que, debido a ello, Matthew y yo no fuimos capaces de dar con el lugar. ¿Qué habría ocurrido si la noche anterior hubiéramos encontrado la tumba de Maddy? Roderick Nesbit no estaría ahora luchando por su vida. ¿Y qué le estaría pasando ahora a Matthew?

No podía pararme a pensar en todo eso. Tenía que darme prisa, tanta como me lo permitieran las piernas, pese a que sudaba por todos los poros y tenía la blusa empapada. Si Maddy me seguía hasta la casa de Barry, puede que dejara en paz a Roderick Nesbit.

CAPÍTULO 30

Cuando me acercaba, esta vez por el camino principal, no atajando por el bosque, en la casa y sus alrededores no se oía el más mínimo ruido. Ansiaba entrar para ver si encontraba a Matthew. Estaba claro que lo primero que tenía que resolver no podía hacerlo dentro de los muros de la casa, así que me encaminé al sendero que se internaba entre los árboles. Los arbustos me arañaban las piernas, pero no hice caso y me dirigí al pozo.

Me latían las zonas de los brazos por las que me había agarrado Maddy. Me detuve cuando llegué al pozo, que estaba entre las sombras, y miré en dirección a la casa. Desde allí podía ver la chimenea gris que se elevaba por encima del tejado, que resultaba visible por encima de las copas de los árboles. Me quedé sin moverme durante un buen rato, como si estuviera en trance, mientras escuchaba el sonido de las cigarras a mi alrededor, así como la ligera brisa que movía mínimamente las ramas. Había estado aquí; la sensación era tan fuerte que me había dejado paralizada, y el tiempo parecía no transcurrir. Conocía este lugar, estaba vivo en la memoria. Lo había visto a través de las pestañas entrecerradas, y muchas veces. Esta vez, el corazón me latía despacio. Era un lugar en el que había ocurrido algo terrible, espantoso.

Me recuperé despacio, retomando mi propia personalidad, y el aroma semiamargo de las plantas silvestres me ayudó a centrarme de nuevo. Sentía un miedo atroz y me costaba respirar. Me estaba arriesgando a morir aquí. Una parte de mí decía que no podía, que no debía hacerlo. «¡No puedo hacerlo!», gritaba para mis adentros. Y, sin embargo, permanecía clavada, de pie, sobre el suelo.

Me sentí como en un sueño, igual que la noche que había estado corriendo sonámbula por el bosque. Recordé el sentimiento de pavor. Recordé aquella cosa que me estaba esperando. Con los ojos de la mente pude volver a ver el sendero, pero ya no estaba oscuro, sino iluminado por la luz rojiza del atardecer, y los pájaros cantaban desde las ramas de los árboles. Vi a una muchacha, con largo pelo negro formando dos trenzas en la espalda. Tenía doce años y su familia había decidido que se pusiera a trabajar de sirvienta; «siempre tengo hambre», me había dicho. Empezaba a tener las manos ásperas, pero también había rellenado un poco sus formas gracias a que por fin se alimentaba regularmente. Pero la habían despedido. ¿Quizá por un hurto insignificante? ¿Por una palabra algo insolente en un momento de mal humor? ¿La señora de la casa había notado que los ojos de su marido la seguían más de lo conveniente?

¿Adónde podía ir una muchacha así? ¿Volver a casa, derecha a la vergüenza y, de nuevo, al hambre? ¿O a otra parte, a algún sitio lejano, un lugar donde nadie conociera a los dueños de la casa en la que había trabajado, en donde buscara otro puesto? «Y me fui antes de que me echaran».

Vi a tres hombres, todos armados, que le bloqueaban el paso. Uno de ellos se adelantó.

Me volví y me acerqué al pozo. Había una mancha oscura en el borde del claro. En el sueño que estaba viviendo en mi mente, la chica sabía lo que le iba a pasar. La vi volverse y salir corriendo, ágil como una liebre. Vi cómo se le caía al suelo el fardo con su ropa, vi cómo corría tan aprisa como podía, empujada por el miedo, con los pies recorriendo lo más rápido posible el desnivelado terreno del sendero. Corría para salvar la vida. Y vi a los tres hombres correr detrás de ella.

Ahora era yo la que corría. Me estaba acercando al pozo. «A unos dos metros del pozo», había dicho Roderick Nesbit. Pero

¿en qué dirección? Dentro de mi mente vi tropezar a la niña. Ella abrió la boca para gritar. Yo estaba llorando.

¿Cuál podría ser el lugar más adecuado para enterrarla? Evidentemente, el claro no. Ni tampoco hacia la izquierda, porque el terreno descendía y se volvía duro y rocoso. A mi derecha había un pequeño grupo de abetos, un poco separados del borde del bosque, cuyos troncos eran grandes y oscuros, y estaban muy cercanos unos de otros. Allí no había sitio para cavar una tumba. Pero algunos puntos de luz se filtraban entre los negros troncos, como los delicados agujeros de una tela de encaje. Caminé hacia allí.

«Este es el sitio», pensé mientras me internaba entre los árboles.

Era un lugar estrecho y plano. Un pequeño claro natural, de unos seis metros cuadrados como mucho. Había dos tocones medio podridos, restos de dos árboles viejos que se habían tronchado. Unos arbustos, densos e impracticables, llenaban una depresión en el terreno del tamaño de un cuerpo humano. Del tamaño de una tumba cavada hacía varios años, que la naturaleza se había encargado de rellenar. Un sitio que nadie sería capaz de encontrar nunca.

Cerré los ojos y solicité la presencia de Maddy. «Aquí es», le dije con el pensamiento. «Lo he encontrado, como me pediste. Ven». Centré la atención en ese lugar, silencioso y pequeño, bajo el sol de la tarde. Era como si debiera haber algo más, alguna señal de los terribles acontecimientos que se habían producido precisamente en ese punto. Pero no pasó nada; solo se oía el incesante canto de los pájaros, posados en las ramas de los árboles. Pero en ningún caso el escalofriante y profundo graznido de los cuervos carroñeros.

¿Acaso me había equivocado? ¿Podía no ser ese el lugar que estaba buscando, el que sacaría a Maddy de su pena y confusión y la liberaría por fin de su sufrimiento? Levanté el pie para dar un paso hacia el pequeño claro y verlo más de cerca.

Muy cerca de mí se produjo un ruido metálico, un clic.

—No hagas eso, querida —ordenó una voz queda detrás de mí.

Me quedé helada y volví a apoyar el pie en el suelo, sin avanzar. Me zumbaba la cabeza.

—Muy bien —dijo la voz. Era un hombre—. Eres una chica muy curiosa, ¿verdad?

Abrí la boca, pero tenía la lengua demasiado seca como para poder hablar.

—Buscas algo. —El individuo parecía divertirse. Su tono de voz sonaba peligroso y ácido—. No hay nada que encontrar. ¿O es que no me has oído?

Era la voz de Tom Barry.

—Por favor —pude decir.

—Cállate —dijo, como si estuviera hablando del tiempo—. Eres la segunda persona que ha venido hoy por aquí, a meter las narices en mis asuntos. Alguien no es nada de fiar a la hora de guardar secretos, nada en absoluto. Date la vuelta.

Así lo hice. Las piernas apenas me obedecían. Pero, de alguna manera, logré moverme.

Estaba de pie delante de mí y me miraba con las oscuras pestañas entrecerradas, con gesto decidido y malvado. Llevaba una camisa de cambray, y encima un jersey abierto de *tweed*. Tom Barry era un hombre bastante atractivo desde el punto de vista físico. Un hombre que, hacía unos años, fue capaz de captar la atención de una joven llamada Evangeline. El tipo de hombre que podría llamar la atención de cualquier mujer joven, si exceptuamos el hecho de que llevaba en las manos un gran rifle, absolutamente mortal, y con el que me apuntaba directamente.

Sonrió. Era la misma falsa y extraña sonrisa que vi en el *pub*. Puede que el terror hiciera que me imaginara cosas. Temblaba de miedo.

Me recorrió con la mirada de arriba abajo.

—Vaya, vaya. —Seguía hablando suavemente—. Has allanado mi propiedad, ya sabes. Por lo menos, el otro individuo llamó a la puerta.

Sentí un vacío en el estómago. ¡Matthew!

—¿Dónde está?

Tom Barry frunció el ceño.

—Esto ya me está molestando, y mucho. ¿Quién ha hablado con vosotros? Tienen que haber sido Rod o Bill. —Dio un paso hacia mí y me tocó el esternón con el extremo del rifle, justo entre los pechos—. Lo más probable es que haya sido Rod, ese cobarde. Aunque Bill dejó de ser de fiar desde que se marchó su mujer. Bebe demasiado, ¿sabes? También podría haber sido él. —El tono ligero que utilizaba no cuadraba en absoluto con la punta del cañón del rifle que apretaba contra mi cuerpo. Me dio con él un pequeño pero inconfundible empujón—. ¿Quién ha sido?

Tragué saliva, respiré hondo y me preparé para hablar.

—Ya es demasiado tarde. No puede hacerles nada a ninguno de los dos.

Volvió a sonreír.

—A Bill no, desde luego. Lo han encontrado en el bosque hace unas horas. ¿No lo sabías? Tumbado muerto sobre una mata de arbustos. No tenía ni una marca. Alguna especie de ataque, me imagino. Una pena. Pero pudo hablar contigo, o con tu amigo, antes de morir. Y, por lo que me han dicho, Rod todavía está vivo. El otro individuo no me ha dicho ni una palabra. —Se encogió de hombros—. Y ya no puedo hablar con él, pues no se puede decir que sea muy capaz de hablar en estos momentos. —Puso cara de satisfacción al observar mi gesto.

Pero el miedo me había obligado a ver las cosas de una manera más clara, y ahora era capaz de notar detalles que antes se me habían escapado. La manga del jersey de Barry estaba desgarrada a la altura del hombro, y tenía una marca de color rojo oscuro en la mejilla, lo cual era aún más esclarecedor. Era un golpe demasiado reciente, que todavía no se había transformado en un cardenal. Tenía el pelo pegado a la cabeza, pero despeinado por encima de la oreja izquierda, como si se lo hubiera tenido que colocar desmañadamente con la mano.

—Le ha zurrado a usted bien, ¿verdad? —dije.

El gesto de diversión desapareció de su rostro y entrecerró los ojos. Volvió a empujarme con el arma.

—Camina.

Así lo hice, intentando no mostrar el miedo y la desesperación que sentía. Si Matthew estaba muerto... ¡Dios, ¡Dios, si Matthew había muerto...! Al menos había luchado con bravura hasta el final. Me erguí. Este hombre se enfrentaría a la justicia. Mi vida no importaba, nada en absoluto. Aprovecharía cualquier oportunidad que tuviera, el menor error que cometiera, y lucharía, aunque eso significara mi propia muerte. Me aseguraría de que se hiciera justicia, por Maddy, por Alistair. Por Matthew.

Tom Barry me empujó hacia la casa. La chimenea se fue acercando más y más, podía verla entre los árboles. Me volvieron a latir los antebrazos, y recordé las visiones que había tenido de este lugar. ¡Si Matthew y yo hubiéramos encontrado el sitio antes! ¡Si hubiera atado todos los cabos antes, y no cuando ya era demasiado tarde...!

«Maddy, Maddy, este era el lugar que buscabas», pensé angustiada. «Ven, y así al menos uno de nosotros podrá descansar en paz».

La casa surgió ante nosotros, elegante y serena, pero el estómago no dejó de darme vueltas cuando la vi. Había sufrido demasiadas pesadillas. Estaba demasiado cerca de la pesadilla, absolutamente real y terrible, que había tenido lugar aquí.

Pensé por unos instantes en Evangeline. ¿Cómo habría podido vivir aquí con este hombre, cómo lo habría soportado? Quizá la había juzgado mal, con demasiada dureza. Había soportado su propio infierno durante años. Me sentí un poco avergonzada, y me pregunté, antes de morir aquí también, si habría podido encontrar ayuda a tiempo.

Y es que estaba segura de que eso era lo que pasaría. Alistair, en su situación, no podía ayudarme. Nesbit estaba atrapado en su propio patio. Y Matthew, pese a luchar tan valientemente como un caballero, había caído. No quedaba nadie. Puede que el agente Moores viniera, pero no sabía si llegaría a tiempo de salvarme o solo de encontrar mi cadáver, si es que quedaba a la vista. Aunque Tom Barry no tenía mucho tiempo que perder.

Volvió a empujarme en la espalda con el rifle para que subiera los peldaños de la entrada.

—Lo supe ese día, en el *pub*.

Yo no dije nada.

—Se supone que eres una experta en fantasmas —continuó—. Una médium, ¿no? Traída especialmente para el caso. Bueno, me di cuenta con solo mirarte. Te diré lo que eres de verdad: una estafadora, ni más ni menos, exactamente igual que el hombre que vino contigo. E igual que este de aquí.

Me quedé donde estaba, en el vestíbulo principal, mirando al cuarto de estar. Había dejado de escucharle. No podía sentir otra cosa que la sangre acudiendo a mi cabeza, a borbotones, y los latidos del corazón en el pecho.

Matthew yacía boca abajo en el suelo del cuarto de estar. Tenía los brazos estirados por encima de la cabeza, como si fuera a agarrar una pelota. No podía verle la cara, vuelta hacia el lado contrario del que yo estaba. Lo que sí vi fue la sangre sobre la fina alfombra, bajo la cabeza, formando una mancha oscura. El cuarto de estar estaba hecho un desastre: la mesa patas arriba, una silla destrozada contra la pared y trozos de cristales en la repisa de la chimenea. Seguramente Barry había invitado a pasar a Matthew al cuarto de estar para hablar y, al sospechar a lo que había ido, debió de atacarlo por sorpresa. Era la única posibilidad. Matthew era casi diez centímetros más alto que Tom Barry, y mucho más corpulento; pero si Barry lo había sorprendido... si había utilizado un arma...

Matthew estaba muy quieto. Deseaba que se moviera, que respirara. Solté un quejido, y me tembló el pecho.

La dureza del cañón en la espalda me devolvió a la realidad.

—Muévete —ordenó Barry.

—¿Está muerto? —tuve que preguntar.

—Eso espero. Y si no, ya me ocuparé de que así sea dentro de un rato. ¡Muévete!

No quería moverme, no tenía por qué. Por un momento pensé que no había la menor esperanza. Matthew estaba perdido, no me podía ayudar en esta horrible casa. También Maddy había sufrido en ella. Y ahora iba a morir yo, antes de que el agente Moores soltara su taza de té y se montara siquiera en su automóvil para venir a buscarme. Eso en el caso de que Evangeline Barry, la esposa de este monstruo, hubiera hecho acopio de valor y lo hubiera llamado, cosa de la que no estaba del todo segura. Puede que hubiera perdido los nervios, atada durante tantos años a esa horrible casa, atrapada en un matrimonio con este individuo de pesadilla. Puede que incluso en estos momentos se hubiera mantenido callada, asustada a la hora de dar la alarma. Puede que nadie acudiera hasta que fuera demasiado arde, si es que acudía alguien.

Sentí una pena inmensa. Nadie entre los vivos me echaría de menos, y eso, en sí mismo, ya era doloroso, casi tanto como echar de menos a alguien. No había nadie, con la excepción de Mathew, y no estaba segura de que estuviera todavía vivo. A falta de él, solo quedaría Alistair, que se entristecería, estaba segura de ello, pero no muy profundamente. Le gustaba, éramos amigos. Pero, pese a su juventud, ya había perdido muchos amigos.

Volvió a empujarme con el arma y, por debajo de toda esa desesperación, sentí un escalofrío en los huesos. No era exactamente miedo, sino un terror lento y profundo, que se abría camino desde un pozo interior y me congelaba los miembros. Me miré las manos y me di cuenta de que estaba temblando. De los pulmones salió una especie de silbido, y me di cuenta de que ya había sentido antes este terror, al menos una vez.

—Era usted —pude decir, pese a que tenía los labios entumecidos—. Aquella noche, en el bosque. Era usted quien estaba en el sendero.

Recordé la oleada de miedo que había sentido aquella noche. «Hay algo en el sendero». Algo que observaba y esperaba. En aquel momento había sentido este mismo terror, profundo e irracional. Y es que Tom Barry había estado allí esa noche, en el bosque.

Me agarró por la base del cuello y después deslizó la mano hasta el hombro. Noté que se acercaba a mí, y me habló al oído.

—¡Ah, vaya! —suspiró—. Estuve muy cerca aquella noche, ¿verdad? Y tú lo sabías. Pero que muy cerca. Nunca había vuelto a hacerlo..., desde que lo hice con ella, ya sabes. Nos divertimos, fue un jolgorio. Habíamos bebido mucho y nos apetecía divertirnos. Pero tú... Estaba en el bosque, vigilando la posada, y de repente apareciste. Corriendo como una liebre, como ella. Y ese camisón blanco. No había pensado en ellos, pero esa noche... Chica, ¡qué bien lo habríamos pasado si hubieras venido sola! ¡Menuda diversión! —Noté su liento caliente en el cuello—. Puede que todavía podamos.

—¡No puede hacerme eso! —grité. Con sus palabras, la desesperación dio paso al pánico—. ¡Lo sabría todo el mundo!

Suspiró.

—Aquella vez fue una oportunidad magnífica, de verdad... si lo hubiera planeado, no habría salido mejor. Esas cosas no pasan a menudo en la vida. Hasta mi mujer estaba fuera del pueblo, visitando a su madre. De no ser así, seguro que habría visto algo. Esta vez las circunstancias no son tan favorables. Aunque, de todas maneras, podemos apañarnos con lo que tenemos, ¿no te parece? Aquí, tu amigo, entró en la casa sin permiso, la allanó... y me atacó. Eso es de lo más sencillo y creíble. —Me agarró el cuello con más fuerza, haciéndome bastante daño—. Puedo decir que no te vi, y que no sé qué ha podido pasar contigo. Puede que tu amigo perdiera los estribos. O quizá podría haber sido el loco que está en la posada quien te lo hiciera. Además, el bosque es muy denso por ahí. ¿Tú crees que va a salir mucha gente a buscarte si te pierdes, a ti, una forastera entrometida? ¿Y durante cuánto tiempo lo harían?

Ahora estaba muy cerca de mí, y hablaba con desdén. Olía a tabaco y a sudor. Me di cuenta de que, en la posición en la que estaba, tenía que haber bajado el arma; pese a que seguía agarrándome el cuello con la mano, había bajado la guardia durante un instante. Si fuera capaz de pensar con claridad, si pudiera controlar mi cuerpo tembloroso, podría aprovecharlo.

Respiré hondo y le di un codazo en el esternón con todas mis fuerzas. Me sorprendió la extrema dureza del hueso, sobre el que prácticamente no había un ápice de grasa, y sentí el impacto en todo el brazo, incluido el hombro. Al mismo tiempo, me revolví para librarme de su sujeción. Titubeó por un instante, desequilibrándose un poco. Nunca en mi vida había golpeado a nadie, ni me había peleado, y no tenía la menor idea de cómo hacerlo. No se me ocurría nada mejor que hacer que golpearle, tan fuerte como pudiera, en el brazo con el que sostenía el rifle, con la esperanza de que lo soltara.

Cayó hacia atrás, pero al tiempo que caía, el gesto inicial de sorpresa desapareció instantáneamente de su rostro, y en el momento en el que el arma caía al suelo, al mismo tiempo que él, extendió el brazo para volver a agarrarla. Cayó de espaldas haciendo un ruido seco por el golpe, pero ya tenía otra vez el rifle en las manos, apuntándome desde el suelo.

Nuestras miradas se encontraron. Nos quedamos quietos durante un instante, como midiendo nuestras posibilidades respectivas. Pasó por sus ojos una brizna de humor, y rio entre dientes de forma siniestra. No dejó de apuntarme con el rifle, que estaba cargado y sin el seguro, y supe que no dudaría en disparar. Así que me quedé quieta.

—No ha estado mal el intento, querida —dijo—. Nada mal.

Se levantó despacio, manteniendo el rifle firme. Ahora podía leer en su cara otras sensaciones, creo que de interés, e incluso de placer. Supongo que mi actitud belicosa había despertado algo en él, el mismo instinto depredador que le hizo gozar cuando persiguió a Maddy. El instinto que le hizo disfrutar cuando abusó de ella y la mató. Había dejado de ser una simple molestia para él. Me había convertido en una presa.

Se acercó a mí sonriendo.

—No lo haga —dije en voz baja.

Abrió la boca para hablar, pero fuera lo que fuese lo que pensaba decir, no llegué a oírlo. Nos interrumpió una auténtica conmoción que procedía de la ventana, al otro extremo de la habitación.

Se trataba de un ruido sordo, un batir de alas que retumbaba. Un cuervo, grande, negrísimo y con el pico muy largo, aleteaba frenéticamente al otro lado de la ventana. Cuando lo miramos, se equilibró y arañó con las garras el cristal, sin dejar de batir las alas. Un segundo pájaro se colocó a su lado, y el ruido se multiplicó por dos. Ese segundo cuervo abrió el pico y soltó un graznido ronco y profundo, al tiempo que acudía un tercer pájaro, que se alineó con los otros dos, como si fueran la vanguardia de un ejército.

En la otra ventana, la más cercana a la chimenea, estaba ocurriendo lo mismo. Y también pude captar el ruido de batir de alas procedente de todas las ventanas de la casa. Algo muy grande y huesudo batió una y otra vez contra la puerta principal, y a mí me invadió una nueva clase de pavor.

Miré a Tom Barry. Él, a su vez, miraba desconcertado a su alrededor, pero sin soltar el rifle en ningún momento. Se volvió hacia mí y entrecerró los ojos. Los golpes que tenía en la cara estaban empezando a amoratarse.

—Por favor —dije, al tiempo que empezaba a notar el ya familiar olor metálico—. Tiene que marcharse de aquí.

Un gesto de sorpresa transformó su rostro, de modo que hasta alzó las cejas; después se echó a reír.

—¿Qué me marche de aquí? ¿Por quién me tomas, querida? Solo son unos cuantos pájaros.

—No, ni mucho menos. ¿Es que no los oye?

—Oigo pájaros —dijo, pero noté un primer gesto de desasosiego. El ruido era muy alto en ese momento, y también inconfundible. No cabía la menor duda de que estaban en todas y cada una de las ventanas de la casa, y se notaba que se llamaban unos a otros con sus repugnantes graznidos. Me acordé del día que los vimos en el granero, formando una reluciente y oleaginosa cubierta negra.

Endureció el gesto, tras luchar por vencer el desasosiego y, al parecer, lograrlo.

—Basta de preocuparse por los pájaros. Quiero...

De nuevo sonó un estruendo procedente de la puerta principal, esta vez prolongado y fortísimo, que nos hizo saltar a ambos. El ruido se repitió inmediatamente.

—No lo entiende —dije. Las palabras me salían atropelladamente—. Está usted en peligro. Se trata de Maddy. Es su fantasma. Todavía está aquí, y me habla, tal como usted sospechaba. Era usted quien me vigilaba desde el bosque, ¿verdad? Fue usted quien allanó mi habitación.

—¡Cállate!

—No quiere admitirlo, pero estaba preocupado por si los rumores sobre su presencia en el granero fueran verdaderos. Roderick la vio aquella tarde y se lo dijo, y usted supo que todavía estaba viva, que no había muerto cuando la enterraron, después de que la estrangulara. Y más tarde se enteró de que se había suicidado, y pensó que ya había pasado todo. Pero empezaron los rumores de que su fantasma había poseído el granero, y entonces la señora Clare nos mandó llamar, pero ni así terminó de creérselo, aunque siguió preocupado. ¿Y si de verdad era su fantasma? ¿Y si le decía algo a alguno de nosotros? ¿Y si, al final, se terminaba destapando su crimen perfecto? Pues mire, tenía usted razones para preocuparse. Tenía usted razón. Nos lo ha dicho. Todo.

—¡Cállate! — En un acceso de rabia, me golpeó con el arma, y sentí dolor en la parte blanda del estómago. Solté un gemido, pero el ruido de los cuervos que se acumulaban fuera de la casa lo ahogó por completo. Era abrumador—. ¡Me encargaré de esto! —exclamó—. ¡Camina! ¡Hacia las escaleras!

Obedecí, pero no iba a parar de hablar. No me importaba que lo que decía pareciera una absoluta locura, procedente de una mente enferma.

—Ella no recordaba nada —le dije—. Durante años no recordó lo que le había pasado. Y entonces, después de morir, me da la impresión de que siguió sin acordarse. Creo que, en cierto modo, se ha quedado atrapada en un mundo de sombras, de la naturaleza que sea, que era incapaz de abandonar. Pero ahora sí que recuerda. No fueron ni Bill Jarvis ni Roderick Nesbit los que me contaron lo que pasó. Roderick terminó confesando, sí, pero yo ya lo sabía todo. Fue Maddy, ¿lo entiende? Fue Maddy la que me lo contó, porque ahora sí que recuerda todo lo ocurrido. Yo no quería venir a esta casa, porque ella me sigue. Lo encontraría a usted. Y ahora ya sabe quién es y lo que le hizo. Tiene que marcharse de aquí. Es su única oportunidad. Tiene que correr.

Me había obligado a bajar un tramo de escaleras, hasta un sótano oscuro. Allí se oía más débilmente el ruido de los cuervos. Olía a humedad, a carbón y también notaba el olor terroso de las patatas. A través de las suelas de los zapatos notaba el suelo frío.

En la penumbra, me dirigió una mirada aviesa.

—Ya me he hartado de escucharte, es suficiente. Estás completamente loca. Estate quieta y cállate de una vez. Me voy arriba a encargarme de esos malditos pájaros, y después volveré...

—¡No lo haga! —grité—. ¡No lo haga! ¡Ella está aquí! —Lo agarré de la manga—. ¡Tiene que huir, y corriendo!

—¡Ya está bien! —Torció la cara. Le dio la vuelta al arma para agarrarla por la culata. Me dio tiempo a ver la superficie de madera, oscura y marmórea, antes de que me golpeara con fuerza en la mejilla, arrojándome hacia atrás. Perdí el equilibrio y caí al suelo, sintiendo un intenso dolor. Boqueé para respirar y lo miré desde el suelo, mientras la humedad caliente de la sangre empezaba a cubrirme la piel de la cara.

Barry pestañeó, como si durante un segundo dudara de si me había golpeado o no. Después observé que recuperaba la expresión resuelta habitual. El ruido de los pájaros sonaba ahora con más fuerza, y estaba claro que no podía lidiar con eso y conmigo a la vez.

—¡Por todos los diablos, estate quieta! —exclamó—. ¡No te muevas!

Retrocedió de espaldas hacia las escaleras, despacio, y sin dejar de apuntarme con el arma. No hacía falta que se preocupara, pues solo podía permanecer en el suelo, doliéndome del brutal golpe en la cara, que me invadía como si fuera un ser vivo. Me daba cuenta confusamente del batir de alas de los cuervos, procedente de algún lugar por encima del que estaba, y del fuerte olor metálico que había en el sótano. Cerré los ojos. «¡No suba!», quise gritar, pero no me salieron las palabras.

La puerta se cerró, y oí el clic de un cerrojo. Tenía que impedir que pasara lo que se avecinaba. ¡Tenía que hacerlo! Busqué a Maddy en mi interior, desesperadamente. Estaba conmigo, podía sentirlo. «Maddy», pensé. «Maddy, no, por favor, no». Pero no obtuve respuesta. Ni siquiera sé si me escuchó.

Lo que sí que oí fueron los pasos de Tom Barry en el piso de arriba. Oí cómo susurraba, y también cómo maldecía y juraba. Subió la escalera, salió de mi ámbito de escucha, pero después volví a oírle. Anduvo hasta la cocina y luego se oyó el ruido de algo que se rompía, y otro juramento.

Entonces sonó un ruido corto y estridente, casi como un disparo, pero no tan fuerte, por lo que no pude identificar qué lo había producido. Volví a escuchar los pasos de Tom Barry, ahora corriendo. Otro juramento. Y después un grito, como un ladrido ronco, rápido y extrañamente agudo.

Después un maremágnum de ruidos, caídas y golpes contra las paredes. Cosas que se rompían. En un momento dado, un extraño sonido lento, cansado. Pero la voz de Tom Barry no volvió a oírse, ni un gemido, ni una maldición. Y tampoco disparó el arma.

Al cabo de un rato, todo se quedó en silencio.

Yo estaba tirada en el suelo de un sótano, sufriendo el dolor de la mejilla en la que me había golpeado. Todo había acabado, al parecer. No había conseguido nada, no había impedido nada y Matthew seguía allí arriba. Lloré y grité hasta que el intenso dolor pudo conmigo y me transportó a un sopor brumoso. Apoyé la cabeza en el suelo y perdí el conocimiento.

Todavía estaba en la misma postura cuando, más tarde, llegó el agente Moores, para retirar la sangre y los cuerpos.

CAPÍTULO 31

Recobré la consciencia despacio, y creo que oí pasos y una voz. Abrí los ojos.

La voz sonaba fuerte, resonante y familiar.

—¡Policía! ¡Soy policía! ¡Si hay alguien ahí, salga e identifíquese!

Me temblaban las piernas, pero logré ponerme de pie. Me dolía muchísimo la cabeza, y por un momento pensé que iba a perder el equilibrio. Hice un gran esfuerzo para avanzar y ascender las escaleras del sótano. Intenté también emitir algún sonido, pero tenía la garganta muy seca. Finalmente golpeé con los nudillos la puerta del sótano, me apoyé sobre ella y grité pidiendo ayuda.

La expresión del agente tras abrir la puerta pasó de la sorpresa cautelosa a la alarma en cuanto me vio la cara. Llevaba una pistola en la mano, aunque sin apuntar, con el brazo bajado. Retrocedió un paso.

—¿Hay alguien más ahí?

Yo apenas podía hablar. Lo aparté a un lado y corrí hacia el vestíbulo y el salón de estar. Matthew seguía en el suelo, sin moverse y sin hablar, aunque ahora tendido sobre la espalda. Corrí hacia él y caí de rodillas.

Le coloqué la cabeza en el regazo y empecé a llorar de nuevo, aunque esta vez de puro alivio. Tenía la piel caliente, aunque la cara mostraba una enorme palidez, y se le notaban perfectamente las venas de las sienes. Tiré de él y me incliné, sollozando desconsoladamente.

Oí los pasos del agente Moores, aproximándose desde detrás.

—Está vivo, aunque parece que ha sufrido una fuerte conmoción, debida a un mal golpe. Voy a llamar a un médico. ¿Le importaría contarme qué ha pasado?

—¿Dónde están los pájaros?

—¿Los pájaros? No tengo la menor idea de lo que me está hablando.

—Tom Barry mató a Maddy Clare —dije mientras sostenía la cabeza de Matthew. Podía sentir los latidos de su corazón con la palma de la otra mano—. Matthew vino a sonsacarle sobre ese asunto. Tom Barry mató a Maddy Clare, con la ayuda de Roderick Nesbit y Bill Jarvis.

—Eso mismo dice la señora Barry. Su propia esposa.

—Cuando ocurrió ella no estaba aquí. Había ido a visitar a su madre. No lo ha sabido hasta ahora.

El agente soltó un bufido por la nariz.

—Bueno, pues Nesbit está muerto —dijo en tono casi coloquial. Se dirigió hacia la ventana—. Se disparó en la cabeza con su propio rifle, lo que tuvo que ser condenadamente difícil. Vengo precisamente de allí. A Bill Jarvis le dio algún tipo de ataque en el bosque. ¿Le importaría decirme adónde ha ido Tom Barry?

—No lo sé —dije, lo que era la pura verdad—. Yo vine a buscar a Matthew. Barry me encontró, me llevó a esa habitación del sótano, me golpeó con la culata de su rifle y me encerró.

—Bueno, pues aquí ha pasado algo. —Su tono de voz me dejó claro que no me creía del todo, pero no me importó. Permaneció callado durante un buen rato—. Fuera hay huellas. —Se acercó a mí otra vez—. ¿Se va a quedar aquí o cuando vuelva voy a descubrir que ha huido?

—¿Está usted loco? —espeté, alzando la cabeza para mirarlo.

Nos miró a Matthew y a mí con gesto de cansancio y, en cierto modo, de hartazgo. Si pensaba que iba a escaparme y abandonar a Matthew estaba equivocado de medio a medio. Tendría que arrancarme de él con sus propias manos, y me dio la impresión de que, al mirarme de nuevo, esa idea caló en su mente.

—Entonces de acuerdo. Quédese ahí y no se mueva. Y, por el amor de Dios, ¡no toque nada! —Se dio la vuelta y salió a toda prisa de la habitación y de la casa.

Matthew se removió en mi regazo y suspiró débilmente. También movió un poco las pestañas. Aparté el pelo que le había caído sobre la frente y pude ver que abría los ojos, aunque su primera mirada fue turbia y confundida.

Me incliné y lo besé en la mejilla y en la comisura de la boca.

—Sarah —susurró.

—Sí, soy yo.

Fijó la mirada en mí, y noté que empezaba a enfocar. Vi como captaba el golpe que tenía en la mejilla, que notaba palpitante. Tenía sangre seca sobre la piel. Levantó una mano y me acarició suavemente. Se le endureció la mirada pese a que yo negaba con la cabeza.

—Lo voy a matar —murmuró.

—Calla. Estoy bien.

Cerró los ojos.

—Lo voy a matar.

—No, Matthew. Todo ha acabado.

—Sarah. —Noté perfectamente el momento en el que volvió a perder la consciencia. Apreté su mano contra la cara y lo besé en la palma. Su sangre me manchó la falda, pero me dio igual.

—Te amo —le dije.

Y entonces sentí que Maddy estaba a mi lado.

No puedo explicar cómo me di cuenta de que estaba allí. Pero así era, enfrente de mí, en el mismo sitio en el que hacía un momento había estado el agente Moores. Esperé a sentir la explosión de furor y la oleada de miedo que siempre acompañaba su llegada, pero esta vez no se produjeron. En lugar de eso, oí el sonido quedo de unos pies descalzos andando por el suelo de la habitación.

Miré hacia atrás. Me costó una agonía volver la cabeza y con la mejilla hinchada lo veía todo más oscuro. Vi unos pies descalzos, de una blancura imposible, y el dobladillo de una falda de sarga. Levanté la vista poco a poco y pude ver una blusa barata bajo una torera. Con súbita certeza, supe que eran las prendas más bonitas que había poseído en su vida. Aquel día se había puesto su mejor ropa, seguro que para causar buena impresión a las mujeres de Waringstoke en el momento de pedir trabajo.

El rostro que asomaba sobre la camisa y la torera era joven y delicado, enmarcado por una masa de cabello negro que casi le llegaba hasta la cintura. Me miró con ojos grandes y oscuros, los brazos caídos a los lados del cuerpo. Me di cuenta de que, a través de su piel traslúcida, podía ver la puerta del salón.

—Maddy —dije en voz baja y lo más suave posible—. Vete.

No pareció escucharme, pues durante un buen rato no hubo respuesta. Al final habló, aunque en ningún momento pude ver que moviera los labios. Pero lo que oí no fue ya esa voz terrorífica de otras veces, que surgía de mi interior. Sonaba como una chica de diecinueve años.

—Yo no quería hacerlo —dijo, y su voz era como un suspiro exhausto—. Estoy muy cansada.

—Lo sé —asentí—. Vete.

Aparté la mirada de ella y volví a mirar a Matthew. Me sorprendió ver que tenía los ojos abiertos otra vez, y que había vuelto la cabeza para mirar a Maddy. Después volvió a mirarme a mí.

—Se ha ido.

Capté un mínimo movimiento procedente de la ventana, y cuando me volví la vi durante un instante, alejándose de la casa, andando. Se dirigía al bosque, mientras el viento le agitaba el cabello de la espalda. Andaba con un balanceo agradable, moviendo los brazos descuidadamente, con gracia, y también las caderas.

Una mujer joven y bonita, paseando en una soleada tarde de verano. Mientras miraba, pude ver al agente Moores que venía del bosque. Podían haber chocado, pues pasaron muy cerca el uno del otro, pero el policía no volvió la cabeza. Estaba claro que no la veía. Si sintió un escalofrío en la espalda, no lo demostró.

Me volví hacia Matthew.

—El agente va volver enseguida. Dice que va a llamar a un médico.

—Me dio un culatazo en la cabeza por la espalda. Ya casi lo tenía. Por poco lo consigo.

—Sí, lo sé.

—Por lo que veo, también te golpeó a ti —murmuró, al tiempo que volvía a acariciarme la mejilla.

—No me duele —afirmé, y él se rio un poco, pero después hizo una mueca de dolor.

—No le digas nada de Maddy, por favor —me pidió, de nuevo en tono serio.

—Ya no hay nada que decir de ella.

—¿De verdad me quieres?

Volví a besarlo en la comisura de la boca.

—Sí.

Nos quedamos así durante un rato, con las mejillas juntas y él acariciándome la mejilla con ternura. Sentí su aliento y supe que siempre lo sentiría, día tras día, año tras año, hasta el último de su vida.

—Bien —dijo Matthew finalmente—. Eso está bien.

CAPÍTULO 32

El agente Moores no estaba en absoluto satisfecho con lo que había pasado. Ni siquiera un poquito. Hizo lo que pudo para encajar las piezas, de todas las maneras que se le ocurrieron, con la intención de implicar en lo sucedido a alguno de nosotros, pero no lo logró. En cualquier caso, en todo momento supo que le faltaba alguna, y que nosotros teníamos la clave.

Tom Barry estaba muerto. Había unas huellas extrañas fuera de la casa y otras todavía más raras en el borde del bosque, unas huellas que, según el policía que las descubrió, parecían unas líneas paralelas, como si fueran las marcas de un hombre que hubiera sido arrastrado. Pero las profundas marcas en la tierra, con forma de media luna, hechas con toda seguridad por talones, eran las de un hombre vivo, que calzaba un 42 de zapatos, dando patadas y, muy posiblemente, gritando a pleno pulmón.

Las huellas terminaban de repente, casi al borde de los árboles. Encontraron el rifle de Barry en unos matorrales, sin haber sido disparado. Había sangre en la culata. Los perros rastreadores encontraron finalmente a Barry a la orilla del río, tumbado boca abajo, con la cabeza cubierta por el agua. Se había ahogado, pero no se le encontró ninguna marca, lo mismo que ocurrió con Bill Jarvis. Si alguien le había sujetado la cabeza hasta ahogarlo, no había dejado la más mínima señal.

Yo había estado encerrada en el sótano y Matthew inconsciente. Aparte de nosotros, no hubo nadie en las cercanías que hubiera podido ver u oír algo.

No, el agente Moores no estaba nada contento. Pensaba que habíamos hecho las cosas de una forma muy eficiente. Pero, en cualquier caso, para él no tenía sentido, ni el más mínimo. Yo no pude ni atacar ni matar a Tom Barry. Era demasiado poco corpulenta y débil como para arrastrar a un hombre tan grande por los bosques, ahogarlo a la fuerza y sin dejar marcas, y después volver y encerrarme, ¡desde fuera!, en el sótano. Quizá Matthew sí que fuera lo suficientemente fuerte como para hacerlo; pero tendría que haber acabado con Barry de la forma que fuera, después golpearse violentamente con la culata del rifle, ¡en la parte de atrás de la cabeza!, tirar el arma, volver a entrar en la casa, tirarse al suelo y desmayarse. Ni el agente Moores podía creer semejante cosa, por mucho que le apeteciera. El agente manejó la idea de que habíamos trabajado juntos; pero en ese caso Matthew tendría que haberme encerrado en el sótano antes de desmayarse, y cuando el médico emitió el informe acerca del tremendo golpe que había sufrido Matthew, no tuvo más remedio que abandonar también esa teoría.

De todas formas, nos obligó a permanecer en el pueblo hasta que, de mala gana, tuvo que cerrar la investigación. Y es que también trabajaba en la muerte de Bill Jarvis, que a todas luces parecía accidental, y en el suicidio de Roderick Nesbit. Después de todo, yo había ido a casa de Nesbit y era la última persona que lo había visto vivo. Nesbit murió solo, sentado en el suelo del patio trasero de su casa, por un disparo de su propio rifle. El agente oyó el disparo cuando estaba entrando por la puerta de la casa. Le habría encantado poder endosarnos alguna responsabilidad a Matthew o a mí, ya que apuntarse a uno mismo con un rifle y apretar el gatillo para suicidarse es algo casi imposible de hacer; no obstante, había personas que ya lo habían logrado. Finalmente tuvo que admitir que yo me había ido de la casa mucho antes, y que ambos, Matthew y yo, ya debíamos de estar en casa de Tom Barry en el momento del suicidio. Cuando salió corriendo al oír el disparo y llegó a la escena, solo unos segundos después del disparo, todo lo que vio fue unos cuantos cuervos horribles posados en la valla y una nube de humo azul.

Mientras tanto, al tiempo que la frustración del agente crecía sin límites y él y sus compañeros nos interrogaban una y otra vez, nosotros permanecimos en la posada, con Alistair.

Alistair había vuelto con nosotros. Y con él mismo.

Estaba atontado, descompuesto y terriblemente hambriento y sediento; también tenía la barba muy crecida, pero no había la menor duda de que era Alistair. Al cabo de un día, se había bañado, cambiado y aseado, y había vuelto a gastar bromas como si nada hubiera pasado, aunque seguía débil. Nan se quedó y permaneció con él, que se dejó cuidar, aunque le dijo de buen humor que estaba tratando de matarlo a base de caldo de carne. No obstante, en algún momento se le notaba algo extraño en la mirada, y se mostraba ausente. Maddy se había ido tan deprisa como había venido, pero había dejado huella cuando soñaba, tanto dormido como despierto.

Mis heridas no resultaron demasiado graves, aunque tenía la cara hecha un desastre. El médico, moviendo la cabeza de un lado a otro, me dijo que había tenido mucha suerte porque no se me había roto el pómulo, y me mandó una pomada para la inflamación. Se me puso la mejilla entre morada y negra, y la tenía bastante magullada, pero me alegraba mucho de estar viva. Las marcas de los brazos habían desaparecido por completo.

Yo misma atendí a Matthew, al menos todo lo que me dejó. Necesitaba mucho descanso, y la herida se fue curando, despacio, eso sí, aunque no le gustara nada tener que admitirlo. Al principio tenía dolores de cabeza frecuentes, aunque fue obediente y se tomó las medicinas que le prescribió el médico. Finalmente se recuperó con la potencia propia de lo que era: un hombre joven y vigoroso, tremendamente saludable y con muchas ganas de vivir.

Había superado heridas mucho peores. Aunque odiaba estar enfermo, o herido, lo cierto es que en ningún momento se vino abajo. Podía estar malhumorado y gruñir todo el día, pero por la noche, cuando me metía en la estrecha cama con él, lo besaba y le acariciaba despacio la suave oscuridad de su pelo, se volvía y me abrazaba con ternura. Al principio se daba la vuelta para dormir cuando lo abrazaba, incapaz de hacer nada más, pero después de unas cuantas noches empezó a mantenerse despierto y, finalmente, empezó a meterme las manos bajo el camisón para acariciarme la espalda y besarme con pasión, y terminábamos haciendo el amor con un placer tan silenciosamente febril que llegué a pensar que la cama y hasta la habitación terminarían incendiándose.

Aunque vivíamos en una especie de limbo de espera, aquellos días en la posada fueron extrañamente pacíficos. Los tres pasamos muchas horas hablando, repasando todo lo que había ocurrido. Alistair quería saberlo todo, por supuesto. No habló mucho de su propia experiencia, aunque me di cuenta de que le pesaba. Ambos pasamos bastantes horas juntos, leyendo y sin decir nada; algunas veces lo veía mirando por la ventana, con la mente lejos, muy lejos de allí.

Un día, Alistair encontró un mapa, y los tres nos lanzamos sobre él. Resultaba imposible saberlo con certeza, por supuesto, pero al parecer había una estación de tren a unos seis kilómetros de Waringstoke. Si Maddy hubiera venido desde allí, era perfectamente posible que hubiera atravesado la zona, de pueblo en pueblo, buscando trabajo. Nadie recordaría, tantos años después, a una chica, una de tantas, que había llamado a la puerta de servicio pidiendo trabajo. Nadie se acordaría de ella dándose la vuelta y alejándose hacia el olvido. Nadie se arrepentiría ahora de no haberle dado trabajo en su momento.

Nos sentamos alrededor del mapa, mirándolo en silencio.

—Aún podemos hacer algo —dijo Alistair en voz baja—. Todavía podríamos intentar encontrar alguna pista.

—La estación de tren es una vía muerta —dijo Matthew—. Podía proceder de cualquier punto del país. Jamás seremos capaces de averiguar desde dónde vino.

—Además, ¿quién querría que lo hiciéramos? —pregunté.

—No lo sé, la verdad —respondió Alistair. Aquella antigua obsesión, aquella avidez, había desaparecido—. No sé si es una decisión correcta o no, pero creo que voy a dejar de perseguir fantasmas durante una temporada.

—¿No vas a escribir el libro?

Alistair negó con la cabeza.

—Puede que cuando tenga ochenta años me decida a hacerlo. Si es que a esa edad consigo estar en condiciones de pensar en todo esto sin que me afecte...

Enrolló el mapa y lo dejó a un lado.

La señora Clare vino una vez a vernos. Fue una visita breve, en la que la mayor parte del tiempo se mostró muy poco comunicativa. Estábamos dispuestos a explicarle todos los detalles del caso, pero nos dejó muy claro desde el principio que no tenía ningunas ganas de saberlos. Maddy se había ido de su casa, y todo estaba de nuevo en paz; eso era lo único importante para ella.

Pero en lo que sí insistí fue en que escuchara mi teoría acerca de la nota de suicidio. Se me ocurrió después de ver a Maddy por última vez. «Yo no quería hacerlo», me había dicho con enorme tristeza. Y después las palabras de la nota: «Los voy a matar».

Le dije a la señora Clare lo que pensaba. El día que Maddy vio a Roderick Nesbit en Falmouth House lo recordó todo. Y el recuerdo la llenó de odio y de deseo de venganza asesina. Pensó que solo suicidándose lograría evitar asesinar a esos hombres. Pero ni siquiera después de muerta fue capaz de autocontrolarse. El deseo de venganza se mantuvo en ella incluso después de morir.

La señora Clare me escuchó sin decir ni una palabra. Su gesto estaba vacío de todo: de miedo, de pena, de rabia, de furor... No abrió la boca y, unos momentos después, se marchó y no volvimos a verla.

Una noche en la que era incapaz de dormirme salí de la cálida cama que compartía con Matthew, me puse una bata y me dirigí a la oscura cocina para tomar una taza de leche caliente. Estaba calentándola en el fogón, haciendo el menor ruido posible para no despertar a nadie de la posada cuando, también con mucho cuidado y sin ruido, alguien abrió la puerta de la cocina que daba a la calle. Era Alistair.

Nos miramos bastante sorprendidos. Se pasó la mano por el pelo y después la sorpresa se transformó en un gesto algo avergonzado.

—Hola.

Pestañeé y, por un momento, me olvidé de la leche.

—¿Qué estás haciendo? —susurré.

Me miró y cruzó los pies, como un criado al que han sorprendido haciendo el vago durante las horas de trabajo. La cosa tenía su gracia, la verdad.

—Sarah, no te enfades conmigo. Estaba con Evangeline.

Me volví hacia el fogón y seguí removiendo la leche, al tiempo que asimilaba lo que acababa de oír.

—Es la única manera —prosiguió—. Los dos estamos bajo sospecha, y nos vigilan muy de cerca. No puedo ir a verla abiertamente. Seguro que lo entiendes.

Fruncí los labios y tuve que admitir de mala gana que si fuera Matthew el que estuviera en esa horrible casa en medio del bosque, yo haría lo mismo pese a todo lo que había ocurrido allí.

—¿Cómo está?

—Pues... —Hizo una pausa, intentando encontrar las palabras más adecuadas para describir la situación—. Ya sabes que vino a verme aquel día, después de telefonear al agente Moores. Sí, vino a verme y estuvo conmigo, incluso pese a que no sabía qué era lo que iba a ocurrir, ni si Tom la descubriría. Ya no le importaba. Ahora está intentando superar todo el horror que ha vivido, durante tantos años. Pero se va a recuperar. Algún día volverá a estar perfectamente y será maravilloso. Lo sé.

Lo volví a mirar, y vi un rostro absolutamente enamorado.

—¡Oh, Alistair!

Me miró y una amplia sonrisa iluminó su cara.

—¿Quieres una taza de leche?

—Sí, por favor.

—Pues entonces siéntate.

Pero no lo hizo. Permaneció de pie mientras servía la leche, ya caliente, en dos tazones. Coloqué uno cerca de él y cuando lo rocé, me colocó ambas manos sobre los hombros. Miré hacia arriba para verle los ojos.

—¿Te hace feliz? —preguntó.

—Sí —contesté, sin poder evitar ruborizarme.

Asintió.

—Se nota. Te quiere con locura, ya lo sabes, aunque admitirlo le resulte dificilísimo. Pero está coladito por ti. ¡No sabes cómo te mira cuando no estás atenta...!

Me puse aún más colorada.

—Conozco a Matthew —continuó—. No resulta fácil de explicar... A ver, todos fuimos a la guerra, todos nosotros, a la misma guerra. Pero parece como si cada hombre hubiera ido a una guerra diferente. Incluso los hombres que lucharon en las mismas batallas... es como si hubieran estado en sitios muy distintos. La guerra de Matthew no fue igual que la mía, ni que la de ningún otro. Y todavía no la ha superado. No le va a resultar nada fácil.

—Lo sé —asentí, mirando al suelo.

—Pero él merece la pena, te lo aseguro.

—Eso también lo sé.

—Bien. —Sacudió la cabeza—. No sabes cómo lo siento, Sarah. Te contraté solo como asistente temporal, y mira en qué situación te he colocado. Lo siento muchísimo.

—¡No digas eso! —Lo miré de frente. Allí estaba esa cara que ahora me resultaba tan familiar, la cara que vi por primera vez frente a mí, en una de las mesas de aquella cafetería del Soho. Los ojos amables, el pelo revuelto, la atractiva sonrisa—. No lo cambiaría por nada.

—¡Eres una chica extraordinaria! —dijo, y me atrajo suavemente hacia él. Le pasé las manos alrededor del cuello, lo abracé con fuerza y pude sentir el olor que desprendía, limpio, dulce, a cítricos, así como sentir la calidez que desprendía. No tenía nada que ver con el poderoso olor de Matthew, aunque era también muy reconfortante.

—Sé feliz —le dije al oído.

—Pienso intentarlo —contestó.

Permanecimos allí, confortándonos mutuamente en silencio, hasta que nuestras respectivas tazas de leche se enfriaron.

✤ ✤ ✤

Finalmente se produjo una vista pública para intentar esclarecer los hechos. Se requirió nuestra presencia, la de los tres. El agente Moores aportó las pruebas y su testimonio, lo mismo que el doctor. También habló Evangeline Barry, con la cara muy pálida y ropa sombría, aunque siempre elegante; testificó que había hablado conmigo en la calle, y que yo le había rogado perentoriamente que avisase a la policía, dijo que, porque yo temía que Roderick Nesbit se suicidara, y porque además también pensaba que Matthew corría peligro precisamente porque había ido a ver a su propio marido. Declaró que no había visto nada, que no sabía nada de los posibles crímenes que, al parecer, había cometido su esposo, y que no podía imaginar ninguna razón por la que buscara ahogarse en el río.

Matthew y yo también declaramos. Matthew dijo que, antes de atacarlo a él mismo, Tom Barry le había confesado que había violado, intentado asesinar y enterrado cerca de su casa a Maddy Clare, pensando que estaba muerta. Y finalmente fui yo quien habló, explicando que Barry me había apuntado con un rifle, después me había dado un culatazo en la cara y finalmente me había encerrado en el sótano. El juez me preguntó una y otra vez acerca de los ruidos que había oído mientras estaba encerrada. Todas las veces le contesté que no escuché voces o discusiones, ni gritos, ni ningún disparo. Tampoco dije nada de los cuervos.

El dictamen de la vista fue que Bill Jarvis había muerto de un ataque, que Roderick Nesbit se había suicidado y que Tom Barry había sufrido un accidente que lo había hecho caer, y había muerto por causas naturales, es decir, ahogamiento. El caso quedó oficialmente cerrado. El agente Moores no tuvo más remedio que tragarse su insatisfacción. Finalmente podíamos marcharnos libremente.

Hicimos el equipaje, y también planes para el futuro inmediato. Alistair se iba a ir a su casa durante un breve periodo para poner en orden algunos asuntos, y más tarde viajaría a un centro turístico a la orilla del mar. Después de dejar pasar unas semanas para no levantar sospechas, Evangeline indicaría a su familia y a sus amigos y conocidos que necesitaba un descanso tras todo lo que había pasado, y se reuniría secretamente con él. Intentarían vivir en pareja, procurando que les fuera lo mejor posible y hacerse mutuamente felices.

Solo quedábamos Matthew y yo.

Se acercó a mi habitación mientras yo llenaba la pequeña maleta con mis escasas pertenencias. Paseó erráticamente por el cuarto, agarrando cosas y volviéndolas a dejar en su sitio, mirando nerviosamente por la ventana y volviéndose de nuevo cada dos por tres.

Yo terminé de hacer el equipaje y esperé a que dijera algo.

Volvió a mirar por la ventana, dándome la espalda.

—Estoy pensando en ir a Kingscherry, a visitar a mis padres.

—Eso está bien.

—¿Tú qué piensas hacer?

Hice lo que pude para no dejar traslucir el pinchazo de dolor que sentí en el pecho y el pánico que me entró.

—Todavía no lo he decidido.

—Puedes volver a Londres.

A mi deprimente habitación, a mi vida, siempre provisional.

—Sí, supongo que sí.

—También podrías viajar para buscar un lugar nuevo en el que establecerte.

Sí, podría hacerlo. Alistair, que se culpaba de todo lo que me había pasado, me había dado una generosa cantidad de dinero, insistiendo en que era para compensarme por la tremenda situación por la que había pasado, con serio peligro para mi vida y mi salud mental, aparte, claro, de la herida que había sufrido en la cara. No me había hecho rica, pero me sobraba para poder disponer de algo de tiempo y, por supuesto, de un billete de tren.

—Debes de estar decepcionada —siguió Matthew, todavía mirando por la ventana—. Por Alistair.

Eso hizo que me enderezase y cruzase los brazos.

Se volvió hacia mí.

—¿Acaso soy un idiota?

—Sí —dije, mostrando mi más absoluto acuerdo con la cabeza—. Eres un completo idiota.

Miró hacia abajo y se pasó la mano por el pelo. Entreví la cicatriz de la quemadura que asomaba por el extremo del puño. Lo miré a la cara y me di cuenta de su lucha interna. Esos ojos oscuros eran extraordinariamente expresivos cuando aprendías a leerlos. Luchaba consigo mismo, con su pasado, con su vida. Con su corazón.

Finalmente alzó la vista y me miró. Yo mantuve los brazos cruzados, esperando, sintiendo los embates del corazón con la parte de atrás de la muñeca.

Matthew metió las manos en los bolsillos y me miró a los ojos.

—Sarah.

—Sí.

—¿Harías el favor de venir conmigo a Kingscherry?

Estuve a punto de hacerle varias preguntas absurdas. «¿Me lo prometes? ¿Lo dices de verdad?». Y es que no hacía falta preguntarle nada. Si Matthew decía algo, podía tener claro que lo decía en serio. Su palabra siempre era una promesa que cumplía, sin ninguna duda.

«¿Me quieres?».

Tampoco pregunté eso. Simplemente permanecí allí de pie, con los brazos cruzados, mirándole a los ojos.

—¡Por Dios bendito, Sarah! —contestó, como si le hubiera hecho la pregunta en voz alta—. Sabes que te quiero.

Crucé la habitación hasta llegar adonde estaba él y, sonriendo, le puse las manos en las mejillas.

—Pues entonces solo tenías que pedírmelo.

Descarga la guía de lectura gratuita
de este libro en:
https://librosdeseda.com/